DE SMAAK VAN SNE

P

Leslie Schwartz

De smaak van sneeuw

Van Holkema & Warendorf

Voor altijd
Greg

Oorspronkelijke titel: *Angels Crest*
Oorspronkelijke uitgave: Doubleday, a division of Random House, Inc.
© 2004 by Leslie Schwartz

© 2004 Nederlandstalige uitgave:
Uitgeverij Unieboek bv,
Postbus 97, 3990 DB Houten

www.unieboek.nl
www.leslieschwartz.com

Vertaling: Pauline Moody
Omslagontwerp: Wil Immink
Omslagfoto: Getty Images; Alan Hicks
Opmaak: ZetSpiegel, Best

ISBN 90 269 8371 9/ NUR 302

TER NAGEDACHTENIS AAN

Harvey Schwartz

Robert W. Littlewood

We zullen rust vinden. We zullen engelen horen. We zullen diamanten aan de hemel zien schitteren.

Anton Tsjechov
Oom Wanja

Ethan

Ethan werd langzaam wakker. De metalige geur van een bui in de lucht. Zijn hart begon sneller te slaan, zo heerlijk was zijn leven. *Ik*, dacht hij, en het woord kwam en ging als een lichtflits.

Hij stapte uit bed en trok zijn spijkerbroek aan. Op een strozak op de vloer lag Nate te slapen. Ethan bleef even naar hem staan kijken. Sinds de dag dat zijn zoontje geboren was, had Ethan Nate altijd beschouwd als zijn poolster. Nu bukte hij zich en streek het haar weg van Nates voorhoofd.

'Kom, jochie, het is tijd om te gaan.'

Nate bewoog even. Ethan vond het niet nodig om hem zijn slaappakje uit te trekken, hij legde alleen een parka over hem heen en tilde hem op. Hij wist dat er zo nodig een paar schoentjes in de truck lagen.

'Ballon, pappa,' zei Nate, nog half slapend.

Ethan bukte zich en raapte de inmiddels half leeggelopen ballon op van het feestje voor Nates derde verjaardag, gisteren. Nate pakte de ballon en hield hem vast terwijl Ethan zijn jas aanschoot, waarbij hij Nate eerst op zijn ene arm liet balanceren en toen op de andere. Wat werd hij al groot, bijna te zwaar om zo vast te houden.

Het was nog zeker een uur voor zonsopgang. Het was koud, maar Ethan voelde de subtiele warmte van de naderende sneeuwstorm. Hij wist op grond van de geur in de lucht dat de storm al in de buurt was. Het was vroeg voor sneeuw – pas de eerste december – maar Ethan kon de dreiging ervan voelen, de monsterlijke omvang ervan. Hij stelde zich voor hoe de wolken met de straalstroom vanaf de kust bijna zevenhonderd kilometer hadden gereisd en steeds meer kracht hadden opgebouwd op weg hierheen, naar deze plek, op deze dag van zijn leven.

Hij zette zijn zoon in het kinderzitje, startte de truck en zette de verwarming aan. Terwijl hij de oprit uitreed en over de onverharde weg naar de autoweg reed, zei Nate: 'Broeder Powell zegt dat ik naar de kerk moet gaan.'

Hij zei 'bloedel' in plaats van 'broeder', en de 'r' in 'kerk' sprak hij helemaal niet uit. Ethan vond het kostelijk, zoals Nate praatte, de dingen die hij soms zei. Een keer had hij een paddestoel een pappastoel genoemd, en toen had Ethan hem opgetild en tegen zich aan gedrukt en hem gekust.

Maar hoe schattig hij het ook vond, nu moest Ethan toch zijn best doen om geen hatelijke opmerking te maken. Hij had broeder Powell nooit gemogen, maar hij probeerde zijn stem luchtig te laten klinken, zonder te veel emotie erin.

'We gaan nu naar de kerk, jochie.'

'We gaan naar het bos, pap.'

'Nou ja, een kerk hoeft geen vier muren en een deur te hebben om een kerk te zijn.'

Ethan hoorde toch een scherpe klank in zijn stem. Hij wilde doorgaan, maar Nate had al geen belangstelling meer en tegen de tijd dat ze een kilometer buiten het dorp waren op weg naar de bergen, was hij weer in slaap gevallen. Ethan reed omhoog over de slingerende, smalle weggetjes, steeds hoger. Het donker maakte plaats voor een flauw, somber licht. Hij dacht over Nate die op de christelijke kleuterschool zat. Hij had geen andere keus dan hem daarheen te sturen. Hij was niet van plan de voogdij, die hem zojuist was toegewezen, weer kwijt te raken omdat de kerkelijke school die volgens de regeling werd voorgeschreven, hem niet beviel. Hij moest niets hebben van kerkelijke scholen en van georganiseerde dingen, zoals religie en politiek. Maar Ethan wist zijn gevechtsterrein goed te kiezen. De bossen konden bij iedereen het Jezusgevoel verdrijven, als je er maar vaak genoeg heenging. En dat was Ethan dan ook van plan. Zijn zoon te indoctrineren met de goddelijkheid van het bos.

Ethan wilde wel dat de storm nog een dag was weggebleven. Of dat het jachtseizoen deze morgen al geopend was. Hij wist, als doorgewinterde jager, dat herten zich voor een sneeuwstorm ijverig volvraten. Hoewel het snelle, intelligente dieren waren, waren ze ook lui. Ethan was erachter gekomen dat ze liever niet te veel energie besteedden aan het zoeken naar voedsel. Dat betekende dat ze op een dag zoals deze overal te vinden waren, vretend langs de wildsporen, nerveus in groepjes in de dalen, waar ze beschutting zochten tegen de rotswanden. Gemakkelijke doelwitten.

Na verloop van tijd bereikte hij de brandgang die eindigde bij het begin van het oude pad naar Angels Crest. Hij was erg op deze plek gesteld. Hij had een gevoel van gespannen verwachting, alsof een stuk ijzerdraad hem bij elkaar hield. Hij had wel gewild dat hij vandaag al kon jagen, maar het was niets voor hem om zich te verlagen tot stroperij. Dat was tegen zijn principes.

Hij zette de motor in zijn vrij en keek naar het bos. Er waren maar weinig mensen die deze plek wisten te vinden. Weinig mensen namen deze route. Het was de zware route naar Angels Crest, en Ethan wist dat de meeste jagers te lui waren en te veel van een borrel hielden om zich op dit steile pad te durven begeven. Het was een mooie plek, met geweven tapijten van poolwilg die zich uitspreidden onder de hoge dennen en sparren. In de verte kwam de top van Angels Crest dreigend boven de wolken uit. Hij was nooit tijdens een sneeuwstorm daar boven geweest. Maar hij kon zich goed voorstellen hoe het er dan tekeerging.

Vrijwel onmiddellijk kreeg hij op de helling een volwassen hertenbok in het oog. Hij keek achterom naar zijn zoontje. Dit was de reden waarom hij hierheen was gekomen, net als bijna elke dag: om Nate de schoonheid van de bossen te laten zien, van de wilde dieren, de heiligheid van deze plaats. Maar Nate sliep vast. Ethan vond het wel jammer, maar hij wilde zijn zoontje niet wakker maken. Hij keek weer in de richting van het bos, en er verschenen nog twee bokken over de rand. Hij bedacht dat hij wel even kon gaan kijken, de dieren een minuutlang volgen. Hij nam zich voor de truck in het oog te houden, niet te ver het bos in te gaan.

Hij zette de motor af, stopte de sleuteltjes in zijn zak en keek nog eens om naar zijn zoon. In diepe slaap. Hij keek over hem heen naar buiten. De verlokking van het bos had een verdovend effect op Ethan. Hij voelde de aantrekkingskracht van het bos alsof het hem aanraakte, aan de mouw van zijn jas trok.

Hij deed het portier zachtjes dicht en liep het bos in. Hij liet het geweer in de auto achter. Het was een stokoude Savage 30-30 met dubbel vizier die hij jaren geleden bij een legerdumpzaak in Los Angeles had gekocht, had opgeknapt en onderhouden. Hij wist dat er betere geweren bestonden. Maar in de loop van de jaren was Ethan aan de oude Savage gewend geraakt. Hij kende de ritmiek ervan, wist hoe hij aanvoelde. Het was een geweer dat hem zelden in de steek liet.

De hertenbok was tegen de wind in een nauwe rotsspleet in gelopen. Ethan liep een meter of wat, toen bleef hij staan en keek om naar de truck. Hij kon hem nog zien, hij zag het zitje met Nate erin, zijn hoofd hing naar voren. Hij hield zichzelf voor dat hij nog iets verder zou gaan, nog één minuutje. Hij was geen man die risico's nam, zeker niet waar het Nate betrof. Maar deze herten waren schoonheden. Volwassen hertenbokken, trofeeën. Ze leverden vlees voor de rest van de winter, en een fraaie kapstok voor aan de muur van de garage.

Hij liep nog wat verder en volgde toen, terwijl hij telkens even wachtte en het risico inschatte, de herten in een steil ravijn waar de verdwenen gletsjers zilverwitte rotswanden hadden achtergelaten, zo glad gepolijst dat Ethan op een dag in het afgelopen voorjaar had gezien dat Nate eraan likte. Hij herinnerde zich dat hij zijn zoontje niet had tegengehouden, alleen gewenst had dat hij zelf op het idee was gekomen om dat te doen.

De herten zelf waren niet meer te zien, maar Ethan, die zichzelf had geleerd op zulke dingen te letten, wist dat ze in dezelfde richting zouden blijven gaan, tegen de wind in. Ze zouden zich niet op open terrein wagen. Ze zouden de dekking van bomen aanhouden, en dicht bij de wanden van het ravijn blijven, verborgen tussen de struiken.

Ethan keek nog een keer om. De truck was niet meer te zien, maar hij wist dat hij niet ver weg was. Hij hield zichzelf voor dat hij deze ene keer nog door zou lopen. Het geluk was aan zijn kant. Had hij niet net de voogdij, de volledige voogdij over zijn zoon toegewezen gekregen? Was het hem in het leven niet meestal voor de wind gegaan? Hij vond dat hij voor deze ene keer wel een klein risico kon nemen. Hij zou nog een paar meter verder lopen over dit oude, nu verlaten pad, genieten van de eenzaamheid, heel even zijn verantwoordelijkheden vergeten en doen alsof. *Ik ben vrij.* Dan zou hij teruggaan naar de truck – Nate zou waarschijnlijk nog slapen – en dan naar het dorp rijden om de ijzerwinkel te openen. Op weg naar huis zou Nate misschien wakker worden, en dan zou Ethan hem vertellen hoe mooi de bossen waren, en hoe sterk en mooi de herten. Hij zou beloven dat hij later weer met hem naar buiten zou gaan, want Ethan wist dat Nate teleurgesteld zou zijn omdat hij het uitje van deze morgen had gemist.

Hij voelde spanning in de lucht. Het zou waarschijnlijk binnen een uur gaan sneeuwen. Hij liep verder, door de balsem van de eenzaamheid aangelokt als door een vrouw. Hij dacht na over zijn mislukte huwelijk, de strijd om de voogdij die hij zojuist had gewonnen, maar tegen welke prijs. Hij bedacht dat het wel treurig was dat zijn seksuele genoegens de laatste tijd uitsluitend aan handwerk te danken waren geweest. Een matras, dacht hij, was maar een armzalig vervangmiddel voor een vrouw. Hij dacht aan de ijzerhandel. Hij moest nog belasting afdragen over het gebouw, had te weinig geld. Waarom had hij de zaak gekocht? Hij wist toen al dat hij het zich nauwelijks kon veroorloven.

Hij liep nog een paar meter verder en daar voor hem stonden de hertenbokken majesteitelijk, ze gingen gedeeltelijk schuil achter een haag van alpenguldenroede en de dorre, bruine grassen van de nazomer. De dieren zagen er schitterend, vorstelijk uit. Hij voelde zich wonderlijk blij, opgelucht.

Maar toen keek hij, alsof hij na een lange, trage droom weer bij zinnen kwam, op zijn horloge en schrok. Er waren vijftien minuten voorbijgegaan. Hij kon het niet geloven. Hoe had hij zo lang en zo ver kunnen doorlopen? Waar was hij met zijn hoofd? Hij voelde iets vanbinnen versnellen en verstrakken. Vijftien minuten in dit tempo betekende dat hij zeker anderhalve kilometer het bos in was gelopen. En toen dacht hij aan alle dingen waaraan hij daarnet niet had gedacht. Hij had de truck niet afgesloten. Nate wist hoe hij zich uit het kinderzitje kon loswurmen. Hij had hem niet bepaald warm aangekleed, had hem zelfs zijn schoentjes niet aangetrokken. Ethan wist met de surrealistische zekerheid die je soms had dat het een vreselijke fout was geweest de truck uit het oog te verliezen. Later zou hij niet kunnen verklaren waar die intuïtieve zekerheid vandaan kwam, hoe hij zo duidelijk wist dat hij een risico had genomen met fatale gevolgen.

Hij haastte zich terug door het bos; hij wilde niet rennen omdat hij niet aan de angst durfde toegeven. De geuren van de bossen, de aarde, de ijzergeur van de naderende sneeuwstorm drongen niet meer tot hem door. De wereld om hem heen schoof als een waas voorbij. Hij zag geen afzonderlijke bomen meer met afgewreven hertenvacht of door de klauwen van een beer gemaakte krassen. In plaats daarvan warrelden de bomen dooreen. Tekenfilmbomen in een tekenfilmbos. Hij dacht aan Nate. Zijn prachtige zoontje, zijn poolster. Nate, die hij eindelijk, eindelijk voor zichzelf veroverd had.

Tegen de tijd dat hij op de open plek aankwam waar hij de auto had geparkeerd, begon het te sneeuwen, en Ethan zag, zoals hij had geweten, dat het portier openstond. Zijn hart bonsde in zijn keel. In zijn hoofd barstte een pijn los, scherp en verblindend. Hij voelde dat hij uit elkaar viel, dat alles aan hem werd opengereten.

'Nate!' brulde hij. 'Nate!'

Er kwam geen antwoord. Ethan rende naar de truck. Nate was weg. Hij had de halflege ballon meegenomen en was verdwenen in het bos.

Glick

Glick bewoog zijn armen en benen. Het was donker. Hij wilde nog doorslapen, maar Cindy lag naast hem in bed. Hij dacht aan de vorige avond, hun onhandig seksueel gefoezel in het donker, en hoe ze uiteindelijk de seks maar hadden laten zitten, hij met een gevoel van opluchting. Hij dacht eraan hoe dronken zij was geweest, hoe zinloos en dom hun hele samenzijn was.

Glick ging rechtop zitten, trok het gordijn opzij en tuurde uit het raam. Verse sneeuw, wit en zacht als ganzendons. Overal hertensporen. Instinctief wendde hij zijn hoofd naar de kast. Daar stond het jachtgeweer tegen de muur. De gedachte kwam bij hem op dat hij misschien nooit meer op herten zou jagen. Waarom wist hij niet.

De katten lagen opgerold op de commode. Toen ze hem hoorden bewegen, hieven ze hun kop op. De ene liet een zacht kreetje horen, de andere begon zich te wassen.

'Kom, Cindy,' zei hij. Ethans ex-vrouw sliep nog steeds naast hem. Stomdronken in slaap gevallen. Zou zich niet veel herinneren. Hij dacht aan die andere keer, nu twee jaar geleden, dat hij haar echt had geneukt. Hij herinnerde zich dat Ethan was binnengekomen en hen samen in bed had gezien. Net als toen had hij nu een misselijk gevoel. Hij zou later nog alle tijd hebben om met spijt te denken aan de afgelopen nacht. Om terug te gaan in de tijd en ook die andere nacht te betreuren.

'Je moet gaan, Cindy,' zei Glick.

Ze maakte een geluid. Ze duwde zijn hand weg. Ze was pas vijfentwintig maar zag er tien jaar ouder uit. De drank had haar trekken hard gemaakt. Haar gezicht drukte een diep verdriet uit. Glick wist dat het verdriet even veel te maken had met het drankgebruik als met de hardheid van haar leven. Hij dronk zelf niet veel maar hij wist hoe het was om in een diep gat terecht te komen en niet te weten hoe je eruit moest komen.

'Cindy, meid. Opstaan.'

Ze deed haar ogen open. Ze zag er echt vreselijk uit. Hij wist dat ze pas de voogdij over Nate had verloren. De strijd was op straat uitgevochten, in Main Street. Iedereen had partij gekozen. Wat een narigheid. Het jongetje, zo klein en lief met zijn groene ogen en blonde haar. Hoe konden twee mensen er zo'n puinhoop van maken? Maar als hij haar niet had geneukt toen ze nog getrouwd waren, zou het misschien...

'Cindy. Je weet het toch. Je moet opstaan.'

'Ik kan mijn hoofd niet bewegen,' zei ze. 'En het is zo verdomd koud.' Haar woorden kwamen traag als stroop.

Hij boog zich over haar heen terwijl ze nog onder de dekens lag en vond de fles whisky naast het bed op de vloer. Hij kende haar. Hij wist dat ze al jaren dronk, dat ze nog veel langer zou blijven drinken. Hij voelde iets krampen in zijn buik.

'Toe nou. Hiermee kom je wel op de been.'

Hij schonk wat whisky in een leeg kopje naast het bed en hielp haar te gaan zitten. Haar haar was verbijsterend. Behalve de gebleekte uiteinden en de lok aan de ene kant die ze roze had geverfd, had hij nog nooit haar gezien dat zo in de war zat. Hij bleef er even over nadenken en vroeg zich af of ze er met een borstel doorheen zou komen.

De hond bewoog. Glick kon een soort roep in zijn geeuwen horen. De hond had geen naam. Alleen Hond. Glick ging staan en trok zijn spijkerbroek aan. Cindy zei: 'Waar ga je heen?'

'De hond uitlaten.'

De hond, een zwarte labrador van vijftig kilo, een en al spieren en het liefste beest dat je je kon wensen, stond op. Glick had hem als puppy gevonden langs de weg, waar hij naar voedsel scharrelde in een omgevallen vuilnisbak. Zo klein als hij was, had de hond hem hard gebeten toen Glick hem pakte, maar Glick had een soort verwantschap met hem gevoeld en op de een of andere manier was het juist deze uitdagende daad, deze beet die hem had veroverd. Hij had de hond met zorg afgericht en er een goede spoorvolger, een betrouwbare metgezel op de jacht van gemaakt. Het dier had Glick nooit meer gebeten. En hij scheen nooit méér te verlangen dan Glick hem kon geven.

De hond rende naar buiten en Glick stond nog in de deuropening; de sneeuwstorm wachtte in de verte en zou weldra losbarsten. De winter was te vroeg gekomen en zou te lang duren. Glick kon dit soort dingen in zijn botten voelen. Hij had zich de laatste tien jaar, sinds hij in dit dorp was komen wonen, nooit in het weer vergist.

De ochtend was nog blauwgrijs. Hij keek omlaag en zag een paar muntjes half begraven in de aarde liggen. Hij bukte zich om ze op te rapen en stopte ze in zijn broekzak. Vijfenzeventig cent. Die had ze waarschijnlijk laten vallen toen ze gisteravond over het trapje struikelde. Daar kon hij straks een kop koffie van kopen.

Hij floot de hond en toen die niet kwam, ging Glick weer naar binnen en deed de deur dicht. Intussen was Cindy naar de badkamer gegaan. Hij hoorde het water lopen, de leidingen kreunen. Ze maakte er geluidjes bij. Hij hoorde haar 'shit' zeggen. Toen ze eruit-kwam, was ze nog naakt op haar sokken na. Haar haren waren ge-borsteld en dat trof Glick meer dan haar naaktheid en de vrijmoe-digheid van de vormen van haar lichaam.

Ze was in wezen een knappe vrouw. Alleen erg vermoeid en afge-tobd. Hij wist dat ze haar hele leven bij haar drankzuchtige groot-moeder had gewoond, dat ze haar familie amper had gekend, dat ze de oude vrouw had begraven en na de middelbare school bij Ethan was ingetrokken. Hij wist dat haar huwelijk met Ethan van het begin af moeilijk en gepassioneerd was geweest, dat de echtscheiding voor hen allebei bijna dodelijk was geweest. Weer wenste hij dat hij er niet mee had ingestemd dat ze hem de vorige avond naar zijn huis was gevolgd. Waar was hij met zijn hoofd geweest?

'Je kunt beter wat kleren aantrekken,' zei hij. Zijn stem klonk on-geduldig. Soms wist hij met zichzelf geen raad.

Ze knikte en ging terug naar de badkamer. Ze had een sigaret op-gestoken. Glick hield niet zo van sigaretten.

'Je leeft wel erg sober,' zei ze achter de muur van de badkamer.

Hij antwoordde niet.

'Hoe komt het dat je zelfs geen douchekop aan die douche hebt? En geen douchegordijn?'

'Heb ik niet nodig,' zei hij.

'Het is gewoon een slang waar heet water uitspuit.'

'Nou en? Het werkt,' zei hij.

Het leek allemaal erg verkeerd. Glick was vijftien jaar ouder dan zij. De eerste keer dat hij met haar naar bed was gegaan had het einde betekend van zijn beste vriendschap, en toch had hij het de afgelopen nacht weer gedaan, of het tenminste geprobeerd.

'Is deze handdoek schoon?'

'Je moet weg, Cindy. Schiet nou eens op en kleed je aan.'

Ze kwam uit de badkamer tevoorschijn, gekleed in haar spijkerbroek en de bruine trui van de vorige avond. Alles aan haar zag er beter uit met kleren aan. Achteraf bezien was haar naaktheid schokkend geweest. Hij kon er nu boos om worden dat ze daar zo uitdagend had gestaan zonder kleren aan. Het was alsof ze hem had willen bespotten met haar slonzige, afgeleefde lichaam. Alsof ze wilde zeggen: jullie mannen hebben mij dit aangedaan.

Ze had een rood honkbalpetje op, waar ze haar haar onder had gestopt. Ze dronk het restant whisky op dat nog in het kopje zat dat hij daarstraks voor haar had ingeschonken. De fles hield ze in haar andere hand.

'Is het goed als ik die meeneem?' zei ze. Ze hield de fles omhoog. Er zaten nog twee of drie borrels in.

Hij knikte. 'Toe, ga nou maar.'

'We hebben gisteravond niks gedaan, hè?'

Glick schudde zijn hoofd. Hij kon Cindy niet in de ogen kijken. Hij wilde gaan ontbijten in Angie's restaurant. Hij wilde ergens anders zijn, maakte niet uit waar, alleen niet hier, in deze blokhut aan het eind van Cage Road. Cindy liep naar de deur. Ze hief haar hoofd naar hem op, tuitte haar lippen. Hoewel hij het liever niet had gedaan, boog hij zich en kuste haar, voelde het medelijden en de vernedering in die kus.

'We zien elkaar niet zo zitten, hè?' zei ze.

'Hoor eens, Cindy...'

'Het geeft niet,' zei ze. 'Doe nu gewoon zoals je altijd doet en laat niets merken.' Toen liep ze naar buiten en keek naar de grond alsof ze iets zocht. Glick deed de deur achter haar dicht en voelde aan de munten in zijn zak.

Glick startte de truck. Zonder veel animo sloeg de motor grommend aan. Hij had geld. Waarom kocht hij niet gewoon een nieuwe? Hond was ergens in het bos. Glick had wat voer achtergelaten in de oude schuur, naast de mand. Hij zou later terugkomen om met de hond de berg op te gaan en wat herten op te sporen, voordat morgen de jacht zou beginnen.

Hij reed naar het dorp. Hij voelde de vijfenzeventig cent van Cindy uit zijn zak rollen, maar liet de muntjes liggen waar ze op de plastic zitting van de bank waren neergekomen. Het ochtendlicht begon door de wolken te dringen met een romig blauwe glinstering. Binnen een uur zou het gaan sneeuwen. Het dorp sliep nog. Hij kwam langs het café en zag Cindy's pickup-truck staan. Hij reed door tot hij bij Angie's was. Hij graaide zijn thermosfles van de achterbank en ging naar binnen.

Binnen was Angie aan het praten met haar zus Rocksan en de vriendin van Rocksan, Jane. Het leek een geanimeerd gesprek. Te opgewonden voor dit vroege uur. Glick ging op zijn vaste plaats zitten en Angie kwam naar hem toe met een menukaart. Toen hij haar zag, kwam er een ontspannen gevoel over hem. Het voelde goed om bij een vrouw van zijn eigen leeftijd te zijn, iemand zoals Angie die altijd rustig was, altijd kalm. Toen hij naar haar keek, dacht hij zoals altijd dat ze mooi was. Haar magere, krachtige lichaam sprak hem aan, de hoge jukbeenderen, het blonde haar dat ze nu losjes in een paardenstaart droeg, zodat er een paar lokken langs haar gezicht vielen. Maar bovenal hield hij van de kleur van haar ogen, dat diepe groen, de kalmte en tederheid erin.

'Heb je het al gehoord?'

Glick keek op. Er gebeurde nooit iets in Angels Crest, maar wanneer er dan iets gebeurde, zeiden de mensen altijd hetzelfde. 'Heb je het al gehoord?'

Hij schudde van nee. Angie schonk hem een kop koffie in. Bij het buffet leken Rocksan en Jane ruzie te hebben. Glick kon zich die twee dames niet samen in bed voorstellen; Rocksan zo groot en mannelijk, Jane zo dun en damesachtig.

'Wat gehoord?' vroeg hij.

'Nate is zoekgeraakt in het bos.'

'Wat?'

'Een uur geleden ongeveer. De rangers zijn er nu mee bezig. Ze hebben een helikopter opgeroepen.'

'Dat begrijp ik niet,' zei Glick. Hij voelde zijn hart bonzen in zijn borst. Hij was erbij geweest toen Nate geboren werd. Hij had met Ethans vrouw geneukt toen ze nog getrouwd waren. Hij had de vorige avond nog geprobeerd weer met haar te neuken.

'De ranger zei dat hij een melding had gekregen dat er stropers waren bij het oude pad naar Angels Crest. Maar toen hij daar aankwam, trof hij Ethan aan, helemaal over zijn toeren. Iets over een hert waar hij achteraan was gegaan. En dat hij Nate in de truck had achtergelaten. Hij zei dat hij een kwartier weg was geweest. Maar toen hij terugkwam, was Nate weg.'

'Nou, dan kan hij niet ver gekomen zijn,' zei Glick. Maar in dat soort bossen kon je gemakkelijk een ongeluk krijgen, ook al was je niet ver gekomen, dacht hij al, vooral als je pas drie jaar oud was. Hij bedacht wat hij zou inpakken. De vuurpijl. Een zaklamp. Een komfoor om sneeuw te smelten voor als hij water nodig had, wanneer hij de jongen gevonden had. Hij wás al in dat bos, op zoek naar het zoontje van zijn vroegere beste vriend. In zijn hoofd had hij de jongen al gevonden, levend en wel, en was de vriendschap tussen Ethan en hem hersteld.

'Shit, Ang. Het gaat sneeuwen.'

Ze knikte. Ze keek door het raam. Glick keek ook. De sneeuw begon al te vallen. Hij zag de blinde predikant van de Calvariekerk langs het raam lopen, op weg naar het gemeentearchief naast het restaurant.

'Ga je erheen?' vroeg ze.

'Ja,' zei Glick en hij stond op. 'Wil je mijn thermoskan even vullen?'

'Tuurlijk,' zei Angie. 'Ik vertel het aan iedereen. Ze zullen hem vast vinden.'

Toen Glick thuiskwam, riep hij de hond, die vanuit de schuur kwam aanrennen. Hij opende de truck.

'Spring er maar in, jongen,' zei hij.

Hij liet de motor draaien terwijl hij naar binnen ging om een paar dingen te pakken: zijn jachtmes, wat touw, een paar oude broodjes, een stuk salami, een paar oudbakken cakejes die Angie hem bij de thermoskan met koffie had meegegeven, en wat hondenvoer dat hij in een afsluitbaar zakje deed. Verder stopte hij er een zaklamp bij en een extra paar sokken. Een muts en handschoenen. Het sneeuwde. Hij zou een extra stel kleren nodig hebben als hij nat werd, of om aan Nate te geven die het koud zou hebben en bang zou zijn, en waarschijnlijk in zijn broek zou hebben geplast. Hij zocht de vuur-pijl en een doos weerbestendige lucifers en stopte ze in zijn rugzak. Hij vulde de oude legerveldfles van zijn vader met water. Hij stopte er ook een klein kampeergasje in en een oud pannetje. Om sneeuw te smelten, in noodgevallen.

Hij opende snel de motorkap, controleerde de antivries en de rui-tenwisservloeistof en sloot de motorkap weer. De motor in zijn vrij maakte veel herrie en Glick hoopte, zoals elke keer wanneer hij er-over moest, dat hij de pas zou halen.

Terwijl hij over de slingerende bergweg omhoog reed, herinnerde hij zich al die jaren dat Ethan en hij daar op de eerste dag van het jachtseizoen samen naartoe waren gereden. Dat ze de avond tevo-ren altijd te veel dronken, en dat de koude, bijtende lucht van begin december altijd hun kater deed verdwijnen.

Hij zag Nate voor zich. Dat kleine mannetje, dat blindelings door het bos rende. Het sneeuwde nu harder. Als ze de jongen niet snel vonden, kon het mis gaan. En Glick wist maar al te goed hoe dingen uit de hand konden lopen. Dat had hij in de gevangenis wel geleerd.

Rocksan

Rocksan had de laatste hap van haar ontbijt genomen en duwde haar bord weg. Nate was zoek. Ze was in tweestrijd. Ze wilde meehelpen met zoeken, maar ze was al aan de late kant met het vervangen van de koninginnen. Nu het begon te sneeuwen, maakte ze zich zorgen over de kasten. Zonder nieuwe koninginnen zou alles verloren kunnen gaan. En ze moest ook de raten nog nakijken, de voerpotten schoonmaken en het voer voor de winter aanbrengen. Ze wist niet hoe ze dat kon combineren, de bijen in leven houden en in het bos naar Nate zoeken.

'Wat moeten we doen?' zei Rocksan.

Jane legde wat geld op het buffet en begon haar jas aan te trekken. 'Ga jij maar naar huis en vervang de koninginnen. Dan ga ik wel de berg op,' zei Jane.

'Ik zie je daar over een paar uur.'

Jane knikte. 'Dan zal Nate wel gevonden zijn.'

Kort voor ze het restaurant uit gingen, kwam er een grote groep mensen binnen. Er waren ook vreemden bij. Vervolgens deed een gerucht de ronde – de jongen zou ongedeerd gevonden zijn. Maar dit bleek al snel onjuist. Uit het naburige stadje begonnen journalisten aan te komen.

Angie kwam naar hen toe om gedag te zeggen. Rocksan hield van haar zus op een eenvoudige, aardse manier. Het was de meest ongecompliceerde liefde die ze ooit had gekend.

'Gaan jullie naar boven om te helpen zoeken?' vroeg Angie.

'Ik ga eerst met de kasten aan de gang. Jane zei dat ze erheen zou gaan.'

'Kijk toch eens, al die journalisten. Hoe zijn ze er zo snel achter gekomen?'

Rocksan keek rond in het restaurant. Er was een stel mensen bij dat ze niet herkende. Stadsmensen. Ze voelde een vreemde emotie. Een verontrust, angstig gevoel. 'Het is een verhaal waar ze op geilen, Ang. Een grote sneeuwstorm op til. Een dorp vol met domme boerenkinkels zoals wij. Een jongetje verdwaald in het bos. Ze kunnen het net zo goed kort houden en Ethan meteen aan de schandpaal nagelen.'

Angie perste haar lippen op elkaar. Ze keek bezorgd. 'Ik wou dat ik weg kon,' zei ze. Rocksan zag de glimp van verdriet in de ogen van haar zus. De spijt die zich erin had genesteld toen haar dochter was weggegaan met een getrouwde man en haar kindje had achtergelaten. 'Maar ik zit met Rosie. En het loopt hier snel vol.'

'Het is beter dat je hier blijft,' zei Rocksan. Ze keek even naar Angies kleindochter die lag te slapen op de bank bij een van de tafels. 'Rosie zal wel gauw wakker worden. En je bent hier nodig.'

Angie knikte. 'Je hebt gelijk,' zei ze. Ze wendde zich tot Jane. 'Succes ermee. In dit weer kan hij het daarbuiten niet lang volhouden.'

Rocksan en Jane liepen naar de truck. Hoewel er al zes jaar waren verstreken sinds ze hier was komen wonen, had Rocksan nog steeds het gevoel dat het bespottelijk was dat ze in een truck reed. Dat ze zo door de sneeuw reed, in een truck. Ze was haar hele leven een stadskind geweest, had zich een heimelijk gekoesterde reputatie verworven als een keiharde lesbienne uit San Francisco die campagne had gevoerd voor de afzetting van menig conservatief politicus. Ze had veel geld verdiend met speculeren in onroerend goed. Een speculant. Het nieuwe gezicht van het moderne wilde westen. Ze had haar eigen hofhouding gehad in hun optrekje in Hayes Valley. Maar toen was ze op een dag wakker geworden en had letterlijk ingezien dat een leven van manvijandig feminisme en het stadsleven met al zijn weerbarstige holle bureaucratie haar hadden uitgeput. Nu was ze hier, dicht bij haar zus, in dit dorp met de vriendin die ze al twintig jaar had, en reed ze naar huis om voor haar bijenkasten te zorgen. Als iemand tegen haar had gezegd dat ze na haar veertigste hier zou wonen, zou ze diegene waarschijnlijk een schop onder zijn kont hebben gegeven.

'Waar zou Ethan volgens jou aan gedacht hebben toen hij zijn zoontje alleen in de truck achterliet?'

'Volgens mij dacht hij nergens aan,' zei Jane.

Rocksan zag de bezorgde trek op Janes gezicht. Die zat er intussen al een paar weken. Ze kende Jane. Jane met haar huilbuien en haar gevoeligheid. Ze durfde er niet naar te vragen, durfde Janes breekbaarheid niet op de proef te stellen. In plaats daarvan pakte ze Janes hand en hield die vast. Hij voelde koel aan, een strakke hand, vol angst en behoefte en liefde. Rocksan had deze hand al zo lang vastgehouden. Het leek een erg lange tijd om één hand te kennen. Om alle lijntjes en groeven en oneffenheden te kennen. Om de bijen op deze handpalm te zien neerstrijken. Om hem te voelen wanneer hij haar in het donker streelde, of voor haar zorgde wanneer ze er behoefte aan had verzorgd te worden. Het was een hand waarvan Rocksan wist dat hij zich somber terug kon trekken, de laatste tijd vaker dan haar lief was. Rocksan bedacht opeens dat de neiging van Jane om zich over te geven aan schijnbaar onverklaarbaar verdriet de laatste paar weken de overhand had. Ze had een rode kleur.

Rocksan draaide het raam omlaag. Ze had het bloedheet. Een opvlieger. De verdomde overgang in actie. Jane liet op een overdreven manier merken dat ze het koud had.

'Het is hartstikke koud buiten, hoor,' zei Jane. Het klonk snotterig.

'Wat heb jij vandaag, Jane? Het lijkt wel of het volle maan is, zoals je doet.'

'Is het dan geen volle maan?'

'Nee,' zei Rocksan. 'Maar je zit blijkbaar ergens mee.'

Jane drukte haar armen stijf tegen haar borst. Ze zag eruit alsof ze op het punt stond in tranen uit te barsten. Rocksan voelde haar hart bonzen, het regelmatige kloppen van de aderen in haar slapen. Wat had Jane in vredesnaam?

'Wil je ergens over praten?' vroeg Rocksan. Ze vond het vreselijk dat ze door haar onhandige pogingen om vriendelijk te doen als een plattelander ging praten. Maar door in deze gemeenschap van bergbewoners te leven, was haar accent zachter geworden. Jane zei altijd tegen haar dat ze ermee moest ophouden als een cowboy te praten.

'Ik geloof dat ik het je maar moet vertellen,' zei Jane.

Hierdoor sloeg Rocksans hart op hol. Jane was een maand geleden in de stad geweest voor een afspraak met de dokter. Zou dit uitgesteld slecht nieuws zijn?

'Is je gezondheid in orde?' vroeg Rocksan zacht.

'Ja,' zei Jane. 'Daar heeft het niets mee te maken.'

'Wat is er dan, verdorie?'

Jane begon te huilen. Ze schudde heftig met haar hoofd. Haar haren hingen voor haar ogen. Overal rode vlekken, op haar hals en haar wangen.

'Zeg, Bonenstaak, ik begin bang van je te worden.'

Jane snikte luid. Jane was de huiler. Dat moest Rocksan zich even te binnen brengen. Jane *is van ons degene die huilt.*

'George heeft me gebeld,' zei ze.

Rocksan voelde haar ingewanden opspelen. George. De zoon. De grote, woekerende leugen die hun relatie vijf jaar lang had verziekt tot Jane uiteindelijk had opgebiecht dat ze een zoontje had gebaard en vervolgens in de steek had gelaten. George, het geopenbaarde geheim dat sindsdien hun levens had gekweld als een oud spook op zolder dat niet van plan was weg te gaan.

'George? Je zoon?'

Jane knikte. De tranen stroomden over haar gezicht.

'Is dat niet vreemd?' zei Rocksan. 'Hoe vaak heeft hij je ooit gebeld? Drie keer? Vier keer?'

'Dertien keer,' zei Jane.

'Nou, kom op met de geit. Wat wilde hij?' Rocksan vroeg zich af of George wist dat zij geld had. Ze vond het vreselijk zo grof te denken, maar ze kon er niets aan doen. Toen ze rijk was geworden, waren er van alle kanten mensen op haar af gekomen die hun hand ophielden.

'Hij zit in de problemen,' zei Jane; ze hapte naar lucht, probeerde de snikken in te houden. 'Hij zei niet wat er precies aan de hand was. Alleen dat hij ergens onderdak moest hebben.'

'Je zegt dat alsof hij hier vlak in de buurt is, Jane.'

'Dat kan ook best zo zijn,' zei Jane. 'Hij zei dat hij een paar dagen geleden uit Ohio is vertrokken. Hij komt hierheen.'

Rocksan omklemde het stuur. Haar knokkels werden zelfs wit. Ze had een pesthekel aan verwikkelingen. Ze vond het vreselijk dat je, wanneer je jouw leven verbond aan het leven van een ander, voorgoed met diens rotzooi opgescheept zat. Ze vond het vreselijk dat die zoon – George – de bron was van alle angsten en verdrietigheden van Jane.

'Verdomme, Jane, je weet toch hoe ik de pest heb aan tieners.'

'Hij is twintig.'

'Dat is nog erger.'

'Ik kan hem niet nog eens in de steek laten,' zei Jane.

'En waarom eigenlijk niet? Het zou nu gemakkelijker moeten zijn. Hij kan nu ten minste zelf voor zijn eten zorgen.'

Rocksan geloofde zelf niet dat dit uit haar mond was gekomen. Doodleuk. Als een stelletje kleine slangen was het eruit gerold.

'Wat kun je soms toch een kreng zijn, Rocksan,' zei Jane.

Rocksan kon niets terugzeggen. Jane had gelijk. Ze had onmiddellijk spijt. Ze herinnerde zich hoe ze zich had gevoeld toen Jane haar vijftien jaar geleden voor het eerst had verteld dat George bestond. Dat ze bijna bij Jane was weggegaan omdat het voor haar te veel overhoop had gehaald. Ze herinnerde zich hoe ze hun relatie daarna weer hadden opgelapt, en het erover eens waren geweest dat ze er nooit over zouden praten. Maar zoals altijd wanneer er wrok in het spel was, was dat onmogelijk gebleken en in de loop van de jaren had Rocksan niet meer kunnen doen dan het op een afstand te houden en Jane lief te hebben ondanks het feit dat zij haar eigen zoon precies hetzelfde had aangedaan als Rocksans vader bij haar had gedaan.

Nu keek Rocksan naar Jane. Ze hield van Jane met heel haar hart. Ze hield van Jane met een passie waar ze zelf soms bang van werd. Ze hield van Jane omdat Jane lief en goed was. Ze dacht zelfs dat Jane door de komst van George misschien eindelijk een manier zou vinden om van haar schuldgevoel af te komen, en dat wilde Rocksan ook. Ze wilde het heus.

Maar het andere verdriet dat dit voor Rocksan meebracht, was altijd aanwezig, lag altijd op de loer, als een puist die telkens weer naar de oppervlakte kwam. Jane zag er diepongelukkig uit en Rocksan voelde dat de tederheid die bij haar diep begraven zat, probeerde naar buiten te komen, als de fijne ranken van een verontschuldiging die naar het licht hunkerden. Maar ze had het intussen allemaal opgekropt, haar trots, haar schaamte en haar angst, diep begraven bij alle andere spookbeelden van haar hart.

Jane

Het ultimatum van haar echtgenoot was behoorlijk rechtlijnig geweest. Of je wendt je tot de Heer en doet boete, of je gaat weg, jij vervloekte hoer en pot. Hij bezwoer haar dat, als ze haar leven niet beterde, hij de hele wereld zou laten weten waarop hij haar had betrapt buiten dat café in Cincinnati. Met haar smerige, naakte lijf in de armen van een andere vrouw. Je had toch tenminste met een man kunnen naaien, had hij gezegd. Hoer dat je bent. Zo zat hij in elkaar. Naar buiten toe was het alles Jezus wat de klok sloeg, vanbinnen heerste de testosteron.

Welke keus was beter? In dat kleine, rottige, naar koeien stinkende dorp blijven, en wachten tot haar zoon het uiteindelijk ook zou ontdekken? Of weggaan. Weggaan en vrij zijn. Haar liefde voor vrouwen niet meer verbergen onder haar zomerjurkjes en schorten, bingo met de meiden en de zondagse verkoop van zelfgebakken producten.

Na verloop van tijd raakte ze ervan overtuigd dat weggaan haar zou bevrijden, omdat de Heer, hoewel ze uit alle macht bad, niets deed. Het bidden opende alleen haar ogen voor wie ze in werkelijkheid was: een negentienjarige lesbienne in de kast, in een dorp waar je werd verwelkomd door een reusachtig billboard met daarop een afbeelding van Jezus aan het kruis en de woorden *Jezus redt zelfs jou.* Alles wat ze wist over vrijheid en slavernij leek te worden samengevat in de strijd tussen dat billboard en haar seksuele gevoelens.

De dreigementen van haar echtgenoot waren voor haar erger dan weggaan, omdat ze wist dat ze nooit zou veranderen. Ze zou nooit iets anders worden dan wat ze was. Haar hart, dat negentien jaar oud was, en in veel opzichten nog jonger, zei haar dat dit het beste voor haar zoon was, omdat hij dan niet hoefde te weten dat zijn moeder abnormaal was.

Toch was er bijna een hele fles sterke drank voor nodig om in de donkere nacht afscheid te nemen van de jongen, van wie ze had gehouden sinds hij een bevruchte eicel was, of zelfs daarvoor al. Sinds hij een idee in haar hoofd was. Zijn gave huid, zijn hartje dat zo snel klopte als een vogelhart, zijn mannetjesgezicht en gebalde vuistjes. Ze hield van hem met heel haar hart en ze had die fles nodig en misschien nog de helft van een tweede fles om zichzelf ervan te overtuigen dat weggaan voor iedereen het beste was. En omdat ze haar man haatte, stal ze ook het geld uit de koektrommel dat hij had gespaard, voor een grasmaaier nota bene, en nam ze de enige behoorlijke foto van de baby mee, die genomen was een week voor hij vijf maanden oud was. Toen ging ze.

Ze ging en ging en ging tot ze in San Francisco was, en daar bleef ze omdat ze daar was toen ze ontdekte dat die schoft, haar man, toch al aan iedereen had verteld hoe het zat met haar, en ook had ze Rocksan in een café ontmoet, was met haar naar bed gegaan en was een paar dagen later bij haar ingetrokken.

En nu hier de sneeuw naar beneden dwarrelde, wit en dik en mooi, voelde Jane dat alles samenkwam. Nate, bij wie ze soms deed alsof hij haar eigen achtergelaten zoontje was wanneer ze op hem paste, was verdwaald in het bos. En George, over wie ze voortdurend droomde, maar nooit als de man die hij was maar altijd als de vijf maanden oude baby die ze had achtergelaten, was op weg naar haar toe. Wie zijn billen brandt, dacht ze, moet op de blaren zitten. Iets oorspronkelijkers wilde niet bij haar opkomen.

'Ik ga verder lopen,' zei Rocksan. Ze was bij het eind van de oprit gestopt. Ze moest naar buiten, zei ze. Ze kreeg geen lucht, verdomme. Jane voelde hoe de furiën van Rocksan haar de truck uit duwden alsof het boosaardige, gevleugelde elfjes waren. 'Ga jij maar helpen die jongen te zoeken. Ik wil alleen zijn.'

Jane zag Rocksan uit de truck stappen, terwijl ze de sleuteltjes in het contact liet zitten, en over de oprit naar hun huis lopen. Dat stond een paar honderd meter verder, verscholen achter bomen en een verwarde massa Californische berendruif. De bramen en kornoeljes lagen kaal en bruin tegen de hellingen, overgeleverd aan de begonnen winter. Jane stapte ook uit de truck omdat ze een paar goede laarzen moest hebben en wat water, en haar muts en handschoenen. Het was koud en het leek harder te sneeuwen. Ze dacht aan Nate. Hoe klein en levend en pittig hij was. Ze wilde erheen om te helpen. Ze wilde ook hier blijven, om dit gevecht te beslissen of nog wat door te vechten.

Ze liep snel achter Rocksan aan. De tuin was vroeger zo verwaarloosd geweest dat ze een machete nodig hadden gehad om er een weg doorheen te kappen. Het huis had jaren te koop gestaan. Niemand wilde het kopen omdat men zei dat het er spookte, en bovendien was er geen water en geen septic tank. Ze dacht eraan hoe Rocksan en zij het terrein met zorg hadden teruggebracht in zijn glorieuze staat, het vervallen huis hadden opgeknapt zodat het trots zijn geschiedenis en schoonheid toonde, hoe ze de oude schuur hadden herbouwd en de achtergelaten oude meubelen hadden gerestaureerd. Ze zag het huis als een hoogtepunt dat ze samen hadden bereikt, een cadeau dat ze zichzelf gaven voor alles wat ze hadden moeten opofferen als twee vrouwen die van elkaar hielden.

Ze keek naar Rocksan die voor haar uit liep en voelde de boosheid gewoonweg van haar af vonken. Met die boosheid zou Rocksan een klein dorp van energie kunnen voorzien, dacht Jane. Haar heupen waren breed en ze had een stoere manier van lopen. Soms dacht Jane dat Rocksan op een oude Chevrolet leek. Groot en gestroomlijnd en stierachtig. Mooi, maar een tikje te gespierd.

'Rocksan, wacht even.' Ze vond het vreselijk dat ze achter Rocksan aan moest hollen. Ze vond het vreselijk dat ze altijd het gevoel had Rocksan iets verschuldigd te zijn. Het was haar eigen schuld. Ze was bij Rocksan gekomen als een vogel met een gebroken vleugel. Rocksan had op Jane de indruk gemaakt van een mythologische figuur. Man-achtig en zelfverzekerd, maar mooi met haar donkere, zachte huid en de soepele spieren van haar lichaam, zo zeldzaam en zuiver. Iemand die haar kon redden. Iemand die haar hád gered.

'Jane,' zei Rocksan, 'ik heb geen zin om te praten, snap je?'

'Waarom ben je zo kwaad?' Het was een domme vraag, dat wist Jane ook wel. Maar ze wist niet wat ze anders moest zeggen.

'Nou, laten we om te beginnen zeggen dat je het aan me had kunnen vragen. Je had kunnen zeggen: "Zeg, Rocksan, wat vind je ervan als mijn zoon ons komt opzoeken?"'

'Ik durfde niet.'

'Verdomme nog aan toe, Jane. Is dit dan beter?'

Jane schokschouderde. 'Nee, dat niet.'

'Kijk,' zei Rocksan. 'Ik wil gewoon een eenvoudig leven hebben. Daarom zijn we uit San Francisco weggegaan. Ik wil dat alles eenvoudig is. Wat weet ik van tieners af?'

'Hij is twintig.'

'Twintig. Tien. Vijf. Wat doet het ertoe? Hij is iemand uit je andere leven.'

'Waarom vind je dat zo moeilijk?'

Rocksan bleef even stilstaan. Alles om haar heen leek kleiner te worden, stiller. Jane dacht dat ze Rocksans hart kon horen kloppen. De sneeuw viel neer, maar verder was alles stil.

'Dat kan ik niet zeggen,' zei Rocksan. 'Behalve dat je ooit met een man was. Je koos voor een man. Je maakte een kind met hem. Waarom duurde het vijf jaar voor je het mij vertelde?'

Jane voelde zich ineenschrompelen. De wereld was een grote, open cirkel die steeds kleiner werd. Ze voelde zich kleiner dan een speldenknop.

'Maar ik heb het je toch verteld, Rocks. Ik heb het verteld.'

Rocksan knikte en keek langs haar heen in de verte. 'Ja, je hebt het verteld. Maar je hebt ook een *baby* achtergelaten,' zei ze. Het werd bijna gefluisterd. De woorden leken even zacht op de grond te vallen als de sneeuwvlokken. Ze hoorde aan Rocksans ingehouden stem hoe moeilijk ze het hiermee had. Zelfs wanneer het ermee begon dat Jane zich onbegrepen en aangevallen voelde, zag ze altijd dat het eigenlijk Rocksan was die bang was.

'Veroordeel me niet, alsjeblieft, Rocksan. Doe dit alsjeblieft niet meer.'

'Dat is mijn bedoeling ook niet. Ik probeer het telkens weer te overwinnen, Jane. Ik weet dat ik toch van je kan houden. Ik hou van je, ondanks dat. Maar iedere keer dat je iets over George zegt, word ik er toch aan herinnerd dat hij een kant van je vertegenwoordigt die mij altijd bang heeft gemaakt. Je weet dat mijn eigen vader hetzelfde heeft gedaan. Het is gewoon zo belachelijk ironisch. Het spijt me.'

Jane was vastbesloten niet te huilen. Ze had in de krant van die verhalen gelezen over al die jonge meisjes die tijdens het schoolfeest in het toilet een kind baarden. Hoe ze het in de vuilnisbak gooiden en teruggingen om te dansen. Natuurlijk werd ze daar misselijk van. Maar tegelijkertijd was zij waarschijnlijk de enige op de wereld die begreep hoe ze zoiets konden doen, en dat gaf haar het gevoel dat ze slecht en onacceptabel was. Iemand wier keuzes haar altijd hadden gedwongen heimelijk aan de rand van de wereld te leven. Het was niet meer het lesbisch-zijn dat haar het gevoel gaf abnormaal te zijn.

'Ik heb je verteld waarom ik dat heb gedaan.'

Rocksan knikte. 'En ik zie wel in waarom. Soms kan ik het begrijpen. Maar ik kan niet tegen je liegen, Jane. Je hoeft de naam van de jongen maar uit te spreken en daar ga ik. Begrijp je? Dan ben ik mezelf niet meer.'

Jane boog haar hoofd. Ze kon George niet weer de rug toe keren. Ze zag zijn komst als een tweede kans. Maar wat riskeerde ze daarmee? Rocksan zou van haar weg kunnen gaan. Ze kon een beslissing nemen die ze twintig jaar had uitgesteld en uiteindelijk besluiten dat Jane, ondanks al haar goede eigenschappen, te veel fouten had om van haar te kunnen blijven houden. Jane draaide zich om en liep naar het huis. Ze zou haar laarzen, haar muts en haar handschoenen halen en samen met de anderen naar Nate gaan zoeken omdat dat het enige was dat ze kon bedenken om te doen.

Angie

Meteen nadat Glick was vertrokken, wilde Angie al dat hij terugkwam. Ze kon dit gevoel niet verklaren. Ze had het al gehad sinds de dag, tien jaar geleden, dat hij in het dorp was verschenen. Altijd wanneer hij het restaurant uit ging, voelde zij zich verdrietig en eenzaam. Dan dacht ze: kom terug en praat tegen me.

Ze dacht aan de lange tijd dat hij in de gevangenis had gezeten voor een misdaad die hij niet had gepleegd. Ze wist dat het een dwaze, romantische gedachte was, maar ze dacht dat de juiste vrouw – zijzelf misschien – hem kon terugvoeren naar een tijd voordat het gevangenisleven hem zo afstandelijk had gemaakt. En ook al vond ze het eigenlijk zielig dat ze dit soort verlangens koesterde, ze kon er blijkbaar niet mee ophouden.

En nu zou ze willen dat ze bij Glick was en bij alle anderen die buiten meehielpen zoeken naar Nate. Alle dingen waarnaar ze verlangde, schenen buiten de deur te zijn, ver weg van dit restaurant en haar leven, dat soms zo klein en onbeduidend leek. Maar haar zus had gelijk. Ze kon zich nuttiger maken door het restaurant open te houden, vooral voor het moment dat er bericht zou komen dat Nate gered was. Dan zouden de mensen óf naar het restaurant, óf naar het café gaan. Dan zou ze hier moeten zijn voor de mensen die dat feit niet vierden door zich te bezatten.

Maar de uren bleven voorbijgaan. Het leek wel alsof de tijd sneller ging naarmate er nieuws uitbleef. Het zou niet eeuwig licht blijven. En een overtuigende sneeuwstorm bedekte het dorp met een laag sneeuw. Angie kon zich wel voorstellen hoe hard het op grotere hoogte sneeuwde.

Rosie was al een tijdje wakker, en hoewel ze rustig speelde met haar opgevulde pinguïn waarvan de vleugels dun waren afgesleten doordat hij daar zo vaak was beetgepakt, wist Angie dat haar kleindochter gauw haar geduld zou verliezen. Ze was van plan haar een uurtje mee naar huis te nemen, en zelf ook even een pauze te nemen van het nieuws dat uit de kleine televisie op de toog schetterde. Inmiddels brachten de meeste lokale zenders het nieuws van Nates verdwijning en hadden de mensen al een moreel oordeel geveld over zijn vader, gunstig of ongunstig.

Ze liep naar achteren, de keuken in, waar Rosie haar speelgoed had en een ledikantje. Ze knielde neer en kuste haar kleindochter op het voorhoofd.

'Zullen we gauw gaan?' zei ze.

Rosie knikte. Ze was verdiept in de verbijsterende opgave hoe ze het bolle lijfje van haar pinguïn het beste door de kleine opening van een melkkan kon proppen. Haar wangen waren rood, bijna alsof ze koorts had, maar zo zag ze er soms uit, alsof ze diep vanbinnen wist dat niet alles was zoals het hoorde te zijn, dat er in haar leven dingen ontbraken die andere kinderen wel hadden.

Angie ging terug naar de eetzaal. Het was er behoorlijk vol, en nu kwam er nog iemand binnen, iemand die ze nooit eerder had gezien. Hij ging aan een van de tafels bij het raam zitten. Het was een grote man met grijs haar, een oudere man, misschien halverwege de zestig. Hij had een boek in zijn hand, een boek met ezelsoren in een linnen band, en hij leek in de war, maar op de geschokte manier van iemand die zojuist op een haar na aan de dood was ontsnapt.

Het kwam zelden voor dat ze vreemden in het restaurant zag. Soms kwamen er in de zomer kampeerders, en een enkele keer kwam een familielid van iemand uit het dorp binnen om Angie te begroeten. Maar nu het nieuws van Nates verdwijning zich zo snel had verspreid, was het slechts een kwestie van uren voordat er mensen uit de stad kwamen, te dun gekleed en overmatig belust op meer nieuws, gevaarlijk belust. Angie, die hier al woonde sinds haar eerste huwelijk, vijfentwintig jaar geleden, vertrouwde de stadsmensen niet. Ze zeiden altijd iets stoms over hoe schattig dit plaatsje was, hoe vers de muffins in het restaurant smaakten, hoe ouderwets alles was, en hadden ze hier echt een bibliotheek en een school? Angie had het gevoel dat ze te kijk zat, als een aap in de dierentuin. Vooral hun neerbuigendheid stak haar. Alsof zij en de mensen die hier woonden gefantaseerde mensen waren, schilderachtige varianten van de echte mensen die een echt leven leidden in de echte wereld.

Tegen de tijd dat ze naar de vreemdeling toe liep, had ze zichzelf ervan overtuigd dat hij gewoon de zoveelste journalist was. Ze zorgde ervoor hem te groeten zonder al te veel warmte.

'Koffie?'

'Graag,' zei hij.

Hij keek haar met een vriendelijke glimlach aan. Ze was verrast. Hij zag er heel aardig uit. En toen ze hem beter bekeek, besefte ze dat hoewel zijn manier van doen hem ouder deed lijken, zijn gezicht ook iets jeugdigs had. Alleen zijn mond, achter de grijze baard, verried iets van spanning, van verdriet.

'Wilt u al bestellen?'

Hij keek op de menukaart. Toen glimlachte hij weer, nu schaapachtig. 'Ik vind het vreselijk moeilijk om een keus te maken.'

'Ik geef u een minuut, dan kom ik uw koffie brengen.'

'Dat zou prettig zijn,' zei hij, terwijl hij weer een bekommerde blik op de menukaart wierp.

Op dat moment kwam een drom leerlingen van de middelbare school binnen. Angie wist dat haar parttime serveerster gauw zou komen, maar ze wees de jongens zelf een zitplaats aan. Ze bestelden allemaal fris, op één na die zei dat hij warme chocolademelk wilde. Angie deelde juist menukaarten aan hen uit toen Hilda, haar parttimer, binnenkwam en een schort om haar brede middel bond. Terwijl Angie van de tafel wegliep, hoorde ze de jongens praten over Ethan, de zoekactie, de vraag of ze de jongen zouden vinden. Ze leken haast te hebben. Ze spijbelden en wilden naar het bergpad om te helpen.

Ze stopte haar notitieblok in de achterzak van haar broek, pakte de koffiepot en ging terug naar de vreemdeling. Ze schonk hem een kop koffie in en haalde haar notitieblok tevoorschijn.

'Hebt u al besloten?'

'Ik neem een broodje. Tonijn. Geen patat.'

'Oké. Ik kan u in plaats daarvan een kom vruchtensalade brengen.'

Hij knikte. Hij maakte een nerveuze en afwezige indruk.

'Wilt u behalve koffie nog iets drinken?' vroeg ze.

'Nee, dank u,' zei hij.

'Oké,' zei ze. Ze stopte het blok in haar zak en draaide zich al om.

'Neem me niet kwalijk,' zei hij.

Er viel een lange stilte. 'Ja?' zei ze.

'Tja, ik vroeg me af of u me zou kunnen helpen. Ik hoorde op de radio dat er een jongen zoek is. Ik dacht, nu ik toch hier ben, wil ik graag helpen zoeken.'

Angie nam hem even op. Ze wist dat het onbeleefd was.

'Bent u een journalist?'

'Hemel, nee,' zei hij. 'Zoals ik al zei, ik wilde alleen meehelpen.'

Angie bekeek hem aandachtig. Hij leek de waarheid te spreken.

'De weg is daarboven moeilijk begaanbaar. Moeilijk te vinden ook. Hebt u een goede auto?'

Hij wees gedwee naar buiten. Een zwarte Mercedes.

'Die zal vuil worden,' zei Angie.

Ze merkte wel dat ze hem een ongemakkelijk gevoel gaf, en dat speet haar. Wat had het uitgemaakt als hij wel een journalist was geweest? Dat is ook een manier om je brood te verdienen. Mensen moesten hun brood verdienen. En als hij geen journalist was, als hij de waarheid sprak, was haar minachtende houding nergens voor nodig.

'Ziet u de jongens aan die tafel daar?'

Hij zocht zijn bril en zette hem op. Hij volgde haar blik en knikte.

'Die gaan zo dadelijk ook naar boven. Ik kan met ze regelen dat u met hen meegaat. Zij zullen zorgen dat u er komt.'

Hij nam zijn bril af. 'Dat is erg aardig van u.'

'Geen moeite,' zei ze.

'Wat een afschuwelijke toestand, hè? Ik heb drie zonen. Die zijn nu allemaal volwassen. Maar je vergeet nooit hoe klein en kwetsbaar ze ooit geweest zijn. Ik moet er niet aan denken wat die arme vader op dit moment doormaakt. Of dat jongetje. Het doet me pijn als ik aan dat jongetje denk, verdwaald in het bos.'

De man legde even zijn hand op zijn hart, wat Angie een treurig gevoel gaf. Ze stelde zich heel even voor dat haar kleindochter in het bos verdwaald was. Het landschap dat bij die gedachte verscheen, was doods en stil. Het was een plek die diep binnenin haar zat, zonder woorden.

Op dat moment kwam er nog een stel mensen binnenlopen. Een paar rangers en zo te zien nog meer journalisten. Ze had het nog nooit zo druk gehad. Ze keek naar het afgesleten, verfomfaaide boek van de man. Hebreeuwse letters op het omslag, een davidsster.

'Ik zal tegen die jongens zeggen dat u met hen mee wilt naar boven. U moet wel voorzichtig zijn. De schoenen die u daar aan hebt, zullen de kou en de nattigheid niet erg lang tegenhouden, en geloof me, die bossen kunnen iemand met huid en haar opslokken.'

Hij keek haar even aan. Toen verdween hij achter iets in zijn ogen, misschien een herinnering.

Angie stopte Rosies speeltjes, kleurboeken en kleurkrijtjes in de tas, zette alles in de truck, gespte haar vast in het zitje en reed naar huis. Ze woonde in het dorp, op vijf minuten rijden van het restaurant in een klein, keurig huis met een wit hek om een gazon en Rosies schommel. Vijf jaar geleden, toen haar dochter, Rachel, Rosie bij haar had afgeleverd met twintig dollar en een zak luiers, kwam Glick langs en hing voor haar een autoband in een van de bomen. Die kon Rosie nog lang niet gebruiken. Maar Angie wist nog goed dat hij niet één vraag had gesteld. Zijn meeleven zat uitsluitend in die handeling. Nu de sneeuw neerviel op de kalende bomen, leek de schommel naargeestig en verlaten.

De zomerbloemen waren allemaal verbleekt en het gazon was bezaaid met de bladeren van de platanen, zo groot als handen. Die moest ze opharken, nog iets wat ze te doen had. Het leek erop dat haar leven bestond uit een reeks dingen die gedaan moesten worden, een lange lijst die ze telkens weer afwerkte, en dan weer aanvulde. Ooit, nadat haar tweede huwelijk was geëindigd, had ze erover gedroomd vakantie te nemen. In haar hoofd zag ze altijd hetzelfde strand, dezelfde palmbomen, dezelfde hangmat; iets wat haar geheugen van een advertentie in een tijdschrift had overgenomen.

Maar zelfs dat was op den duur vervaagd nadat haar dochter op een donkere herfstnacht het huis was binnengeslopen en de baby had gedumpt. *Lieve mam, misschien doe je het bij haar beter dan bij mij.*

Dat was alles wat er op het briefje stond. Daarna was er in Angies hoofd geen plaats meer voor vakantiedromen.

Angie parkeerde de auto en hielp Rosie uitstappen. Rosie drukte haar lappenpinguïn tegen zich aan en rende het huis in. Toen Angie bij haar kwam, was Rosie bezig de vissen te voeren. Ze nam tussen haar vingers wat voer uit het blikje, zoals Angie haar had voorgedaan, en strooide het uit.

'Oma, hoe komt het dat Nate het bos in is geholD?'

Angie schudde haar hoofd. 'Hij ging zijn pappa zoeken.'

'Wanneer zullen ze hem vinden?'

'Gauw, schat.'

Het verbaasde Angie altijd hoe onbeschermd en kwetsbaar kinderen waren. Zo herinnerde ze het zich niet van haar eigen dochter. Ze keek naar Rosie die naar het aquarium keek. Totaal betoverd, geboeid door de bewegingen, de luchtbelletjes, het vreemde van de wereld onder water. Ze had zich voorgenomen dat ze het bij dit kind inderdaad beter zou doen. Er ging geen dag voorbij dat ze niet iets van spijt voelde over de manier waarop ze haar eigen dochter had grootgebracht. Ze gaf er zichzelf de schuld van dat haar dochter op die manier was vertrokken, zwanger, stiekem ervandoor gegaan met de echtgenoot van een andere vrouw, die was blijven zitten met drie kinderen, een hypotheek en de ijzerwinkel. Het was een opluchting toen Ethan de ijzerwinkel had gekocht en die vrouw met haar kinderen eindelijk uit het dorp was weggegaan. Ze keek naar Rosie, het product van die verbintenis. Ze hoopte dat Rosie de waarheid nooit zou hoeven weten.

'Vanavond moet ik weer naar het restaurant,' zei Angie.

Rosie draaide zich om en keek haar aan. Ze kwam naar haar toe en kwam naast Angie zitten op het bedje. Ze legde haar hand op Angies dij en wreef over haar broek. Ze leek erg ernstig en beschouwend voor iemand van vijf. Ze rook naar het restaurant en naar nog iets, iets zoetigs als brood of pudding.

Rosie zei: 'Ik wil niet weg.'

'Jij logeert vannacht bij tante Rocksan en Jane. Ik kom je morgenochtend weer halen.'

Rosie keek in Angies ogen, maar Angie wist dat ze eigenlijk over de nieuwste ontwikkeling nadacht. Angie wist dat Rosie veel van

Rocksan en Jane hield. Zij woonden in het oude huis aan de rand van het dorp, een groot houten huis met veel grond en allerlei plekjes om op onderzoek uit te gaan. Bovendien had het iets spannends, want het spookte er. Er waarde een geest rond, de geest van de oude man wiens hele familie daar had geleefd en er was gestorven, en die het had verwaarloosd en in verval laten raken. Rocksan had een groot reuzenhart, ook al kon ze driftig worden, en een groot, zacht lichaam waar Rosie graag in wegzakte. Rosie had een keer aan Angie gevraagd of Rocksan een man was.

Nu keek ze naar Angie en zei: 'Rocksan heeft gezegd dat na de zomer, de mevrouwbijen alle meneerbijen doodmaken.'

'Dat lijkt niet erg aardig.'

'Rocksan zei dat ze dat doen omdat ze lui zijn en niet meer nodig zijn en daarom gaan alle mevrouwbijen zc doodmaken.'

'Zij zal het wel weten.'

'Echte mevrouwen doen dat niet.'

'Nee, vast niet.'

'Was mijn mamma een mevrouw?'

Angie stond vlug op. Hier had ze op gewacht. Nu was het zover. Ze dacht aan haar dochter van dertien die 's nachts wegsloop om bij de jongens te zijn, om stuff te roken en seks te hebben. Ze dacht aan de dood van haar eerste man. De stommiteit om daarna te trouwen met een dikke, domme vrachtwagenchauffeur die nergens voor deugde. Ze dacht eraan hoe ze zelf de rug van haar dochter had zien verdwijnen door de voordeur. Nu waren ze allemaal weg. Zij was er nog, en dit huis en dit kind. Dat was nu nog het enige verhaal.

Ze stak haar hand uit naar Rosie. Rosie kwam van het bed af. Angie hoopte dat ze door over iets anders te beginnen dit gesprek kon vermijden, dit nu, dit moment. Ze nam zich voor Rocksan aan tc spreken over die verdomde bijen. Ze had schoon genoeg van dat gepraat over darren en koninginnen en werksterbijen, en ook al waren het gewoon vliegende insecten met angels, haar kleindochter vond de kasten even geheimzinnig als de afwezigheid van haar eigen vader en moeder.

'Schat,' zei Angie. 'Zullen we de catalogus van Sears gaan bekijken? Dan kun je warme wollen wanten en sokken voor de winter uitzoeken.'

Rosie leek ermee in te stemmen. Meestal liet ze zich niet zo gemakkelijk van haar vragen afbrengen. Maar Angie wist hoe slim Rosie was. Ze had zo'n soort radar die kinderen hebben. Ze wist dat ze de steen die de lawine nog tegenhield, niet moest wegtrekken. Nu nog niet.

Cindy

Nadat Glick was vertrokken, had Cindy eigenlijk naar huis willen gaan. Maar ze kon het niet opbrengen. Alles in haar blokkerige flat was bruin. Bruin vloerkleed, bruin behang, bruine meubels. Poepkleurig. Ze kreeg pijn in haar buik als ze alleen al het complex binnenreed en het opschrift – *Skyview Manors* – op de muur van het gebouw zag. Er was daar geen verlossing, geen mogelijkheid om zich te verschuilen voor haar eenzaamheid en de woede die in haar rondwoelde.

Ze wist dat Trevor in het café zou zijn; net wakker, bezig de troep van de vorige avond op te ruimen zodat hij tegen tienen open kon gaan voor de ochtenddrinkers. Daarom besloot ze nog een kleine versterking te nemen tegen de dag.

Trevor liet haar binnen en schonk een borrel voor haar in. Ze zette haar rode honkbalpetje af en legde het op de tap, met vijf dollar die ze in haar portemonnee vond. Trevor liet het geld daar liggen, zoals hij altijd deed, en stak een sigaret op.

'Cindy, ik heb slecht nieuws voor je, heel slecht nieuws,' zei Trevor.

Ze voelde haar hart een slag overslaan. De eerste gedachte die in haar hoofd opkwam was Nate. Niets speciaals, alleen Nate, de wereld van Nate en alle mogelijkheden daarin voor hoop en tragedie. Maar toen dacht ze dat Trevor misschien gewoon kwaad was omdat ze gisteravond met Glick was meegegaan. Hij was jaloers aangelegd en hoewel ze hem vaak genoeg had gezegd dat er voor hen samen geen toekomst was, drong dat niet tot hem door.

'Wat is er dan, Trev?'

'Liefje,' zei hij. 'Je zoontje is zoek.'

Cindy greep instinctief naar haar drankje en dronk het achter elkaar op.

'Hoe bedoel je, zoek?'

'Ethan is met Nate naar het punt gereden waar het pad naar Angels Crest begint, om naar herten uit te kijken. Hij liet Nate in de auto achter, en toen hij terugkwam, was Nate weg.'

'Wat bedoel je in vredesnaam met weg?' Ze was intussen opgestaan. Haar aderen vonkten, kleine stroomstootjes die door haar heen gingen, haar deden ontbranden.

'Hij wordt vermist. Allerlei mensen zijn op weg naar boven om hem te zoeken.'

'Ik ga ook,' zei ze.

'Wacht even,' zei Trevor. 'Ik ga met je mee.'

Ze wachtte niet op Trevor. Ze rende naar haar gedeukte barrel van een Toyota terwijl de whisky nog in haar keel brandde en startte de motor. Trevor kon er nog net in springen terwijl ze wegreed.

'Het gaat sneeuwen,' zei Trevor. 'Je moet iets warmers aan dan wat je nu aan hebt.'

Ze voelde zijn blik. Ze hoorde de bedekte beschuldiging, dat ze een slet was. Ze begreep dat hij haar terugzag in dezelfde kleren die ze gisteravond had gedragen toen ze met Glick was weggegaan.

'Je hebt gelijk,' zei ze. 'Een jas. En betere laarzen. Maar we moeten wel opschieten.'

Plotseling had ze het heel erg koud, was ze heel erg bang. Ze zag de baan die haar leven beschreef langzaam uit de bocht lopen, tot dit hier, dit moment. Eerst was ze voor haar derde jaar door haar ouders achtergelaten bij haar dronken grootmoeder, later was ze bijna met Trevor getrouwd, maar toen kwam Ethan. Die eerste goede jaren met Ethan en de gretige manier waarop ze dat geluk had aangegrepen, maar ook de verdwijnende hoop. En de geboorte van Nate, die als uit een droom in haar leven belandde. En nu was ze hier, gescheiden, de verliezer in een gevecht om de voogdij, een gevecht zo hard dat ze er een half leven ouder door was geworden, om acht uur 's morgens al dronken, op weg naar boven om haar zoontje te zoeken dat op onverklaarbare wijze verdwaald was in het bos.

'Hoe lang is hij al zoek?' vroeg ze. Ze wilde het antwoord niet horen. Ze verontschuldigde zich nooit voor haar drankgebruik, maar ze wist dat ze zich, afhankelijk van het antwoord, voor deze gebeurtenis laveloos zou kunnen zuipen tot het voorbij was. Het was gewoon een feit dat ze altijd een onheilspellend gevoel had gehad dat er met Nate iets vreselijks zou gebeuren. Ze wist niet waarom die gedachte haar hoofd binnensloop. Wanneer ze dat gevoel op een helder moment probeerde te analyseren, dacht ze dat het waarschijnlijk meer te maken had met haar eigen lot, met de manier waarop ze haar leven liet stranden. Maar toch was haar zoontje het enige waar ze nog voor bad, en dat was altijd hetzelfde gebed, waarvan de woorden in elkaar overliepen als een verongelukte trein: Lieve God ik weet dat ik een drankorgel ben u hoeft me niet te vergeven of me toe te laten in de hemel maar zorg alstublieft dat Nate altijd veilig is.

'Hij is nu een paar uur weg,' zei Trevor. Hij stak twee sigaretten aan en gaf er een aan haar. Ze reed met grote snelheid door Main Street op weg naar haar poepbruine flat; haar zoontje was zoek. *Lievegodikweetdatikeendrankorgelben-uhoeftmeniettevergeven...*

'Verdomme,' zei ze. Ze stak haar hand uit en trok het handschoenenvak open. Daarin lag de fles whisky die ze uit Glicks huis had meegenomen. Ze maakte hem open en nam een lange teug. Ze dacht aan Glick, die haar vanmorgen niet had willen kussen toen hij wegging, hoe dat in haar was doorgedrongen en haar had vernederd. Ze dacht aan de keer dat Ethan haar met Glick in bed had aangetroffen, zoals ze het had gepland, haar troefkaart, en hoe ze daar zelf de wrange vruchten van had geplukt. Toen stelde ze zich haar zoontje voor, verdwaald in het bos, en op de een of andere manier leek alles uit alles voort te vloeien; het was allemaal één grote neerwaartse golf naar dit moment. Het was verbazend dat je in chaos toch een soort orde kon vinden. Ze dacht dat als ze één ding anders had gedaan, misschien al jaren geleden, dit nu misschien niet zou gebeuren. Maar het probleem was te bepalen wat dat ene was. Hoe te weten wanneer je voor het eerst de verkeerde weg was ingeslagen.

'Weet je wel zeker dat hij Nate in de truck heeft achtergelaten? Ethan is altijd erg voorzichtig. Dit lijkt niets voor hem.'

Trevor knikte. 'Ik heb je toch gezegd dat hij een egoïst is. Ik heb je gezegd dat je niet met hem had moeten trouwen. Het is gewoon stom van hem geweest, ontzettend stom om een kind van drie in die waardeloze truck achter te laten. Hij is niet snugger, dat kan ik je wel vertellen. Ik bedoel, zelfs ik zou nooit een kind van drie in een auto achterlaten.'

Ze keek naar Trevor. Die zeverde maar door. Ze wou dat hij zijn mond hield. Ze reed haar parkeerplaats, nummer twaalf, in en rende de trap op. Trevor liet ze in de auto zitten. Ze pakte een rugzak en begon er spullen in te gooien. Om te beginnen een fles whisky, die onder het aanrecht stond. Verder handschoenen en een muts. Ze trok een paar katoenen sokken aan en haar stevigste bergschoenen. Ze nam even pauze om een blikje bier open te trekken en er wat van te drinken. Ze nam drie grote slokken en toen zag ze iets op het aanrecht liggen. Het was een papieren bordje met elleboogjes macaroni langs de rand geplakt. Dat had Nate voor haar gemaakt.

Dit deed haar denken aan het kleuterklasje van de Calvariekerk, waar hij sinds kort naartoe ging. Het leek wel een geschikte plek voor hem, behalve de dominee, broeder Powell die haar altijd staande hield, haar hand vastpakte en haar zei dat God niet van zondaars hield. Ze herinnerde zich, en kreeg kippenvel bij de gedachte, dat hij een keer haar hand had gepakt en had gezegd dat ze eens langs moest komen, voor geestelijke bijstand. Ze had het gevoel niet van zich af kunnen zetten dat hij meer op het oog had dan een eenvoudig zoeken naar zielenheil bij Onze Lieve Heer.

Gisteren nog had Nate al deze macaroni op dit papieren bordje geplakt. Met klodders lijm en al was het een kunstwerk. Nate was er apetrots op geweest. Ze had hem beloofd dat ze het aan de muur zou hangen. Hij deed dingen die hij nog nooit had gedaan, en elke dag was het alsof er boven zijn hoofd een licht aanging. Ze pakte het bordje op en dacht aan alles wat bij hem hoorde, zijn huid, zijn haar, zijn geur, terwijl ze de rest, het bos, zijn angst, had hij een jas aan? – uit haar geest bande. Ze dacht weer aan Ethan, de enige man van wie ze ooit had gehouden, en die haar had teleurgesteld door niet het enige te doen wat ze wilde dat hij deed, namelijk altijd van haar te blijven houden. Ze vroeg zich weer af wat ze had kunnen doen om deze morgen, deze dag te voorkomen. Ze zag zichzelf als degene die schuld had omdat, als ze één ding anders had gedaan, bijvoorbeeld als ze twee jaar geleden niet met Glick naar bed was gegaan, Nate misschien vandaag niet in het bos verdwaald zou zijn.

Trevor kwam de flat binnen lopen. Hij zag haar staan met het bordje in haar ene hand, het bier in de andere. 'Nate komt vast wel weer boven water.'

Ze knikte.

Hij kuste haar. Ze knikte weer. Ze wenste meer dan wat ook dat hij dat niet had gedaan. Het deed haar denken aan Glick en de manier waarop hij haar vanmorgen een kusje uit medelijden had gegeven. Een andere dag zou ze daar nog uren op hebben gebroed – de vernedering en het medelijden die in die kus werden samengevat. Maar nu vergat ze het gewoon. Ze liep naar de auto en gaf de sleuteltjes aan Trevor. Terwijl hij op de irritante, voorzichtige manier die hem kenmerkte wegreed, zat ze ineengedoken op de stoel. Ze wenste van alles: dat Ethan nog van haar hield, dat Nate veilig was, dat ze niet zo'n zuipschuit was. En zo ging het maar door. Ze nam een slokje whisky en keek zwijgend naar de sneeuw die begon te vallen.

Glick

De truck reed grommend over het hoogste punt en slipte op het ijs. Het zilverige licht van de sneeuw werd gedempt en verzacht door het bos. Naarmate Glick hoger kwam, begonnen de bomen dichter opeen te staan, als mensen die stonden te wachten tot er iets zou gebeuren. Of als gevangenen in de bak, die samendromden rondom een pokertafel of een bloedig gevecht.

Hij reed de truck voorzichtig van de weg af, de brandgang op. De aarde was hard en glad onder de wielen. Van tijd tot tijd keek hij in de spiegel naar de hond achterin, die vrolijk zat te hijgen en te piepen. Het beest wist van niks.

Door de sneeuwstorm was het donker op de berg. De koplampen verlichtten de smalle weg, en de overhangende boomtakken en bramen vormden een breed baldakijn boven de truck. De lucht was hier dichter, vochtiger, de sneeuw viel sneller en het condensvocht wer velde in bevallige slierten tussen de takken.

Uiteindelijk bereikte Glick de open plek en draaide de koplampen uit omdat ze Ethan beschenen die met een sigaret in de hand bij zijn truck stond. Het deed Glick denken aan de schijnwerper op de binnenplaats van de gevangenis. Aan de manier waarop ze het licht gebruikten om gedetineerden te verdrijven die zich ergens probeerden te verbergen. Die dachten dat ze konden ontsnappen.

Hij zette de motor af. Het was buiten bitter koud en het sneeuwde hard. Hij wreef in zijn handen. De hond jankte achterin, en voordat Glick Ethan ging begroeten, liet hij de hond los. Glick hoorde hem in het bos verdwijnen. Hij hoefde niet te fluiten. De hond zou wel terugkomen.

'Hai, Glick,' zei Ethan. Voor hun blikken elkaar kruisten, wendde hij zijn ogen af.

'Nog nieuws?'

Ethan schudde zijn hoofd, en Glick bekeek hem aandachtig. Hij had te lang achter de tralies gezeten om niet, enkel door een man in de ogen te kijken, te weten in welke mate hij schuldig was. Hij ving heel even Ethans blik en wist waaruit Ethans misdaad had bestaan. Overmoed. Onvoorzichtigheid. Misschien egoïsme. Maar dat was alles.

Ethan, die schuin tegen de truck had geleund, duwde zich er nu van af door zijn rug te spannen. Hij drukte zijn sigaret uit. Glick zag dat Ethans handen trilden, maar hij wist niet of het van de zenuwen kwam of door de kou. Glick voelde iets scherps prikken in zijn ingewanden, maar hij kon het niet benoemen.

'Ik ben net terug,' zei Ethan. 'Ik heb uren rondgelopen. De rangers zijn verderop aan het zoeken. De sheriff. Er beginnen ook mensen uit het dorp te komen. Ik moest even dat bos uit. Maar nu ik hier ben, heb ik het gevoel dat ik weer terug moet.'

Glick vond het moeilijk om naar Ethan te kijken. Hij wierp een blik in Ethans truck. Een koeltas achterin. Zijn geweer tegen het raam.

'Ik heb van alles meegenomen,' zei Glick. 'Ik zou het hier uren vol kunnen houden in het bos.'

Ethan knikte en Glick wilde al gedag zeggen en het bos in lopen toen Ethan een luide snik gaf. Hij kwam naar voren en sloeg onhandig zijn armen om Glick heen. Hij was een grote man, groter dan Glick, en Glick kon de zwaarte van Ethans spieren voelen, de vermoeidheid van zijn botten, terwijl hij zich de omhelzing heel even liet welgevallen en zijn best deed om niet achterover te vallen tegen de zijkant van zijn truck.

Toen trok Ethan zich al even plotseling terug. Hij liet Glick los en veegde zijn neus af met de mouw van zijn shirt. Deze handeling was vol van schaamte en spijt, een gevoel van verlies. Hun verleden bleef achter in de ruimte die Ethan vrijliet, en Glick herinnerde zich de keer dat Ethan hem had betrapt met zijn vrouw. De woorden die Ethan toen had gezegd. 'Ik zou je moeten vermoorden.' Hij zag deze omhelzing zoals die bedoeld was, als een gebaar om het verleden uit te wissen, te bevestigen dat datgene wat tussen hen was misgegaan, nu weg was, achterhaald door iets dat veel belangrijker was, dat veel ernstiger gevolgen kon hebben.

'Ik zal hem vinden,' zei Glick.

'Ik hoop dat jij het bent, man, van alle mensen.'

Glick knikte. Er kwam een treurig gevoel bij hem opwellen. Diep van binnen wist hij dat de jongen er slecht aan toe was, dat hij misschien zelfs dood was. Er kon van alles gebeurd zijn. Hij kon van een rotswand gevallen zijn, in een van de beken terechtgekomen zijn, zijn enkel hebben verstuikt.

'Je weet toch dat Hond hier een goeie spoorzoeker is,' zei Glick toen zijn hond aan kwam rennen, kwispelend en met zijn tong uit zijn bek. De damp van zijn adem vulde de lucht.

Ethan bukte zich en streelde de hond.

'Ik weet nog dat dat mormel jou beet.' Ethan lachte triest. 'Dat is nog eens in de hand bijten die je voedt.'

Plotseling wilde Glick weg zijn van Ethans triestheid. Die was zo sterk dat hij fysiek aanwezig was, en hij voelde de zwaarte ervan in zijn eigen lichaam. Maar hij wilde niet te vroeg weglopen. Dit ogenblik, het feit dat hij gekomen was en de hond had meegebracht om sporen te zoeken, werkte als een verontschuldiging, en hij voelde de wrok die tussen hen speelde, verdwijnen in het kielzog van Ethans tragedie.

'Ik denk dat ik maar eens het bos in ga. Dan kan ik verse sporen zoeken voor iemand anders er overheen loopt, en kan de hond misschien een goed geurspoor vinden.' Glick bedacht dat hij deze woorden al eens eerder had gebruikt toen hij met Ethan op herten joeg. Dat gaf hem een vervelend gevoel. Hij hoopte maar dat Ethan het niet had opgemerkt.

'Ik heb al de hele morgen in deze bossen gezocht. En de rangers ook. Ze hebben een helikopter besteld. Er zijn nog een stel jagers langsgekomen met paarden. Het is net alsof hij in rook is opgegaan.'

'Niets verdwijnt zomaar,' zei Glick. Maar hij kende deze bossen. Hij wist dat iemand in een paar minuten kon verdwalen. Je hoefde niet eens ver te lopen. Je ging schuil achter de bomen, of het licht weerkaatste tegen het graniet en transformeerde je tot een schaduwvorm. Het geluid van de beken of van de wind kon het geroep van de zoekers gemakkelijk overstemmen, of de kou kon je dwingen beschutting te zoeken op een plek waar je onzichtbaar was.

Ethan stak een sigaret op en glimlachte treurig. Glick zag dat Ethan dit ook wist. Hij nam een trekje van zijn sigaret en zijn handen trilden. Hij zei: 'Nate heeft een hansopje aan, wit met blauwe maantjes erop.'

Glick knikte, draaide zich om en liep het bos in.

De silhouetten van de bomen werden vervaagd door het zachte, flauwe licht van de ochtend. Als Glick niet al tien jaar in deze bergen had rondgelopen, als hij niet zelf gevangen had gezeten, zou hij zich naakt en kwetsbaar hebben gevoeld. Maar het bos had voor hem een zekere geruststellende werking. Ethan en hij hadden elkaar geleerd hoe de bossen werkten. Stapje voor stapje hadden ze de taal van de seizoenen geleerd, de manier om een hert te volgen, dat je als je alleen op jacht was moest uitkijken naar berenpoep, hoe een naderend onweer rook. Glick herinnerde zich ook hoe snel hij hiermee vertrouwd was geraakt. In het bos was het alsof de gevangenis niet bestond, nooit bestaan had. De eenzaamheid, de geur van de aarde, het op jezelf zijn; in het bos kon hij genieten van zijn vrijheid.

Glick keek omhoog. De bomen stonden rustig dicht opeen en vormden een vriendelijke omgeving die hem troost gaf. De geur van de sneeuwstorm leek op de een of andere manier sterker binnen de wirwar van de dennen en hun takken. Glick kon het droge knetteren in de lucht voelen terwijl de sneeuw de aarde al bedekte. De hond rende weg. Glick kon horen dat hij door het onderhout banjerde.

Terwijl hij de toenemende duisternis van het bos in liep, gingen zijn eerste gedachten terug naar de zes jaar die hij achter de tralies had doorgebracht. Hij stond zichzelf alleen toe hieraan te denken wanneer er niemand bij was. De woede had iets geruststellends. Toen ze hem hadden vrijgelaten, had hij op een excuus gewacht. Het geld van de schikking, waarmee hij als hij een beetje oppaste zijn hele leven kon doen, was niet genoeg. Hij wilde de woorden horen. Hij wilde iemands berouw zien. Hij wist niet van wie dat had moeten zijn. De overijverige aanklagers die op een slordige, ongeoorloofde manier met het bewijsmateriaal waren omgegaan. De vrouw die hem had aangewezen bij de confrontatie, die zo stom was geweest niet te zien dat hij het niet was. De misdadigers in de bak die hem meedogenloos sloegen en verkrachtten omdat hij blank was, geen groep had die hem steunde, weigerde zich bij anderen aan te sluiten en in zijn eentje rondhing op de binnenplaats, waar hij verfomfaaide paperbacks las. Het leek wel alsof de hele wereld hem een excuus schuldig was, en hij zich in afwachting daarvan laveloos zoop. Toen kwam hij op een dag tot het besef dat er geen erkenning zou komen voor de gestolen jaren van zijn leven. Hij goot de fles die hij in zijn handen hield leeg in de gootsteen en vertrok uit Los Angeles.

Nu kon hij zich het vernederende misbruik nog maar vaag herinneren. Het was alsof er over dat gedeelte van zijn leven een gordijn was gevallen. Boven hem hoorde hij het trieste geklop van een specht, die vergeefs probeerde nog een paar laatste insecten naar boven te halen voor de winter inviel. Het geluid echode tussen de bomen. De gevallen sneeuw had alle eventuele sporen weggevaagd. Maar het zag er ook mooi uit en het gemurmel in het bos werd zachter, als om ruimte te geven voor zijn gedachten.

Hij liep door. Hij vormde zich een beeld van Angie, met haar blonde haar opgestoken in een wrong. Hij herinnerde zich dat hij op een dag in het lege restaurant was binnengekomen en had gezien dat ze het haar losmaakte uit de wrong en het borstelde zodat het over haar rug viel. Ze had het zonder veel animo geborsteld, alsof ze zelf niet besefte dat ze het deed, en de manier waarop ze daar stond, met haar voeten uit elkaar, haar rug licht gekromd en haar hoofd ietsje scheef, had hem ontroerd. Hij was stil blijven staan kijken, en toen ze merkte dat hij er was, draaide ze zich snel om, zag hem en bloosde. Hij herinnerde het zich nu als opkomende begeerte, hoewel het eigenlijk een dieper en minder uitgesproken gevoel was geweest.

Onder het lopen liet hij zijn gedachten even een beeld vormen van een omhelzing tussen hen beiden, misschien bij haar huis, in de buurt van de autobandschommel die hij voor haar kleindochter aan de boom had opgehangen. Maar hij wilde zijn gedachten niet verder laten gaan. Het zou iets oneerbiedigs hebben gehad, en er zat iets achter waarop hij niet durfde te hopen, waarnaar hij niet durfde te verlangen.

Na enige tijd begon het licht te verschuiven en de schaduwen werden dieper. Glick keek op zijn horloge. Hij had al bijna drie uur gelopen. Er was geen spoor van Ethans zoontje te bekennen geweest. De hond leek onrustig te worden, vermoeid. En de sneeuw, die de hele dag met tussenpozen was gevallen, veranderde nu van richting, wervelde om hem heen, bedekte zijn voetsporen en vernauwde zijn gezichtsveld.

Nu dacht hij aan Cindy, en om haar uit zijn hoofd te zetten maakte hij zijn rugzak open en at wat van de worst en één van de cakejes van Angie. Hij zette zijn muts op, trok handschoenen aan en keek op grond van een groeiend gevoel van ongerustheid of de zaklamp het deed. Hij controleerde of de lucifers nog goed waren, of de vuurpijl en het gasje gemakkelijk te pakken waren. Maar geen van deze handelingen kon zijn geest afbrengen van de herinnering aan de botte manier waarop hij Cindy bij het toilet in het café had gekust en haar later op zijn bed had geprobeerd te naaien, ook al raakte ze in haar dronkenschap af en toe buiten bewustzijn. Hij herinnerde zich hoe de katten op de commode hadden bewogen en hun ogen opendeden toen de veren van het bed piepten, hoe hun ogen het licht van de maan buiten vingen en bijna gloeiden in de donkere kamer.

Hij wist dat hij er net zo min aan kon ontkomen de nacht met Cindy te herbeleven als hij de zes jaren kon vergeten van zijn leven in de gevangenis voor een misdaad die hij niet had begaan. Het was op de een of andere manier allemaal één pot nat, dezelfde donkere weg, dezelfde verkeerde keuzes, dezelfde sombere kater na dezelfde nachtmerrie. Het was datgene waarvoor Glick had geprobeerd weg te vluchten, maar waaraan hij nooit scheen te kunnen ontsnappen. Deze donkere reis. Deze schaamte. Sinds zijn vrijlating hunkerde hij naar juist datgene waardoor hij zich het beroerdst voelde. En wanneer hij toegaf aan die verlangens, was dat bijna met opluchting.

Hij herinnerde zich hoe Cindy zich had omgedraaid nadat ze hun pogingen om seks te hebben, hadden opgegeven. Hij zag dat ze nagenoeg bewusteloos was en besefte dat zij zich er weinig van zou herinneren. En hoewel ze de daad dus niet hadden uitgevoerd, voelde hij zich alsof hij de misdaad had gepleegd waarvan hij indertijd ten onrechte beschuldigd was. Hij had de indruk dat al zijn seksuele behoeften op deze manier werden bevredigd. De reeks losse contacten nadat hij was vrijgekomen, de gezichten van de vrouwen die hij had geneukt maar die hij nauwelijks kende, kwamen nu als een soort geestverschijningen opdoemen, en lieten hem achter met een droevig gevoel van spijt. Hij was niet de man die hij had gedacht te zullen worden.

Vol walging over zichzelf, zich bewust van zijn voortdurend falen en van het feit dat hij intussen al een hele tijd het doel was vergeten waarvoor hij in het bos was, besloot hij terug te gaan. Maar juist toen hij deze beslissing nam, hief de hond plotseling zijn kop in de wind en bleef in gestrekte houding staan. Hij had een geur opgevangen. Meteen hierop rende de hond het bos in en Glick volgde hem met kloppend hart. Maar hoewel ze zo een hele tijd renden, leverde het niets op. En toen Glick zich omdraaide, besefte hij dat hij nu echt hopeloos verdwaald was. Hij dacht terug aan de dingen die hij had ingepakt en besefte dat hij zijn kompas had vergeten.

'Verdomde hond,' zei hij.

De hond, die altijd gevoelig was geweest voor de prijzende of aanmoedigende klank in Glicks stem, dook een beetje in elkaar.

'We zijn verdwaald, stom beest.'

De hond keek met een onnozele uitdrukking een andere kant op.

Het zou snel nacht worden. Glicks gevoel van richting was zo goed als verdwenen, en dat van zijn hond blijkbaar ook. Hij zocht naar de top van Angels Crest om zijn positie te kunnen bepalen, maar vergeefs. De wolken hingen laag. De wereld was verdwenen. Hij kon niet zien in welke richting hij keek. Toen hij tegen een helling op krabbelde, stapte hij mis en glibberde een meter of twee omlaag in een ijzig ravijn. De hond gleed ook uit en samen – Glick bedacht dat het een komisch stukje theater leek – lagen ze als een knoedel op de grond.

'Shit,' zei Glick. Hij duwde de hond van zich af en erkende het ellendige feit dat hij zich door zijn eigen verbitterde en schandelijke gedachten had laten beetnemen en was verdwaald. Dat was nog nooit eerder gebeurd. Opeens kwam de herinnering aan zijn eerste dag in de gevangenis bij hem op, hij op handen en knieën, de verpletterende en vernederende groepsverkrachting, het gejoel en geschreeuw van de gevangenen, van degenen die meededen, van degenen die toekeken. Het bloed. En daarna de tranen die het nog erger maakten.

Die tranen waren juist de laatste klap geweest. Terwijl ze over zijn wangen liepen, hadden zijn stilzwijgende kreten hem op de een of andere manier kapotgemaakt. Hadden hem veranderd, maar in wat was nooit duidelijk. Het had hem domweg tot een ander gemaakt en hoewel hij datzelfde lot nooit meer zou ondergaan – waarom had hij nooit geweten – kwam hij zes jaar later uit de gevangenis met een ontembare woede.

En nu het donker neerdaalde en de sneeuw fel neerhagelde, uitte Glick een korte kreet, bijna een snik, en werd hij zich er tegelijkertijd van bewust dat hij zonder waarschuwing in paniek was geraakt. Hij keek naar de hond. Het dier maakte een schaapachtige, schuldige indruk.

Verslagen ging Glick zitten in het ravijn, in kleermakerszit, en liet zich geselen door zijn herinneringen, zijn ijdele, domme verlangens en alle dingen waarin hij kort geleden had gefaald, eerst bij Cindy en nu bij Ethan. Hij had Nate niet gevonden, maar dat was niet het enige. Hij besefte dat hij al uren geleden met zoeken was gestopt.

Hij maakte zijn rugzak open en haalde er met een verslagen gevoel een broodje en het restant van de salami uit. Verder maakte hij het zakje met hondenvoer open en gaf het aan de hond. Die keek er eerst weifelend naar, maar viel er toen op aan. Terwijl de avond viel, stak Glick het brandertje aan, smolt wat sneeuw en dronk, en gaf ook wat aan de hond.

Ethan

Toen Glick in het bos verdween, kreeg Ethan het gevoel dat hem iets was afgenomen. Hij hield een uitgehold gevoel over, de indruk afgesneden te zijn, als van een belemmering of een langdurige opsluiting.

Hij herinnerde zich hoe ze vroeger samen gingen jagen, voor hij Glick had betrapt terwijl hij in zijn eigen huis met zijn vrouw lag te neuken. Hij herinnerde zich dat ogenblik tot in alle details. Maar nu zijn zoontje zoek was en er een kans bestond dat hij niet levend gevonden zou worden, als hij al gevonden werd, nu begreep hij pas werkelijk wat hij had gevoeld toen hij Cindy zag met haar benen om het lichaam van zijn beste vriend geslagen.

Hij had dit aan Glick willen vertellen voordat hij in het bos was verdwenen. Hij had schoon schip willen maken. Het had helemaal niet met Cindy te maken gehad of met hun huwelijk. En ook niet met zijn ego. Tenminste, niet erg. Wat hij tegen Glick had willen zeggen, was dat het eerste gevoel dat bij hem opkwam toen hij hem omstrengeld met Cindy had gezien, opluchting was. Het eenvoudige gevoel verlost te zijn. Hij had in haar ontrouw een sleutel gezien tot zijn bevrijding. Wat hem boos maakte, was dat ze daarvoor zijn beste vriend had uitgekozen en dat het voor Ethans vrijheid nodig was dat hij Glick ook uit zijn leven bande. Dat had hij toen tenminste gedacht. Was het maar iemand anders geweest, iemand die er niet toe deed, iemand tegen wie hij verbitterde gevoelens kon blijven koesteren zonder tevens een gevoel van verlies te hebben.

En uiteindelijk hadden al die jaren die voorbij waren gegaan zonder tegen Glick te spreken, alleen een nieuw soort dwang opgeleverd. Ethan had zijn vergevingsgezindheid willen uitspreken, willen zeggen dat het nu verleden tijd was. Het hele drama met Cindy en Glick leek opeens erg klein en onbelangrijk. Hij wilde dit allemaal tegen Glick zeggen maar hij had geen woorden kunnen vinden. Uit gefrustreerdheid had hij gesnikt in plaats van te spreken. Met een vernederd gevoel had hij zich vermand en toen als een malloot iets over de hond gezegd. De kans om zich uit te spreken was weg, zoals alles weg leek te zijn. Verdwenen.

Toen Glick achter het baldakijn van bomen onzichtbaar was geworden, stak Ethan weer een sigaret op en opende het portier van Glicks truck. Het was nog warm in de cabine en hij ging achter het stuur zitten, trok de deur dicht en rookte. Hij voelde iets onder zich en vond drie kwartjes. Zonder erbij te denken stopte hij ze in zijn zak. Toen stak hij zijn hand uit en pakte de thermosfles die Glick op de vloer aan de passagierskant had laten liggen. De koffiegeur was krachtig en hij nam een flinke slok, genietend van de bittere smaak en de hitte. Het brandde in zijn mond maar dat vond hij prettig. Hij proefde de metaalsmaak van bloed in zijn keel.

Er kwamen langzamerhand steeds meer mensen aanrijden. Er vormden zich groepjes van reporters, die opgewonden met elkaar stonden te praten. Een van hen kwam aanlopen en tikte op de ruit van Glicks truck, maar Ethan zei dat hij weg moest gaan. Hij wist dat hij terug moest, het bos in, weg van wat hier broedde, naar zijn zoon toe. Hij keek naar buiten, naar de mensen die hij bijna zijn hele leven had gekend en die hem nu kwamen helpen. Het gaf hem een hoopvol gevoel. Natuurlijk zouden ze Nate vinden. Ze móésten hem vinden. Dan zou hij morgen op hertenjacht gaan en wanneer hij zijn toegestane aantal had gedood, zou hij Nate van school gaan halen, hem mee naar huis nemen naar de ijzerwinkel, de zaak sluiten en de verdere avond thuis doorbrengen, terugdenkend aan de angst, dankbaar dat het toch nog goed was afgelopen.

Maar toen keek hij op zijn horloge en zag hoeveel tijd er al verstreken was sinds Nate was weggelopen. Tegelijkertijd besefte hij dat als zijn zoontje dood was, hij waarschijnlijk nooit meer op herten zou jagen, met Glick of alleen. Dat hij Glick alles vergaf, hem niet schuldig achtte, zou niet leiden tot het oppakken van oude gewoonten. Hoewel hij nu begreep wat hem er al die jaren van had weerhouden met zijn beste vriend te spreken, wist hij ook dat Glick en hij wanneer dit voorbij was nog steeds niet konden doorgaan op het punt waar ze lang geleden waren gebleven. Ethan voelde zich onzegbaar beschaamd over het feit dat Glick hierheen was gekomen om hem te helpen.

Hij stapte uit toen er juist een hele rits auto's de bocht om kwam. In de eerste zaten Cindy en Trevor. Daarna kwam een groep jongelui aanrijden in een oude Camaro, gevolgd door een kleine, duur uitziende Mercedes die hij niet herkende. De man achter het stuur was een vreemde, een oude man die niet uit het dorp kwam. Daarna kwam Rocksans truck, maar alleen Jane stapte uit de cabine. Daarna kwamen nog meer auto's en toen de rangers, de sheriff, een stel ambulancebroeders, de media.

Een paar van de jongelui uit de Camaro, ordeloos en levendig als ongetemde paarden, kwamen naar Ethan toe en mepten hem op de rug of schudden hem de hand.

'Het komt wel goed, man,' zei er een. 'We zullen je zoon vinden.'

Hun enthousiasme had iets stoutmoedigs en hoopvols dat Ethan een ogenblik van euforisch optimisme bezorgde. Natuurlijk zou het allemaal goed aflopen. Alles zou in orde komen. Toen zag hij Jane wat achteraf staan, mager en nerveus. Ethan dacht dat ze misschien gehuild had. Ze hield haar armen dicht langs haar lichaam, en de bezorgde trek op haar gezicht bracht hem terug in zijn toestand van angstig wachten, het gevoel in zijn binnenste dat het nooit meer in orde zou komen.

Cindy kwam naar hem toe lopen. Uit haar uitdagende houding kon hij opmaken dat ze gedronken had. Haar boosheid en haat voor Ethan waren tastbaar. Maar hij kon ook de spijt zien. De liefde die onafgemaakt was gebleven.

'Als hij dood is, Ethan...' maar ze maakte haar zin niet af en hij zag wel dat ze niet wist wat ze dan zou doen, dat ze geen passende bestraffing kon bedenken voor zo'n monsterachtige daad.

Ethan zei niets. Hij knikte alleen. Trevor kwam achter haar aanlopen en trok haar weg. Ethan en hij wisselden een blik. Toen ze waren weggelopen, kon Ethan de scherpe alcoholdampen ruiken die ze achterlieten.

Jane kwam naar hem toe. Ze maakte haar armen los van haar lichaam en omhelsde Ethan.

'Gaat het een beetje?'

'Ach, jawel,' zei Ethan. Hij voelde zich een hutspot van emoties. Het was voor hem heel vreemd zoveel dingen tegelijk te voelen. 'Ik kan niet kiezen voor een gevoel,' zei hij.

Jane knikte. 'Glick is er al, zo te zien,' zei ze.

'Ja. Hij is al weg met Hond en een rugzak vol proviand. Ik hoop dat hij Nate vindt, zodat we dit verder af kunnen blazen. Deze mensen allemaal, deze hulp. Het voelt erg als liefdadigheid. Of medelijden.'

'We houden van je, Ethan. We houden van Nate.'

Ethan voelde iets heets achter zijn ogen. 'Dat kan ik me gewoon niet voorstellen. Ik zou me hierom haten. Ik haat mezelf.'

Jane glimlachte. Het was een strak lachje, maar als je haar kende kon je toch de warmte in die glimlach zien. 'We houden des te meer van je. Dat zouden we voor onszelf ook willen, als het ons overkwam.'

Ethan hoorde haar niet meer. Haar woorden kwamen in het luchtledige terecht. Hij voelde de aarde opensplijten. Hij voelde dat hij zich van haar verwijderde. Ze was altijd zo lief geweest voor Nate. Ze had meer dan eens op hem gepast, al had Cindy daar bezwaar tegen gemaakt vanwege Janes seksuele geaardheid. Maar Ethan mocht Jane graag. Hij had het verder maar voor Cindy verzwegen, omdat hij niet dacht dat lesbisch zijn besmettelijk kon zijn voor een jongen. Het ging erom dat Nate en Jane dol op elkaar waren. Dat kon je gewoon zien.

Ethan wilde het bos weer in om door te gaan met zoeken. Hij wilde zijn zoontje vinden voor het donker werd. Hij keek naar zijn truck een eind verderop. Door de achterruit kon hij zijn geweer op de stoel tegen de leuning zien staan. Hij keek Cindy en Trevor na die in het bos verdwenen.

'Ik moet gaan,' zei hij. 'Daar heeft iemand koffie en wat broodjes of zoiets meegebracht. Neem maar.'

Jane zag er ontsteld uit. Haar gezicht was bleek geworden. Ze hief haar armen op en even dacht Ethan dat ze hem weer wilde omhelzen. Maar toen vielen ze langs haar zijden neer, en hij zag haar machteloosheid. Hij liep weg. Hij wierp een blik op de oude man die langzaam uit zijn Mercedes kwam. Ethan wachtte even, maar besloot toen dat hij óf van de politie was óf een journalist, en hij liep verder naar het bos.

Hij wilde zijn zoontje terug. Hij wilde het lichaam van zijn zoontje voelen, dicht tegen zich aan. Hij wilde zijn zoontje in zijn armen houden. Zijn poolster, helder schitterend aan de winterhemel. Hij wilde zoveel wat hij niet kon krijgen, en het feit dat alles wat hij wilde hem hardnekkig onthouden bleef, dreigde hem te breken. Voor de zoveelste keer vroeg hij zich af wat hem ertoe had gebracht om achter die herten aan te gaan en zijn zoontje, dat licht en onrustig sliep, alleen in de truck achter te laten.

Rocksan

Rocksan kon de jongen niet uit haar hoofd zetten, het feit dat hij verdwaald was in het bos terwijl het weer omsloeg. Ook kon ze de gedachte niet van zich af zetten dat Janc nu ook weg was en dat ze juist door dezelfde bossen liep waar ze, zoals Rocksan wist, zo bang voor was. Rocksan zag dat het donkerder werd, en haar stemming hield daarmee gelijke tred.

Ze dacht aan Janes zoon, die ze nog nooit had ontmoet en die nu binnenkort bij hen voor de deur zou staan. Ze herinnerde zich een keer toen een leraar in het naburige dorp van het bestaan van Rocksan en haar bijen had gehoord. Hij had gewild dat ze een voordracht kwam houden voor een klas met oudere leerlingen en ze had toegestemd. Ze voelde zich vereerd. Het voelde als een compliment. Daarbij kwam dat niemand ooit iets over haar bijen vroeg, behalve Jane. Ze popelde om hardop over ze te kunnen praten voor een aandachtig publiek.

Maar ze zag meteen hoe de leerlingen na één blik op haar te hebben geworpen, haar afschreven. Een pot. Een lesbienne. Abnormaal. Ze gedroegen zich bijna het hele uur brutaal. Ze luisterden niet. Een paar van hen leken aan hun tafel in slaap gevallen, en degenen die nog wakker waren praatten met elkaar en overstemden haar helemaal. Ze ergerde zich dood. Tegen het eind van het uur sprak ze het woord seks uit en ze veerden meteen op, de jongens in de hoop op een prikkelend verhaal, de meisjes tuttig en flirterig, met kokette blikken naar hun vriendinnen of zelfs, heel gewaagd, naar de jongens.

Toen ze hun aandacht had, vertelde ze dat de enige dar die erin slaagde met de koningin te paren, van de duizenden die wedijverden om dat te mogen doen, er met zijn leven voor betaalde. Seks, hield ze hun voor, had altijd nare gevolgen. Wanneer de mannelijke bij het vrouwtje binnendrong, werden zijn geslachtsorganen onmiddellijk uit hem gescheurd en bleven wapperen in de wind, vastgezet in de geopende geslachtsopening van de koningin. Ze zag de uitdrukking van walging op de gezichten van de tieners. Daardoor werd ze aangespoord om door te gaan.

Het was, vertelde ze hun, de begeerte van de bij die hem dit ellendige einde bezorgde. Zijn orgaan bleef achter in het voorwerp van zijn begeerte en hij tuimelde naar beneden, nog niet helemaal dood, maar van kop tot angel opengereten. Hij kwam op de grond terecht, nog net levend genoeg om te zien dat mieren en vogels hem kwamen opeten.

De jongens in de klas keken benauwd. Zou deze grote lesbische bijenhoudster hun op de een of andere manier hetzelfde aandoen? De meisjes hadden zenuwachtig gegiecheld, of haar woest aangestaard omdat ze een lesbienne was en ze kennelijk mannen haatte, dat merkte je toch aan wat ze vertelde? Maar Rocksan glimlachte alleen en bedankte de leerlingen voor hun aandacht. Daarna had ze het voorgoed gehad met tieners.

Nu kwam er een tiener bij hen op bezoek, als ze het goed begrepen had. Een jongen. Nou ja, eigenlijk een man. Janes zoon, die ze in de steek had gelaten. Het maakte Rocksan onrustig, althans oppervlakkig bezien, omdat het de vraag opwierp of Jane wel betrouwbaar was als lesbienne. Rocksan was een geheide pot. Tot in elke ader, elk gen, elk orgaan. Dat was vanaf haar geboorte haar bestemming geweest. Maar bij Jane was dat blijkbaar niet zo. Als ze genoeg van een man had gehouden om samen met hem een kind te maken, waren daar ook overtuigende, beangstigende heteroactiviteiten bij geweest. Dit maakte Rocksan jaloers en bang voor wat ze niet begreep.

Dit waren de dingen die ze in elk geval graag zei, omdat het altijd gemakkelijker was beledigingen naar iemands hoofd te slingeren dan de waarheid op te biechten. En eerlijk gezegd had datgene wat ze niet kon toegeven, wat te veel pijn deed om het onder ogen te zien, eigenlijk maar weinig met Jane te maken. Steeds wanneer George in beeld kwam, werd Rocksan geconfronteerd met wat ze het ergst vond in haar leven: niet dat Jane hem in de steek had gelaten of dat Jane met een man had geneukt, maar het ellendige feit dat toen Rocksan zes was, haar vader, die schoft, haar en haar moeder en zusje had laten zitten in een gore, armoedige buurt van Oakland in Californië waar de misdaad welig tierde. Ze moesten zich maar zien te redden. Het was zo plotseling gebeurd dat Rocksan er haar hele leven van in de war was gebleven. De ene dag was haar vader er nog, de volgende dag was hij weg, en haar moeder had Angie en haar moeten grootbrengen op het salaris van een bediende in een kruideniersaak en tweedehands spullen.

Om Jane daar de schuld van te geven, om er Janes probleem van te maken, was egoïstisch en verachtelijk. Maar Rocksan wist dat ze zwak was, ook al hield ze deze zwakheid zorgvuldig afgeschermd, uit angst dat iemand zou ontdekken wie ze wérkelijk was. Uiteindelijk was het wel zo gemakkelijk om te doen alsof iemand anders haar leven verpestte, in plaats van haar diepste, donkerste verdriet onder ogen te zien.

Rocksan schudde haar hoofd. In de hoop deze gedachten te verjagen. Waarom Jane niet bij haar wegging, zou ze nooit weten. Het werd kouder buiten en ze begon de voedingspotten van het vorige jaar weg te nemen en ze zo grondig mogelijk te reinigen. Vervolgens vulde ze de potten met voer – het brouwsel van suiker en water dat Jane en zij twee avonden eerder in grote pannen op het fornuis hadden gemaakt – en hing de potten ondersteboven op de stoppen boven de broedraten.

Ze dacht aan het jongetje, Nate, verdwaald in het bos. Aan de sneeuw die nu harder neerviel, de kou die feller werd, de wereld die veel bedreigender leek door de dingen buiten de mensen die niet beheersbaar waren. Ze stelde zich Nate voor, zijn angst. Haar hart begon ervan te haperen. Iets in haar binnenste leek in elkaar te krimpen. Ze voelde een ruim, alles omvattend verdriet om alle kinderen, om hun kwetsbaarheden, om de manier waarop hun leven altijd werd verziekt door volwassenen.

Het begon schemerig te worden, donkerder. Haar energie begon op te raken. Nadat ze de voerpotten had opgehangen, ging ze naar de schuur en hoewel ze niet vrolijk was – vanwege het jongetje, Jane, haar verleden – pakte ze de potten met blauwe, gele, groene en ultraviolette verf van de planken. Ze wist dat het in het gunstigste geval als 'echt iets voor hippies' en in het slechtste geval als idioot werd beschouwd om de kasten in deze kleuren te schilderen. Maar Rocksan had in dat tweede jaar het verschil gezien. De thuiskomende bijen konden de kasten heel snel vinden en herkennen. Ze wist dat deze kleuren in hun ogen aan bloemen deden denken.

Ze gebruikte de rest van de middag om de kasten te schilderen onder het afdak van de schuur en probeerde intussen alles wat er tussen Jane en haar was gebeurd te vergeten. De sneeuw viel zacht op de aarde neer; de aarde leek zich eronder terug te trekken, zich te verschuilen, de sneeuw geduldig te verdragen. Ze probeerde te vergeten hoe gemeen ze Jane behandelde, maar het bleef aan haar knagen. Wanneer ze aan Jane dacht, dacht ze aan haar zachtheid, haar kwetsbaarheid. Ze vond het vreselijk dat ze daar zo snel, zo gemakkelijk overheen walste.

Toen de schemering inviel, bleek, grijs en stil, borg ze haar kwasten op en gebruikte ze het resterende licht om wat barsten in de kasten dicht te stoppen en er muizenroosters aan vast te maken. Ze vroeg zich af waar Jane was, maar besloot dat het te vroeg was om zich zorgen te maken. Misschien hadden ze Nate gevonden. Misschien werd dat feit gevierd. Voor haar zus aankwam met Rosie woog ze vlug de kasten, noteerde het gewicht op de kaarten en verzamelde de kaarten van alle volken. Ze keek omhoog naar de lucht en hoopte oprecht dat de jongen gevonden was.

Ze ging naar binnen en legde de kaarten op het aanrecht naast het koekblik. Ze stak haar hand in het koekblik en haalde er wat geld uit voor de pizza die ze die avond voor haar achternichtje zou bestellen. Ze nam een plastic mes uit de lade en legde dat op de rand van het aanrecht. Naarmate de duisternis inviel, raakte het huis gevuld met een tastbare stilte en ze dacht aan Jane. Ondanks haar boosheid voelde ze zich onrustig. Bezorgd. Even later hoorde ze de truck van haar zus het weggetje in rijden.

Angie en Rosie kwamen het huis binnen met een uitgelatenheid die de stilte verbrijzelde en Rocksan uit haar sombere stemming haalde. Rosie kwam op haar toe hollen en sprong. Rocksan ving haar op, tilde haar hoog in de lucht en het meisje gilde vrolijk.

'Tante Rocksan.'

'Rosie, als je nog een pond zwaarder wordt, kan ik dit niet meer doen.'

Rocksan zette haar neer en Rosie rende prompt naar de kast en reikte naar de zoutjes.

'Rosie, dat gaat niet hè, bij mensen in de kast neuzen en er eten uithalen,' zei Angie.

'Rocksan is geen mens,' zei Rosie.

Rocksan begon te lachen. 'Soms zegt dat kind precies wat ik denk.'

Angie keek Rocksan aan en glimlachte. Rocksan omhelsde haar en liet haar kalme warmte tot zich doordringen.

'Nog nieuws over de jongen?' vroeg Rocksan.

Angie schudde haar hoofd met een sombere uitdrukking op haar gezicht. 'Nee, niets. Dit wachten. Ik ben een en al zenuwen.'

'Het is toch niet te geloven? Hij had geen erger moment kunnen kiezen, net nu het is gaan sneeuwen.'

'Ik wil ze daarginds niet belasten met slechte gedachten, maar ik ben erg bang voor hem. Voor Ethan.'

Rocksan knikte. Nu het donker werd, de ruzie met Jane nog vers was, nog levend en groeiend, en de jongen nog steeds zoek was in het bos, kreeg ze weer dat gevoel van wanhoop.

'Jane en ik hebben een vreselijke ruzie gehad,' zei Rocksan. Ze wendde zich naar Rosie, die bezig was de koelkast open te maken. 'Gebruik de margarine in dat kuipje, liefje,' zei ze. 'En ik heb daar op het aanrecht een plastic mes voor je neergelegd om mee te smeren.'

'Waar ging dat over?' zei Angie. Ze ging zitten op een van de hoge barkrukken en deed een greep in een kom met chocolaatjes op het werkblad.

'Haar zoon komt hierheen, Ang. Godverdomme. Haar zóón.'

'Tante Rocksan heeft gevloekt,' zei Rosie.

'Grote mensen vergissen zich ook weleens,' zei Angie. Toen wendde ze zich weer naar Rocksan en zei: 'Ik begrijp het niet.'

'Nou, je weet toch dat ze ooit een zoon heeft gekregen en dat ze hem heeft achtergelaten. Je kent het verhaal...'

Angie knikte.

'Nu vertelt ze me dat hij op de een of andere manier in moeilijkheden zit en dat hij hierheen komt.'

'O, jeetje.'

'Ze neemt niet de moeite het eerst met mij te bespreken. Hij komt hier vanavond of morgen aan.'

Angie boog naar voren, met haar ellebogen steunend op het werkblad. Het verbaasde Rocksan altijd hoe kalm haar zus leek, hoe onverstoorbaar. Angie werd nooit driftig, reageerde nooit overdreven fel, vormde zich altijd een oordeel over de situatie en deed dan langzaam en nadenkend datgene wat haar goed leek, wat altijd goed bleek. Ook vóór haar dochter was weggegaan had Angie iets stils gehad. Zelfs toen Rachel de baby bij haar achterliet, was Angie kalm gebleven. Alsof het verdriet haar alleen zachter had gemaakt, waar het anderen verbitterd had kunnen maken. De gemoedsrust van haar zus irriteerde Rocksan, maar ze was er ook jaloers op. En nu, nu haar zus helemaal niets zei om haar te steunen in haar verontwaardiging, zei Rocksan: 'Snap je niet waarom ik kwaad ben? Omdat ze het niet met mij heeft overlegd. Ik bedoel, christus, het is om te beginnen al erg genoeg dat ze hem in de steek heeft gelaten.'

'Ummm. Is dat ook een vloek?' zei Rosie.

Angie lette niet op haar kleindochter. 'Ik begrijp wel dat het hard aankomt bij je,' zei ze. Kalm en ernstig, niet neerbuigend.

'Ik ben ziedend,' zei ze. Haar stem ging de hoogte in. Ze zag vanuit haar ooghoek hoe Rosie een voor een haar crackers besmeerde. Die probeerde het te laten lijken alsof ze niet luisterde, zoals kinderen vaak doen.

'Rocksan, verspil nou geen energie aan die boosheid. Jane is pappa niet. En ze had er haar redenen voor, en uitgerekend jij zou die moeten begrijpen. Pappa was gewoon een schlemiel. En het siert haar dat ze nu ten minste probeert iets voor haar zoon te doen. Bovendien is ze bang voor je, Rocks. Je bent ook zo'n driftkop...'

'O, die kutdrift van mij.'

'Oma,' jammerde Rosie. Ze kon 'godverdomme' en 'christus' blijkbaar wel aan, maar 'kut' was weer een heel ander chapiter.

'Rocksan, wil je alsjeblíéft op je woorden letten,' zei Angie.

'Sorry,' zei Rocksan. Ze zag dat Rosie er niet tegen kon dat ze steeds harder vloekte. Wat waren kinderen toch eigenaardige wezens. Rocksan mocht ze wel, maar alleen voor even.

'Je weet dat dit voor Jane allemaal veel erger is,' zei Angie, terwijl ze nog een chocolaatje in haar mond stak. Hoe haar zus maar raak kon snoepen zonder ooit een onsje aan te komen, ging haar begrip te boven. Het was raar dat ze zusters waren. Ze leken in niets op elkaar. Hun karakters waren elkaars tegengestelde. Angie leek op haar moeder, zij op haar schofterige vader.

'God, ik haat het wanneer je zo doet, Angie,' zei Rocksan. 'Je bent te goed voor deze wereld.'

'Mag het nog, Rocksan? Je zou er iets van kunnen leren. Bedenk bovendien wat mam altijd zei wanneer een vreemde iets rottigs deed waar je boos om werd, dat je rekening moest houden met dingen die je niet van hen wist.'

'Borstkanker en zo.'

Ze begonnen te lachen. Angie zei: 'Het was altijd "misschien heeft ze borstkanker" of "misschien heeft hij net gehoord dat hij teelbalkanker heeft".'

Rocksan brulde van het lachen. 'Het was altijd kanker van een voortplantingsorgaan.'

'Nou ja, ze was katholiek.'

'Wat is voortplanting?' zei Rosie.

'Ik moet weg, Rocks,' zei Angie. Ze keek op haar horloge.

'Fantastisch. Moet ik het kind antwoord geven?'

Angie glimlachte. 'Nee,' zei ze. 'Verzin maar iets tot ik met haar kan praten. En weet je, val Jane niet te hard. Je houdt van haar. Dan moet je toch van haar hele persoon houden?'

Rocksan zei niets. Terwijl Angie de deur uit liep, zei Rosie: 'Tante Rocksan, wat betekent voortplanting?'

'Kom eens hier,' zei Rocksan.

Rosie kwam naar haar toe. Rocksan keek haar aan. Ze zei: 'Weet je nog dat Jane en ik de vorige zomer nieuwe koninginnen in de kasten moesten doen?'

Rosie knikte ernstig.

'Dat moesten we doen om meer bijen te krijgen. De koningin is degene die zorgt dat het volk groeit. Ze legt eitjes en dan komen er meer bijen uit. Dat heet voortplanting. Het betekent meer bijen maken. En mensen doen dat ook.'

Rosie nam de informatie met diepe ernst in zich op. Ze zei: 'Ben ik uit een eitje gekomen?'

De vragen die een kind kon stellen. Waarom was het zo moeilijk er antwoord op te geven? In sommige culturen werden scheppingsverhalen verzonnen, en nu dacht ze dat ze waarschijnlijk wist waarom.

'Toe, schat,' zei ze. 'Ga nu je crackertjes maar opeten.'

Rocksan vertelde haar nichtje de andere helft van het verhaal niet. Dat de koningin maar één keer de kast verlaat, om te paren. Dat ze niets weet van bloemen of van zonneschijn. Ze merkt niets van de darren die haar vergezellen. Erger nog, ze schept zelf de gelegenheid voor haar eigen dood en opvolging, want elk van de eitjes die ze bevrucht, kan de koningin worden die haar van haar troon stoot. Rocksan vertelde Rosie niet dat de koningin wel de baas is en voorrechten geniet, maar dat haar leven kort is, en geen licht of liefde kent.

Een koude wind rammelde aan de ruiten. Jachtende sneeuw tikte tegen het glas als kiezelsteentjes. Toen Rocksan de verlichting van de veranda aanzette, zag de sneeuw er spookachtig uit, een droomachtige verschijning van wit, bewegend licht.

Angie had haar opgebeld om te zeggen dat Jane nog in het restaurant zat, en praatte met een paar anderen die er waren binnengekomen voor een pasteitje en een kop koffie. Er werd een fles rondgegeven, zei ze, omdat ze niet naar het café wilden gaan. Maar niemand dronk te veel. Angie had haar dit laten weten zodat ze zich geen zorgen zou maken. Sinds hun vader was weggegaan, had Angie altijd geprobeerd om het zo in te richten dat de befaamde driftbuien van Rocksan niet de kans kregen op te vlammen.

Later, nadat Rocksan Rosie in bed had gelegd, dronk ze thee en las in het bijentijdschrift *American Bee Journal*. Ze was dol op de advertenties achterop voor alle vreemde parafernalia van de bijenteelt. Maar het liefst las ze het handjevol contactadvertenties van naar liefde smachtende bijenhouders, vooral die van vrouwen die vroegen om 'vrouwelijk gezelschap en een gedeelde interesse in het houden van bijen'.

Om halftien maakte ze zich klaar om naar bed te gaan en viel onmiddellijk in slaap. Enkele minuten later schrok ze wakker van het geluid van de voordeur die in het slot viel. Ze hoorde het ritselen van Jane die haar jas aan de kapstok hing, daarna Janes lichte voetstappen die de trap op kwamen. Rocksan hoorde haar Rosies kamer binnen gaan. De voetstappen hielden op. Stilte. Rocksan stelde zich

Jane voor, mager, stil, neerkijkend op Rosie, verloren in gedachten over haar eigen zoon, de jaren die ze had laten gaan. Kon er een dieper verdriet zijn, vroeg Rocksan zich af, dan onder ogen te moeten zien wat je gehad zou kunnen hebben als je maar meer moed had gehad?

Ze voelde iets krampen in haar borst en vroeg zich af waarom het zo'n pijn deed om van iemand te houden. Even later begon Jane weer op haar tenen te lopen en Rocksan hoorde dat ze naar hun slaapkamer kwam. De deur ging open en Rocksan, wier ogen aan het donker gewend waren, zag het silhouet van Jane die haar kleren uittrok, een flanellen nachtpon aanschoot en in bed kwam. Rocksan kon de whisky ruiken, en nog iets anders ook. De sneeuw. De kou.

'Hoi,' zei ze.

'Hai,' zei Jane.

Ze zwegen. De klok tikte luid in de kamer. Rocksan kon de zwaarte van Janes spijt en nervositeit bijna voelen. Even voelde ze zich hierdoor onder druk gezet, maar toen stelde ze zich weer voor hoe Jane op Rosie had staan neerkijken en zich iets had herinnerd waar zij geen deel aan had.

'Hebben ze hem gevonden?'

'Nee. En nu zijn ze Glick ook nog kwijt.'

'Wat?'

'Hij was al het bos in gegaan toen er nog zowat niemand was. In zijn eentje. Daarna heeft niemand hem meer gezien of gehoord. Het sneeuwt hard. Ze hebben besloten om tot morgenochtend te wachten. Dan gaan ze terug om hem te zoeken.'

'O, nee. Wat vreselijk.'

'Ethan is daar nog; hij slaapt in zijn truck. Hij zegt dat hij niet weg wil gaan, voor het geval dat Nate uit het bos komt.'

De nacht drukte op Rocksan. Ze kon er niet tegen dat er zo'n kloof tussen hen gaapte, en dat die werd opgevuld met zulk vreselijk nieuws.

'Jane,' zei Rocksan. Ze zocht Janes hand onder de dekens. 'Het spijt me.'

Jane begon te huilen. Zij was altijd degene die huilde.

'We kunnen het loslaten. We kunnen het achter ons laten,' zei Rocksan. Ze hoorde de wanhoop in haar eigen stem. Die herinnerde haar eraan hoe diep haar liefde was, hoe graag ze altijd van Jane wilde blijven houden.

Ze voelde Jane knikken. Jane zei: 'Het spijt míj juist.'

Rocksan voelde opluchting, een enorme bevrijding van de zwarte stemming die haar de hele dag had vergezeld. Ze kon verder geen woorden vinden, hoewel ze een vaag verlangen had dat alles weer zou zijn zoals gisteren. Nu lag er een nieuw terrein voor haar. Het was alsof ze een landkaart moest maken zonder te beschikken over coördinaten of vaste punten in het landschap.

Ze draaiden zich naar elkaar toe. Buiten was het donker. 'We moeten de achterkamer voor hem in orde maken,' zei Rocksan. 'En we zullen meer eten in huis moeten halen. Jij eet als een vogel; ik denk niet dat hij veel moet hebben van al die nootjes en vruchten waar jij zo dol op bent. Hij is waarschijnlijk een kerel die van biefstuk houdt. Net als ik.'

Jane lachte. Ze drukte Rocksans hand in het donker, en Rocksan kreeg een gevoel alsof ze was vastgemeerd, weer veilig aan de wal lag, buiten bereik van de kolkende stromingen van haar fouten en zwakheden.

Jane

Toen Ethan die ochtend het bos weer was ingegaan, voelde Jane zich verloren. Ze voelde zich erg klein, met de donkere pijnbomen boven haar. Het bos was een ondoordringbaar terrein, met al die bomen die naar alle kanten scheef stonden, de sneeuw, de lukrake manier waarop de planten leken te groeien. Een dronken bos.

Jane draaide zich om; ze dacht erover om maar weg te gaan. Ze had niemand om samen mee te gaan zoeken, en de anderen vormden paren. Ze dacht eraan dat ze nog het vorige weekend op Nate had gepast, terwijl zijn vader overwerkte in de ijzerwinkel. Ze herinnerde zich dat ze samen een legpuzzel hadden gemaakt, en dat ze hem later een slokje van haar druivenlimonade had laten nemen. Ze herinnerde zich hoe hij met zijn lippen had gesmakt, hoe hij had geboerd en toen was omgerold van het lachen.

Ze begon terug te lopen naar haar truck, in verwarring en met een gevoel van machteloosheid. Al deze mensen die hier waren voor Nate, en Nate die zomaar weg was, verdwenen, haast alsof hij in rook was opgegaan. Heel vreemd en beangstigend.

Toen ze haar truck naderde, zag ze een oude man die moeizaam uit een zwarte Mercedes stapte. Ze herkende hem niet. Ze zag dat Ethan van opzij naar hem keek, even bleef staan en toen verder liep. De man zag eruit alsof hij hier niet hoorde. Zijn jack was te nieuw, te mooi, alsof hij het had gekocht om er goed uit te zien bij het skiën, bijvoorbeeld in Aspen. Zijn schoenen – een paar lichtgewicht wandelschoenen – zouden het niet lang volhouden in de sneeuw.

In Janes ogen zag hij er niet uit als iemand van de pers. Hij had geen pen en geen blocnote. Hij had geen mobiel aan zijn riem zitten, geen minicassetterecorder met piepkleine cassettes. En hij miste de opgeblazen arrogantie van de journalisten die verschenen, die dit zwijgzame, afgelegen plaatsje binnen banjerden, als olifanten in een glasfabriek. Hij nam zijn bril af en veegde die schoon met een zakdoek die hij uit het zakje van zijn overhemd haalde. Door deze handeling leek hij bang en kwetsbaar.

Jane ging naar hem toe. 'Bent u een vriend van Ethan of Cindy?'

De man leek even met stomheid geslagen, verlegen. Jane begreep dat hij hier geen vrienden had.

'Nee,' zei hij. 'Ik hoorde dat die jongen zoek was. Ik hoorde dat er naar hem gezocht werd.'

'Waar komt u vandaan?'

Hij maakte een hoofdbeweging. 'Van verderop in het dal.'

Dat was geheimtaal, wist Jane, voor de stad.

'Erg aardig van u om te komen.'

De man knikte. Hij maakte zowel een vriendelijke als een nerveuze indruk. Gekweld door iets, maar dat probeerde hij te verbergen.

'Ik heb geen zoekpartner,' zei Jane. 'Wilt u met mij mee komen?'

Dit leek de man te verrassen. Het verraste Jane zelf dat ze het vroeg. Maar ze had plotseling schoon genoeg van dit bergdorp, de mensen hier, het geroddel en de spanning die Nates verdwijning gaf. Ze wilde dat er iets anders gebeurde. Ze miste San Francisco met zijn voorspelbare plaveisel, de Muni-bussen en Bart. De torenflats en de daklozen. Al die bomen hier, het verborgen geritsel in het bos, soms kreeg ze er de zenuwen van.

'Maar natuurlijk. Dat lijkt me een goed idee,' zei de man. Hij stak haar zijn hand toe. 'Jack Rosenthal.'

'Jane Childs.'

De man had koude handen. Jane vroeg zich af of hij wel handschoenen bij zich had, maar het leek bijna alsof hij deze reis niet had gepland, alsof hij niet had verwacht hier te zullen zijn. Jane ritste haar parka dicht, trok de capuchon over haar hoofd. De lucht zag er dreigend uit.

'Laten we maar gaan. Dan kunnen we nog een tijdje zoeken voordat de sneeuw dat onmogelijk maakt,' zei ze.

Ze kwamen langs Ethans truck. Zelf was hij nergens te bekennen. Jane zag het jachtgeweer dat op de bank tegen de leuning stond, met daarnaast een thermosfles op het dashboard. Het bos was dicht begroeid, er stonden eeuwenoude bomen en bessenstruiken, dunne vingers van kornoelje, nu kaal en benig voor de winter. Ze wist dat als je hiervandaan tien kilometer het bos in liep, je in een eeuwenoud sequoiawoud uitkwam. Verder omhoog lag de top van Angels Crest.

Alleen de mensen van het dorp wisten nog van het bestaan van dit oude pad sinds het parkbeheer het nieuwere, gemakkelijker begaanbare pad had aangelegd. Rocksan en zij hadden die wandeling één keer gemaakt; toen hadden ze een nacht gekampeerd bij een beek onder de sterren. Ze herinnerde zich dat ze bang was geweest. Het was een voortdurend lawaai in het bos door de geluiden van de wind, het geklater van de beek, de nachtdieren die naar voedsel zochten. Ze was ervan overtuigd dat ze door beren zouden worden opgevreten, dat ze wekenlang door niemand gevonden zouden worden en wanneer ze dan gevonden waren, zouden de akelige bijzonderheden over hun dood terechtkomen in zo'n boek over gruwelijke sterfgevallen. Rocksan was veel dapperder. Ze maakte Jane telkens wakker uit haar verwarde dromen en fluisterde dan: 'Er is niets aan de hand, Bonenstaakje.'

Bij de gedachte aan Rocksan kwam er een gevoel van spijt bij haar op, en bezorgdheid. Plotseling herinnerde ze zich iets wat gebeurd was toen ze elkaar net hadden leren kennen. Ze logeerde elke nacht bij Rocksan in huis – een grote, mooie Victoriaanse villa in Hayes Valley die Rocksan had gekocht en opgeknapt. Het was geen fijne buurt. Ze deelden de straten noodgedwongen met drugsdealers en in de woonprojecten een paar straten verderop scheen veel criminaliteit voor te komen. Maar het huis was prachtig, met kleurig geschilderde torentjes en overal ramen. Binnen rook het huis met zijn hardhouten vloeren en krakende kastdeuren oud en troostrijk, als een bibliotheek. Rocksan had de keuken gemoderniseerd zodat je, ook al had je het gevoel dat je in de negentiende eeuw leefde, toch gemakkelijk een espresso voor jezelf kon maken.

Ze herinnerde zich hoe ze op een dag dat het zwaar mistte, samen in de woonkamer hadden gezeten. De misthoorns toeterden hun droevige lied en in huis was het warm en rook het naar koffie en naar de verse croissants die Rocksan had gehaald bij een bakker in de buurt. Jane had een shirt van Rocksan aan dat om haar smalle gestalte hing als een wijde jurk.

De telefoon ging en Jane hoorde Rocksan opnemen. Even later was Rocksan weer binnengekomen met een bleek, gekweld gezicht. Jane vroeg wat er aan de hand was en Rocksan had gezegd dat haar zus had gebeld om te zeggen dat hun vader overleden was. Jane herinnerde zich dat ze een adrenalinestoot had gevoeld. Ze kende Rocksan nauwelijks. Zulk droevig nieuws was moeilijk. Hoe moest ze reageren? Ze was opgestaan en had haar armen om Rocksan heen geslagen, maar Rocksan had haar nogal bot weggeduwd. De kleur kwam alweer terug in haar gezicht.

'Dat je het maar weet,' zei Rocksan. 'Hij was een klootzak toen hij leefde. Hij is als een klootzak gestorven, en wat mij betreft hoef je niet om een dode klootzak te huilen.'

Jane was verbijsterd geweest. Rocksan had de wodka gepakt, er wat van in haar sinaasappelsap geschonken en dat achter elkaar opgedronken. Het was net alsof ze een knop had omgedraaid. In een paar seconden waren het telefoontje en het bericht dat het had gebracht weggevaagd.

Ze dacht aan George. Aan de bevalling, hoe lang en zwaar die was geweest. Toen het voorbij was, kon ze zich er niets van herinneren, behalve dat ze op een bepaald moment zo hard had gegild dat er een verpleegster was binnengekomen die zei: 'Wat is er aan de hand?' Jane herinnerde zich dat ze terug had geschreeuwd: 'Ik ben aan het bevallen, stom mens.'

Ze dacht aan George die gauw zou komen, morgen waarschijnlijk al. Haar hart ging er razendsnel van kloppen. Ze had hem negentieneneenhalf jaar niet gezien. Ze dacht aan de nacht dat ze hem had achtergelaten, hoeveel drank ervoor nodig was geweest, hoe lang het verdriet had geduurd.

'Woont u hier in het dorp?' vroeg Jack. Hij onderbrak haar gedachten zodat ze schrok.

'Ja. We zijn ongeveer tien jaar geleden van San Francisco hierheen verhuisd. Mijn vriendin wilde hier zijn, dichter bij haar zus.'

Als hij het vreemd vond dat hij met een lesbienne in het bos rondliep op zoek naar een vermist jongetje, liet hij dat niet merken. Ze bewonderde zijn keurige manieren, zijn zekere tred en zijn kalme houding waaraan niet te merken was dat hij geen ervaring had met een bos.

'Wat doet u in de stad?' vroeg ze.

'Ik ben een rijdende rechter,' zei hij. 'Ik ga binnenkort met pensioen.'

Dit verbaasde Jane. Het was vreemd om zomaar met een rechter in gesprek te zijn. Ze had altijd moeite gehad met gezagsdragers. Ze had zich altijd verlegen gevoeld in de buurt van politiemensen en advocaten. Ze keek naar de rechter, naar zijn vriendelijke gezicht, en probeerde vragen te bedenken die ze aan hem kon stellen. Was het bijvoorbeeld mogelijk de schoft die haar genoodzaakt had bij haar zoontje weg te gaan, een proces aan te doen? Maar ze hield haar gedachten voor zich. Het was te veel om over te beginnen in het bos terwijl je naar het vermiste kind van een ander zocht.

'Rocksan en ik zijn allebei gestopt met werken.'

'Zo jong al,' zei hij. 'Wat deed u eerst?'

'Nou ja, ik had niet echt een baan. Ik deed gewoon nu eens dit en dan weer dat, maar Rocksan investeerde in onroerend goed.'

Wanneer ze dit zei, voelde Jane zich altijd een domoor. Wat Rocksan had gedaan, was heel veel geld verdienen met kopen en verkopen tijdens de hausse in commercieel onroerend goed. Ze gokte graag. Ze speculeerde. Het was haar voor de wind gegaan. Ze waren rijk.

'Nu houden we bijen. Dat is eigenlijk Rocksans passie. Ik doe alsof ik er ook veel voor voel, maar onder ons gezegd en gezwegen interesseert het mij niet zo.'

'Bedoelt u bijen in korven? Honingbijen?'

'Ja. We maken honing. Maar Rocksan houdt eigenlijk vooral van de bijen zelf. Ze zegt vaak dat God de bijen eerder heeft geschapen dan de mens, en dat dit ons allemaal aan het denken zou moeten zetten. Volgens haar zijn bijen superieur aan de menselijke soort.'

'Daar zit misschien wel wat in,' zei de rechter, en voor het eerst kwam er een lachje op zijn gezicht.

Hierdoor moest Jane ook glimlachen. Ze herinnerde zich die keer in het bos, hoe Rocksan en zij hun wandeltocht hadden beëindigd. Op een schitterende zomermorgen hadden ze de top van Angels Crest bereikt en aan alle kanten zinderde de wereld als een koninkrijk van bomen en graniet, van een grotere pracht dan ze zich had kunnen voorstellen, alsof haar verbeelding te klein, te beperkt was om dit te kunnen voorzien. En al haar angst was verdwenen. Zo was het soms met Rocksan. Soms kon ze haar van een afstand zien, in-zien dat ze een plek bewoonde die buiten het beeld viel dat Jane van haar had.

'Hebt u ook kinderen?' vroeg ze aan de rechter.

'Drie jongens. Alledrie volwassen. Een ervan werkt bij een bank, de ander runt een opvanghuis voor daklozen. Maar de jongste – die is intussen al over de dertig – heeft het moeilijk. Hij werkt niet. Althans niet de laatste keer dat we elkaar spraken.'

'Ik heb een zoon,' zei Jane. Ze probeerde de woorden uit. Ze wil-de zien hoe het voelde om ze uit te spreken, hoe het zou klinken. 'Hij is twintig. Hij komt ons opzoeken.'

'Dat is mooi,' zei de rechter. 'Is hij bij u opgegroeid?'

'Nee. Hij woonde bij zijn vader.'

'Het is vreemd,' zei de rechter. 'Heel vreemd dat ik vandaag hier ben. Gisteravond ging ik naar bed en leek er niets aan de hand te zijn. Maar toen ik vanmorgen wakker werd...'

De stem van de rechter stierf weg. Het leek Jane niet goed om ver-der te vragen. Door hier in het bergdorp te wonen, had ze geleerd dat je je niet met andermans zaken bemoeide. Je wachtte tot ze er zelf over begonnen, en dan hield je nog voor je wat je ervan vond.

Het bos leek brutaal, schichtig, alsof het de jongen had gepakt en hem voor zichzelf wilde houden. Jane had zich nooit prettig gevoeld tussen al die bomen, ze kreeg er claustrofobie van. Ze had de bossen altijd bedreigend gevonden en vroeg zich weleens af waarom ze ermee had ingestemd naar de bergen te verhuizen terwijl ze zelf de voorkeur gaf aan de wijde, droge uitgestrektheid van de woestijn. Ze zei tegen Rocksan dat ze altijd als ze in de bergen wandelden, het ge-voel had dat er in de schaduwen iets op de loer lag. Rocksan had ge-zegd dat dit kwam door haar slechte geweten.

De rechter en zij volgden een paadje dat door dieren, waarschijn-lijk herten, was uitgesleten en zodoende kwamen ze dieper in het bos dan haar lief was. Ze probeerde voor ogen te houden wat ze hier kwam doen: Ethan helpen zijn zoontje te vinden. Maar in de stilte voelde Jane dat haar angsten naderbij kwamen.

'Hoe hebt u gehoord dat Nate zoek was?' vroeg ze. Ze wilde haar eigen stem horen. De stilte in het bos was te luid naar haar smaak.

De rechter bleef even zwijgen. Hij slaakte een diepe zucht. Toen zei hij: 'Ik ging een eind rijden en hoorde het verhaal op de radio. Het raakte me, zou je kunnen zeggen.'

'Ik weet wat u bedoelt,' zei Jane.

'We zijn allemaal zo...' Hij zweeg. Jane zag dat hij naar het woord zocht. 'Zo weerloos.'

'Ik weet het. We vergeten dat over onszelf.'

De rechter knikte. Hij trok de rits van zijn jack verder dicht. Het werd kouder, nog kouder. Jane wist dat het gauw harder zou gaan sneeuwen.

'Ethan is dol op zijn zoontje. Ze doen alles samen. Je ziet de een nooit zonder de ander.'

'Zo was het ook bij mij en mijn jongste zoon. Ze zeggen dat een ouder geen voorkeur behoort te hebben, maar Marty was alles voor mij.'

Jane struikelde over een boomstam en de rechter schoot haar gauw te hulp. Hij ondersteunde haar elleboog, hielp haar haar evenwicht terug te vinden. Jane was getroffen door de zekerheid van dit gebaar, het automatische van de reactie. Hij leek een echte heer, heel vaderlijk.

'Wat is er met hem gebeurd?' vroeg ze toen ze weer stevig stond.

'Moet ik eerlijk zijn? Ik weet het niet. Hij heeft domweg nooit zijn plaats in de wereld gevonden. Hij had altijd het gevoel anders te zijn dan andere mensen. Hij marcheerde op de slag van een andere trommelaar.'

Jane vroeg zich af of de jongen homo was, maar durfde het niet te vragen.

'Hij is drugs gaan gebruiken,' zei de rechter alsof hij haar gedachten las en dit recht wilde zetten. 'Daarna zijn we hem aan die wereld kwijtgeraakt.'

'Wat naar voor u,' zei Jane.

Ze liepen verder. Jane begon serieus naar de jongen uit te kijken. Ze hoopte dat ze zijn voetsporen zou vinden of een kledingstuk, iets waar ze achteraan konden gaan. Ook de rechter leek plotseling te beseffen dat hij hier was om een verdwaald jongetje te zoeken. Maar hij had moeite de weg te zoeken in het bos. Hij liep op een stijve manier. Het leek alsof hij zich niet op zijn gemak voelde, alsof de rechter er niet van overtuigd was dat hij in de wereld veel ruimte mocht opeisen.

Het sneeuwde nu harder. Jane vond het prachtig. De schoonheid van de sneeuw verzachtte de engheid van het bos, ook al wist ze dat het hierdoor nog gevaarlijker en onherbergzamer werd. Op een gegeven moment, terwijl ze samen zochten, en in kameraadschappelijk stilzwijgen voortstapten, nam de rechter zijn bril af en veegde die af aan zijn overhemd.

Toen hij hem weer opzette, keek hij in de verte en zei: 'Het was net alsof mijn zoon het bos was ingelopen en nooit terug is gekomen.'

Een paar uur later kwamen Jane en de rechter uit het bos op de open plek. Er stonden nu meer auto's dan toen ze waren begonnen. Een paar rangers, in bruin uniform met een insigne, stonden met Ethan te praten. Er was een tafel uitgeklapt en daarop stond een grote thermoskan met koffie, en er lagen wat donuts en appels, en kaarten. Mensen liepen door elkaar. Een groep van de Calvariekerk ging juist het bos in. Een stel jongens hing rond bij hun Camaro; ze rookten sigaretten terwijl andere jongens tussen de bomen met reporters praatten. Toen een van de jongens bij de auto de rechter zag, zei hij: 'U kunt achter ons aan rijden naar beneden. We gaan dadelijk weg.'

Rechter Rosenthal leek even van zijn stuk gebracht. Jane kreeg opeens een warm gevoel voor hem, door zijn onhandigheid en zijn verwarring. Juist doordat hij zich zo slecht op zijn gemak voelde, tijdens het zoeken, het praten met Jane, leek hij vertrouwd en aardig. Iets aan de nieuwe parka die hij droeg, maakte haar treurig. Ze wilde hem haar telefoonnummer geven. Maar hij knikte naar de jongens en stapte in zijn auto. Hij vergat haar gedag te zeggen.

Toen hij wegreed, de onverharde weg af in het kielzog van de Camaro, vond Jane dat hij er plechtig en verbaasd uitzag, als een man die nooit had verwacht zo alleen te zijn.

Middernacht. Rosie lag te slapen in de aangrenzende kamer. Rocksan ademde ritmisch naast haar. Jane benijdde Rocksan om haar vermogen zo gemakkelijk in slaap te vallen.

Ze stond geruisloos op en ging naar de badkamer. Ze stak een kaars aan en opende het raam om de koude lucht binnen te laten stromen in de warme, betegelde ruimte. Ze had een opgelucht gevoel van vergeving. Rocksan vergaf haar altijd. Ze hield altijd van haar.

Buiten kon ze juist de jachtende, wervelende sneeuw zien. Ze dacht aan haar zoon die nu snel zou komen. Aan Nate, die verdwaald was in het bos. Ze had gehoord dat Ethan daar boven in zijn truck overnachtte, wachtend. Ze vormde zich een beeld van hem, zittend bij een vuurtje, rokend in het donker. Ze herinnerde zich de kampeertocht die Rocksan en zij hadden gemaakt, hoe het bos 's nachts had geroepen en gefluisterd. Hoe bang moest Nate wel niet zijn. De andere mogelijkheid in haar hoofd liet ze buiten beschouwing.

In de verte kon ze een paar koplampen zien op de weg beneden. Geluidloos passeerden ze de oprit naar hun huis, verschenen glinsterend in de ruimtes tussen de bomen en de struiken en verdwenen dan weer. Toen de auto de heuvel afreed in de richting van de dorpskern, zag Jane de rode achterlichten blinken en verdwijnen. Ze bleef zwijgend naar de nacht staan kijken. De wereld was een oord vol stilte en geheimenis.

Cindy

Van tijd tot tijd kwamen Trevor en zij andere zoekers tegen. Die bleven dan staan en wilden kaarten vergelijken, of routes waar al gezocht was en andere routes die nog niet waren afgezocht. Maar Cindy en Trevor hadden geen kaart. Ze dacht aan zichzelf als iemand die blindelings zocht, zonder rede of gedachte; behalve die ene: haar zoontje nu te vinden.

Trevor praatte en praatte maar. Ze werd er gek van. Ze dacht aan Ethan en haar buik vulde zich met hitte. Ze wilde hem zo graag haten. Nu had ze eindelijk een reden, de beste reden, om hem te haten. Hij had gewonnen en de volledige voogdij over haar zoon gekregen, en vervolgens was hij hem kwijtgeraakt in dit verdomde bos. Dat had haar liefde voor hem voorgoed moeten veranderen.

Maar in plaats daarvan had ze medelijden met hem. En was ze bezorgd over hem. Ze was bijna zover dat ze dacht dat zij zelf degene was die Nate in de truck had achtergelaten. Zij had zoiets kunnen doen, Ethan niet, met zijn langzame, zorgvuldige, ploeterende manier van doen. Dit had haar stommiteit moeten zijn. Maar het was de zijne. Ze wist dat hij dit niet aan zou kunnen. Ze wist dat als Nate niet gevonden werd, Ethan een gebroken man zou zijn. Zo was hij nu eenmaal. Niemand wist dit beter dan Cindy.

Ze herinnerde zich hoe Ethan in het dorp was verschenen toen ze in de eerste klas van de middelbare school zaten. Hoe snel ze voor hem was gevallen, en hoe erover geroddeld werd, hoe het een schandaal was geworden toen ze met elkaar naar bed begonnen te gaan. Ze moest Trevor de verkeringsring teruggeven. Ze moest Trevor vertellen dat ze van een ander hield.

Zelfs toen al was het in haar hoofd een tollend gekkenhuis van stemmen. Ze was niet braaf genoeg. Ze was niet mooi genoeg. Ze was niet slim genoeg. Maar toen ze Ethan ontmoette en hij tegen haar zei dat ze mooi was en niet alleen mooi maar ook sexy en of ze samen een kind zouden nemen, was ze een nieuw mens. Een ander mens. Een vrouw. Iedereen zag het aan haar, zelfs haar drankzuchtige grootmoeder. Mensen die ze haar hele leven had gekend, hielden haar op straat staande en zeiden dat ze er anders uitzag. Mooi.

Ethan leek betoverend. Hij was zo rustig, zo goed. Hij wilde alles altijd goed doen. Hij zei dat zij ongevormd en mooi was en dat hij wilde dat hij meer was zoals zij. Ze had toen al moeten weten dat het tussen hen nooit goed kon gaan. Maar een tijdlang verdroeg ze zijn stilzwijgen met een gevoel van kalme dankbaarheid. Ze was zelfs een poos gestopt met drinken. En met stuff roken. Ze had van hem kunnen houden zoals ze nooit van Trevor had kunnen houden, of van wie ook.

Eindelijk was er eens iemand die ze interessanter vond dan zichzelf. Het was gemakkelijk om naar hem te luisteren en hoewel hij oppervlakkig bezien de sterkste leek van hen beiden, zag ze wel in dat zijn zwijgzaamheid zijn kwetsbaarheid moest maskeren. Hij vertelde haar over zijn moeder die heel lang ziek was geweest, over het stille verdriet van zijn vader. Hoe zijn vader en hij na haar dood uren naar de tv zaten te kijken zonder te praten. Hij vertelde dat hij dacht dat hij nog een keer dood zou gaan op die bank in Los Angeles, maar op een dag had zijn vader ontslag genomen en het huis verkocht. Ze gingen verhuizen naar een bosrijke streek.

Hij zei dat toen hij hier was komen wonen en de bossen had gevonden, hij het gevoel had alsof juist die bomen zijn verdriet hadden opgenomen en het bij zich hadden gehouden, en hem zo hadden bevrijd van al het oude zeer, het verdriet. Hij vertelde dat hij eindelijk gelukkig was geworden. En nu was zij er ook nog, zei hij. Een droom. Het was gewoon een droom die werkelijkheid was geworden.

Ze geloofde hem. Voor het eerst haatte ze haar ouders niet omdat ze haar in dit achterlijke gat hadden gedumpt om bij haar drankzuchtige grootmoeder te wonen. Door Ethan te worden liefgehad was alsof je door een raam keek. Maar Ethan liefhebben was het raam zelf zijn, het glas zijn en al het licht dat erdoorheen scheen.

Nu ze met Trevor door het vertrapte bos liep op zoek naar Nate, en zijn naam riep, dacht ze terug aan de keer dat Ethans sombere vader hen samen had aangetroffen achter het huis bij de schuur. Hij was erg teleurgesteld geweest Ethan zo te zien, met zijn broek om zijn enkels, zijn kont in de wind, wippend in haar. Ethan had zich geschaamd, maar Cindy herinnerde zich dat ze zich trots voelde. Ze had zich gevoeld als een gebrandmerkt dier, iemands bezit. Maar ook machtig. Ze had Ethan uit zijn neerslachtige leven gehaald, weg van de herinnering aan zijn dode moeder en de melancholie van zijn vader.

Maar toen raakte ze zwanger. Ze was toen net drie jaar van school af. Een maand later was Ethans vader gestorven aan een hartaanval. Tegen de tijd dat de baby geboren werd, was alle opgehoopte treurigheid in Ethan aan de oppervlakte gekomen. Het deed Cindy pijn daaraan te denken. Want inmiddels dronk ze weer, maar nu met een sterkere en meer overtuigende dorst. Ze kon er niet mee ophouden, zelfs niet om Nate de borst te geven, en ze zag dat hij pas laat ging lopen, laat ging praten ten gevolge van de alcohol die ze hem via haar melk had toegediend. Ze zag hoe hij 's nachts huilde, langdurig en hartverscheurend, niet zoals een baby hoorde te huilen, leek het haar. In haar dronkenschap hief ze haar hand op naar het jongetje, zei ze tegen hem stil, stil, hou toch je kop. In nuchtere toestand was ze vol berouw, hield ze wanhopig veel van hem. Ze zag hoeveel Nate van Ethan hield, meer dan van haar.

Nu ze door het bos liep, had het verdriet om Nate die zoek was een soort fysieke vorm aangenomen, het had zich aan haar gehecht zodat het zelfs door het harnas van de alcohol heen scheen te dringen. Het ging niet alleen over dit verlies, maar ook over de fouten die ze vroeger had gemaakt en de wetenschap dat alles anders had kunnen zijn, als ze maar...

'Je moet sterk zijn,' zei Trevor.

'Je hebt geen flauw idee hoe vreselijk dit voelt. Je kunt het niet weten. Jij hebt nooit een kind gehad.'

'We kennen elkaar al zowat vijfentwintig jaar, ons hele leven, meisje, en ik heb jou nog nooit zien breken. Je moet je goed houden. Hoor je?'

Iets in zijn stem. Iets vasts en vertrouwds. Ze kenden elkaar al hun hele leven. Hij kende haar beter dan wie ook. Ze voelde zich slap worden. Ze greep naar de fles die ze in de zak van haar parka had gestoken. Ze nam er een slok uit en voelde hoe het door haar slokdarm gleed. Ze vond een steunpunt ver weg, diep vanbinnen, en knikte.

'Ik hoor je wel, Trevor. Maar je kletst te veel en je moet eens ophouden me meisje te noemen.'

In de verte hoorden ze iemand roepen. Hij keek recht voor zich uit. Hij zei: 'Ik heb dan wel geen kind, maar ik hou van je. Ik kan voelen wat jij voelt, zelfs als we niet in dezelfde ruimte zijn. Snap je?'

Ze knikte. Zo was het tussen hen altijd geweest. Zij zou nooit op die manier van hem houden. Ze hoorde weer roepen.

'Luister,' zei ze. 'Hoor je dat?' Ze begon in de richting van de stemmen te rennen en kwam half struikelend uit tussen een groepje mensen die in een kring stonden. Er waren ook een paar verslaggevers bij, en het felle licht van de camera's schoot omhoog in de donkere lucht.

'Wat? O, mijn god, is het Nate? Hebben jullie hem gevonden?' riep Cindy. Ze rende naar voren, drong zich tussen de verzamelde mensen door. Aan hun voeten lag de half leeggelopen ballon die hij had meegenomen. En het touwtje. Verder niets. Geen Nate. Geen voetafdrukken. Niets.

Ze liep met Trevor het bos uit. Ze was uitgeput. Ze wist, diep vanbinnen, dat haar zoontje waarschijnlijk dood was, en hoewel ze dit niet hardop wilde zeggen, kon ze het voelen, zoals ze hem ook had gevoeld toen ze zwanger was. Een trekkend gevoel. Een worsteling vanbinnen met haar organen.

Ze kwam het bos uit en zag Ethan, en alles, álles wat ze ooit voor hem had gevoeld welde in haar binnenste op. Ze herinnerde zich hoe hij van haar had gehouden, en ook hoe het was geweest toen hij niet meer van haar had gehouden. Ze herinnerde zich hoe het einde van hun relatie tot uitdrukking werd gebracht in zijn afzondering, de manier waarop hij afstand hield. Ze zag dat zijn eenzaamheid het mogelijk maakte dat Nate nog het enige was dat er in zijn leven toe deed.

'Ik kan niet geloven dat je dit hebt gedaan, Ethan,' zei ze. Ze zag de pijn in zijn ogen. Ze wilde hem haten. Maar ze wilde hem ook vastpakken, zich aan hem vastklampen, hem beloven dat het wel goed zou komen. Trevor kwam van achteren op haar toe en trok haar weg. Ze ging mee zonder zich te verzetten. Samen liepen ze terug naar de truck. Ze reden zwijgend terug naar het dorp. Toen ze hem afzette bij het café, boog hij zich naar haar toe en kuste haar teder op de wang.

'Je komt hier wel doorheen, Cindy. Afgesproken?'

'Ja, best.'

'Ik kom straks terug, na sluitingstijd.'

'Vannacht niet, Trevor.'

Ze reed weg. Het was een enorme opluchting naar huis te gaan, naar haar eigen poepkleurige flat. Ze wilde niets anders dan deze roes uitslapen en bedenken wat ze nu moest doen.

Cindy dwong zich wakker te worden. Het was bijna tien uur in de avond. Ze stak haar hand uit naar de fles en nam een slok voordat er iets door kon dringen wat haar pijn zou doen. Ze stond op en keek uit het raam. Wolken sneeuw dwarrelden geluidloos in het licht van de straatlantaarns rondom het gebouw. Ergens daar buiten was Nate.

Ze liep naar de gangkast en haalde er haar zwaarste bergschoenen uit. Die trok ze aan. Vervolgens pakte ze haar donsjack en een paar warme handschoenen, een muts en een das. Ze vond haar autosleutels in de keuken waar ze ze had achtergelaten. Ze opende de deur, zoog haar adem naar binnen vanwege de kou en dacht er toen nog aan de fles uit haar slaapkamer te halen en de zaklantaarn die ze onder het bed bewaarde.

Ze reed door het dorp. Toen ze langs Angie's restaurant kwam, zag ze dat het nog open was en dat het er ongelooflijk vol was. Ze reed er langzaam voorbij en zag mensen die ze niet kende en ook mensen die ze wel kende: Jane, Angie, de oude, blinde predikant.

Ze herinnerde zich dat Jane en Rocksan in het dorp waren komen wonen, kort nadat Angies dochter zich had laten bezwangeren en ervandoor ging met de man van een andere vrouw. Ze herinnerde zich dat iedereen stiekem naar hen had geloerd omdat ze in het dorp nog nooit lesbiennes hadden gezien. Ze herinnerde zich dat ze hen zelf ook had aangegaapt, hoewel ze zich daar eigenlijk voor schaamde, maar uiteindelijk niets aan hen had gezien wat erg afwijkend was. Wat ze vreemder vond dan dat ze samen in één bed sliepen, was dat gedoe met die bijen. Ze had hen een keer aan de rand van hun terrein gezien in witte pakken, en over hun hoofd een grote kap met gaas aan de voorkant. Er waren overal bijen, wat ze doodeng vond. Hoe kon iemand het uithouden met zo'n zwerm bijen om zich heen? Alleen het geluid al.

Ze dacht aan de heisa die ze had getrapt toen Ethan Jane had gevraagd voor haar kind te zorgen. Nu zag ze wel in hoe stom het was om er zo'n heisa van te maken. Verspilde moeite. Het was net alsof ze altijd iets moest zoeken om ruzie over te maken met hem, iets wat buiten hen stond en waarmee ze hem kon proberen te raken. Het was uit pure wanhoop, dat wist ze. Maar ze moest erbij betrokken blijven, en het enige wat haar nog restte, was ruziemaken.

Ze reed langs Cage Road, waar Glick woonde, het dorp uit, over de lange, slingerende weg naar de plek waar haar zoontje het laatst was gezien. Daar zag ze Ethans truck en een vuurtje dat ernaast brandde. Maar Ethan was nergens te bekennen.

Cindy sloop het bos in. De zaklantaarn wierp griezelige schaduwen tussen de bomen. Het bos was stil, het sliep. De sneeuw was heel luchtig, heel droog; het knerpte onder haar voeten. Ze liep langzaam, ze wilde niet ver gaan omdat ze bang was. Ze herinnerde zich de dag dat haar zoon geboren was, hoe benauwend het was geweest om vijftig kilometer te rijden naar het volgende plaatsje waar het dichtstbijzijnde ziekenhuis was. Hoe ondraaglijk de weeën waren; elke hobbel in de weg maakte ze nog erger. Ze herinnerde zich de snelheid waarmee ze opkwamen en hoe ze steeds heviger werden, tot ze het uitschreeuwde en Ethan smeekte sneller te rijden, gewoon sneller te rijden verdomme. Nate werd heel snel geboren, met veel pijn en toen ze hem in haar armen hield, was ze teleurgesteld omdat ze niet de verwachte golf van liefde voelde.

Hij huilde de hele dag en ze kon hem nauwelijks vasthouden, hem nauwelijks de borst geven. Maar die nacht had hij eindelijk toch goed gedronken en was hij op haar borst in slaap gevallen, met zijn kleine beentjes steunend naast haar zodat hij in de vorm van een L over haar lichaam gebogen lag. Zo sliep hij, en ze kon zijn ademhaling horen, rijk en levend. Toen leek hij meer een deel van haar te zijn dan tijdens de zwangerschap. En op dat moment was het wonderbaarlijke, bijzondere feit van zijn bestaan echt tot haar doorgedrongen. Op dat moment had ze zich compleet gevoeld, een geheel, en in de breedste zin van het woord vergeven. Al haar zwakheden en morele missers waren haar vergeven. Al haar kleinzieligheid en kleine angsten. Op dat moment had ze de diepste liefde gevoeld, de grootste liefde.

'Nate,' riep ze. 'Ethan. Waar zijn jullie?' Ze struikelde en greep een tak om niet te vallen, maar ze was haar evenwicht kwijt en viel op de grond. Op de grond, waar ze onmiddellijk kou en nattigheid door haar broek voelde dringen, riep ze weer. 'Nate, verdomme, kom alsjeblieft bij mamma. Alsjeblieft. Mamma is hier. Mamma houdt van je. Godverdomme, Nate. Alsjeblieft.'

Op haar kreten volgde slechts stilte, toen stak er een windje op dat door de bomen blies. Ze krabbelde overeind; de tranen stroomden over haar gezicht. Het was zo donker, zo koud. God, waar was hij? Waar was Ethan? Ze wilde bidden, op haar knieën vallen, daar in de sneeuw. Maar er was zo weinig van God in haar en wat er ooit geweest was, was verdreven door de jaren van drankgebruik en teleurstelling.

Ze liep terug naar haar auto terwijl ze de tranen van haar wangen veegde. Waar waren die ook goed voor? Ze zouden maar aan haar huid vastvriezen. Ze stapte in haar auto en reed in uitgeputte toestand de weg weer af naar beneden. Aan de buitenrand van het dorp kwam ze langs het huis waar de lesbiennes woonden, en zag een flauwe gloed, als van een kaars, in een kamer op de bovenverdieping. Ze dacht dat ze de schaduw zag van een vrouw die daar stond. Ze zette de radio hard en dacht aan het bos, dat haar hele gezin had verzwolgen.

Rechter Jack Rosenthal

Vroeger vertelde hij vaak dit verhaal aan zijn zonen. Rabbi Hillel leefde in de tijd van Jezus. Hij werd uitgedaagd om staande op één been de hele Torah te verklaren. Hillel zei: 'Doe anderen niet aan wat je zelf akelig vindt. Dat is de hele Torah. De rest is commentaar. Ga heen en bestudeer het.'

Hij dacht vaak aan Hillel wanneer van hem verwacht werd dat hij een vonnis velde in de rechtbank. Hij had zich tot de wet aangetrokken gevoeld vanwege de Torah, vanwege de Tien Geboden, vanwege de leer van Mozes. Hij gebruikte zijn kennis van de joodse wetten om betekenis te distilleren uit de uitdagingen van de wereldlijke wetgeving, al zou hij dit nooit tegen iemand zeggen.

Hij baseerde zijn beslissingen voor de rechtbank stilzwijgend op zijn kennis van de Torah. Hij voelde zich aangetrokken tot mensen en wat hen bewoog. Tot het vinden van oplossingen die Gods wet zouden belichamen, ook al moest hij de indruk wekken dat Gods wet in zijn rechtszaal geen rol speelde. Dit waren zijn geheimen. Zijn vrouw wist ervan en zijn zonen wisten het ook, al had hij het zelf nooit toegegeven. Ze wisten dat hij jurist was en in het openbaar moest volhouden dat hij zich niet door God liet inspireren, ook al was zijn stille liefde voor God de motor achter alles wat hij deed.

Het was nu eenmaal zo dat hij een jood was in een provinciestad met een doopsgezinde kerk, een katholieke kerk, een pinksterkerk en een protestantse kerk. Zijn synagoge had een bedroevend klein aantal leden, die bijna de hele joodse gemeenschap in het stadje vormden. Zou hij niet hier bij de rechterlijke macht zijn ingedeeld, dan zou hij in een grotere stad zijn, zoals Los Angeles of New York.

Het had hem altijd pijn gedaan dat hij zo alleen stond, maar hij hield het voor zich omdat hij wist dat zijn vrouw dit ook zo voelde en hij het voor haar niet moeilijker wilde maken.

Maar omdat zijn geloof voor hem een tweede natuur was, had hij er wel tegen gekund als iemand een jodenmop vertelde, of als hij voor de grap werd opgebeld door een antisemiet. Verder was het een keer gebeurd dat iemand zout op zijn grasveld had gestrooid in de vorm van een hakenkruis, een bruine schroeiplek op het verder groene gras. Hij had het zo gelaten. Hij was niet van plan hun een gemakkelijk succes te gunnen. Hij ging niet door de knieën voor de grillen van de haat. Hij hoopte dat de mensen die er langs kwamen zich zouden schamen.

Het hakenkruis was gekomen vlak voordat Adele had gehoord dat ze kanker had. Jack zag best dat de afbeelding daarvan op het grasveld voor hun huis haar had gekwetst. Ze had hem gesmeekt het weg te halen. Maar dat wilde hij niet doen. Hij had gezegd: 'Een mens zou zich moeten schamen als hij iets zou doen wat niet overeenkomt met Gods wil.'

Ze was boos tegen hem uitgevallen. 'En wie ben jij om te bepalen wat die wil is?'

Toen hij toch bleef weigeren, was ze boos weggelopen, terwijl ze riep: 'Is het Gods wil, Jack, of jouw wil? Dat zou ik weleens willen weten.'

De kanker had zich zo snel in haar lichaam verspreid dat er nauwelijks tijd was om zich voor te bereiden op het onvermijdelijke einde. Terwijl zij lag te sterven, was Marty, hun jongste, de slimste van hun kinderen, de jongen van wie iedereen zei dat hij te gevoelig was en dat de wereld zijn hart zou breken als hij niet oppaste, verdwenen. Hij was met zijn drugsverslaving en zijn strippende vriendin naar Hollywood vertrokken, lichtjaren verwijderd van het leven dat Jack voor hem had gehoopt.

Dus toen Adele stierf, was het alsof Marty en zij eigenlijk tegelijkertijd waren gestorven. Hij rouwde om hen beiden. Ook keek hij vaak naar het grasveld, naar het hakenkruis dat daar lag, en dan schaamde hij zich. Want uiteindelijk wist hij heel goed hoe onaardig hij was geweest; zijn hardnekkige verlangen om alle kwezels in zijn stomme provinciestadje een lesje te leren, had hem verhinderd in te zien dat Gods wil veel eenvoudiger was. Die was door Hillel geformuleerd. Hij wist dat hij de verantwoordelijkheid voor zijn eigen fout niet op de schouders van God kon leggen.

Toch kon hij, juist na haar dood, het bedorven gras niet opnemen en er nieuwe zoden in leggen. Hij had deze les dagelijks nodig om hem te herinneren aan zijn eigen halsstarrigheid. Maar op de dag van de begrafenis kwam hij terug van het graf, en het hakenkruis was weg. Hij kwam nooit te weten wie het van het gazon had verwijderd, en nog wekenlang kon hij de vierkante plek met graszoden zien die ervoor in de plaats was gekomen.

Na de dood van Adele was zijn leven beperkt geworden. Hij bracht zijn dagen door in het gerechtsgebouw – ook al zou hij gauw met pensioen gaan en had hij de hoeveelheid werk die hij deed al teruggebracht. Wanneer hij 's avonds thuiskwam, nam hij een glaasje whisky en gaf hij Adeles planten water; als hij het kon opbrengen, ging hij verder met de taak haar kasten en laden leeg te ruimen.

Maar afgelopen nacht, bijna op de dag af zes maanden na Adeles dood, was alles veranderd. Hij lag te slapen in de logeerkamer, omdat hij niet meer in de slaapkamer kon slapen. Zijn vrouw, de herinneringen. Het was net alsof ze er nog was, alsof ze naar hem keek.

Hij dommelde weg, terwijl hij lag te bedenken dat hij het huis wel wilde verkopen en ergens anders wilde gaan wonen, misschien in de woestijn of in Florida waar het altijd warm was en waar hij opnieuw kon beginnen, in een nieuw bed, een bed zonder Adeles geur, haar wezen dat er nog was. Na een poos was hij in slaap gevallen, maar een uur later schrok hij wakker. Hij had de voordeur beneden zacht dicht horen gaan. Zijn hart begon razendsnel te kloppen. Iemand liep langzaam, zacht de trap op. Een inbreker. Hij bedacht dat het iemand zou kunnen zijn die hij had veroordeeld, iemand die voorwaardelijk vrij was. Dat was niet ondenkbaar. Zijn vriend Steven, die pas met pensioen was als openbare aanklager, was met een pistool bedreigd door de echtgenote van een moordenaar die hij levenslange gevangenisstraf had opgelegd. Het was helemaal niet ondenkbaar.

Hij ging rechtop zitten. De telefoon. Hij had die verrekte telefoon beneden laten liggen. Het enige andere toestel lag in zijn slaapkamer, bij de trap aan het eind van de gang. Zijn hart klopte snel. Hij hoorde twee mensen fluisteren. Toen gingen ze de kamer binnen waar hij vroeger met Adele had geslapen. Iemand die het huis kende, dacht Jack, iemand die wist waar hij naar zocht. Marty, dacht hij.

Jack sprong uit bed. Voorzichtig opende hij de deur en keek de gang in. De deur van zijn slaapkamer stond open. Hij hoorde hun stemmen, een man en een vrouw. Hij was ervan overtuigd dat het Marty was, maar hij dacht ook dat hij het misschien niet was. Hoe zou Marty bijvoorbeeld weten dat Jack niet meer in zijn oude kamer sliep? In beide gevallen voelde hij een jagende angst. Hemel, hij kon zijn hart horen kloppen in zijn hoofd, het bonzen en brullen van zijn bloed. Hij dacht aan zijn bloed en hij zag zichzelf al op de vloer liggen, met bloedend hoofd, terwijl de indringers ervandoor gingen.

Hij moest bij de telefoon zien te komen. Hij moest nadenken. Zijn hoofd helder maken. Maar dat bonzende bloed. Hij wist niet wat erger was. Het idee dat zijn zoon het huis binnensloop om... om wat te doen? Hem te beroven? Of dat een vreemde het deed.

Op dat moment zag hij hen juist uit de kamer komen waar hij vroeger met zijn vrouw had geslapen. Hij knipperde een paar keer met zijn ogen, omdat het onmogelijk leek. Maar het was Marty met Adeles juwelenkistje in zijn handen, en een meisje, de stripdanseres, met een kussensloop dat vol boeken leek te zitten. Jack kon het niet geloven. Het was erger dan de dood van zijn vrouw, dit verraad.

'Marty,' zei hij. Zijn stem was niet veel meer dan gefluister.

Marty draaide zich om en zag hem. Hij bleef stokstijf staan.

'Wat doe je daar? Marty?'

'Pap... ik...'

'Besteel je me? Je moeder ligt amper in het graf en nu kom je haar sieraden stelen?'

Hij geloofde het niet. Het brak hem. Hij voelde de wereld opensplijten en hem meetrekken in zijn verrotte diepten. Hij had het gevoel dat hij elke seconde kleiner werd. Zo dadelijk zou hij verdwijnen.

'Pap, ik...'

'Laat die ouwe toch, Marty. Laten we gaan,' zei het meisje. Ze pakte de kussensloop steviger beet. Jack dacht aan alles wat erin zou kunnen zitten. Hij dacht aan zijn muntenverzameling. Al die zeldzame munten, elk op zijn passende plek in de dunne, in leer gebonden muntenboeken. Ze waren een fortuin waard. Hij besefte dat zijn munten in de sloop zaten en dat ze die waarschijnlijk zouden belenen tegen heel veel minder dan de waarde. De gedachte dat hij gewond zou kunnen raken was nog niet weg. In zijn adrenalineroes stelde hij zich voor dat het meisje hem met de kussensloop op zijn hoofd sloeg, dat hij door de zware munten erin buiten westen geslagen werd.

'Zijn dat mijn munten?' vroeg hij. Hij besefte dat hij nog half schuilging achter de deur. Hij was in pyjama. Zijn voeten waren bloot en koud. Hij had het overal tegelijk koud en warm. Hij beefde.

'Het spijt me,' zei Marty.

Hij draaide zich om, het meisje ook, en ze liepen snel weg, in de richting van de trap. Jack zag hen verdwijnen. Hij hoorde hen snel de trap afgaan, ditmaal zonder zachtjes te doen, en hij hoorde hen de voordeur uitgaan, de deur sluiten en wegrijden. Hij bleef daar een hele tijd staan. Het was erg heet en erg koud. Hij voelde zich bijna een klein kind in zijn pyjama. Na een tijdje zakte hij neer op de grond en voelde hoe in zijn binnenste een gapend gat ontstond. Hij begon te bidden in de hoop dat hij dat gat kon dichten... *God wees mij genadig*... maar het leek alleen maar groter, wijder en leger te worden.

Bij het eerste licht werd Jack wakker. Hij was ter plekke in slaap gevallen, tegen de deur geleund, met het gebed nog op zijn lippen. Alles was hem ontnomen. Zijn hele binnenste was uitgehold. Hij had wel gewild dat zijn leven afgelopen was, dat hij in de nacht op de een of andere manier was doodgegaan.

Hij ging zijn huis uit en stapte in zijn auto – een zwarte Mercedes die zijn enige knieval voor pretentie was geweest – met de vage gedachte naar de bergen te rijden en daar voorgoed te verdwijnen, al zijn aardse verdriet achter te laten. Hij wist niet wat deze fantasieën betekenden, hij durfde ze niet in woorden te formuleren, maar zijn geest was vol van het vreemde, troostende beeld van de wereld als een plaats zonder hem.

Hij reed over de lege snelwegen en sloeg toen hij het voorgebergte naderde een afrit in. Nu ging hij verder over de kleinere wegen, een netwerk van goed onderhouden, maar steeds smallere wegen die slingerend de berg op gingen. De sneeuwploeg was er in de nacht overheen gegaan, maar door de vorst was de sneeuw plaatselijk bevroren, zodat er lange plekken met ijs waren ontstaan. Af en toe maakte de auto een schuiver en dan voelde Jack zijn hart sneller kloppen en een golf adrenaline door zijn ingewanden stuwen.

Tegen de tijd dat hij bij het bord was dat 2500 meter hoogte aangaf, hoorde hij op de radio dat er een jongetje in het bos verdwaald was in de buurt van een dorp dat Angels Crest heette. Er was een zoektocht georganiseerd. De jongen werd al een aantal uren vermist.

Jack herinnerde zich dat hij zojuist de afslag naar dat dorp gepasseerd was, en onder de indruk van deze toevallige samenloop van omstandigheden keerde hij en reed terug. Toen hij een paar minuten later in het dorp aankwam, voelde Jack alles in zijn binnenste rustiger worden. Het trof hem hoe klein en mooi het dorp was. Niet in de zin van bepaalde schilderachtige toeristentrekkers waar de gebouwen het hele jaar door met kerstverlichting waren versierd en waar alle winkels naar wierook en zeep roken. Nee, het was mooi door de leegte en de stilte die er heersten. De kleine huizen langs de hoofdweg waren netjes voorzien van auto's op de oprit, van speeltoestellen op het grasveld. Langs Main Street waren talloze winkels gevestigd, de meeste in negentiende-eeuwse gebouwen. Hij kwam langs een ijzerhandel: 'Ethans IJzerwaren en Sportartikelen', een wasserette, een tandartsenpraktijk op de begane grond van een fraai oud Victoriaans huis, een winkel in opgezette dieren, een uitdragerij en een café, Trevor's Echo genaamd, dat eruitzag als een echte 'saloon' uit het oude westen.

Iets aan dit dorp, de ernst en de eenvoud ervan, iets aan het feit dat er een jongetje zoek was in het bos, veranderde hem. Het was maar een kleine verschuiving. Maar de nu verontrustende ideeën over verdwijnen die door zijn hoofd hadden gespookt, verdwenen uit zijn gedachten en werden vervangen door dit stille dorp, de tragedie die hier een aanvang had genomen en het groeiende gevoel dat het de bedoeling was dat hij hier was. Hij reed door tot hij een eethuis zag, dat Angie's restaurant heette.

Alvorens daar naar binnen te gaan, ging hij ernaast bij het gemeentearchief langs met de gedachte dat iemand daar hem informatie zou kunnen geven over het jongetje, en hem zou kunnen zeggen hoe hij op de plaats moest komen waar gezocht werd. Binnen zat een oude man op een houten bank tegenover een rij foto's aan de muur. Het duurde even voor Jack besefte dat de man blind was, omdat het leek alsof hij naar de foto's keek, maar Jack kon zien dat zijn ogen melkwit waren, levenloos.

'Hallo,' zei Jack.

De oude man knikte. In zijn ene hand hield hij een verfomfaaide bijbel, in de andere zijn stok.

Jack keek naar de foto's. Ze dateerden van eind negentiende eeuw, toen het dorp blijkbaar gesticht was. Er was één foto die zijn aandacht trok. Er stonden vijf baby's op; de datum was 1889. Rechts hiervan hing nog een foto van dezelfde vijf personen, maar die was twintig jaar later genomen toen ze volwassen waren. Vier mannen en één vrouw. Hieronder las Jack een onderschrift met de titel: *Een wonder in de sneeuw – de stichting van Angels Crest of: Hoe vijf baby's de strengste winter in de geschiedenis overleefden!*

De vijf baby's die u hier ziet, werden geboren in die verschrikkelijke winter van 1889, toen de sneeuw in januari 6 meter hoog lag! Na een paar weken was al het vee doodgegaan. De kolonisten, die met hun wagens niet verder konden door de sneeuw, zaten vast! De meeste stierven, een voor een, van de koude, van de honger, aan ziektes. Maar deze vijf baby's bleven op wonderbaarlijke wijze in leven. Volgens de legende bleven engelen, op weg naar de hemel, op de top van de hoogste berg in deze streek over de baby's waken tot de winter voorbij was. Deze top kreeg de naam Angels Crest en dat voorjaar nam het dorp officieel dezelfde naam aan. De graven van de eerste kolonisten van ons dorp zijn nog altijd te vinden op de begraafplaats langs Main Street!

De oude, blinde man ging rechtop zitten. 'Dat was mijn betovergrootvader,' zei hij. 'De derde baby van links.'

Jack ging naar het restaurant ernaast. Het verbaasde hem dat het hier zo druk was, tot hij besefte dat de meeste mensen waarschijnlijk journalisten waren, of mensen van buiten het dorp zoals hij, die waren gekomen om te helpen zoeken. Het restaurant zag er warm en uitnodigend uit. Hij parkeerde naast het restaurant en bleef even zitten. Wat leek de wereld vreemd. Het was dezelfde wereld van altijd, maar toch had Jack het gevoel alsof hij net door de spiegel was gegaan. Over de afgelopen vierentwintig uur leek de glans van een nieuwe logica te liggen, en hoewel het wezen en de waarheid van zijn leven nog dezelfde waren, was er iets wat anders voelde. Onrustbarend anders. Uit angst en ook met een geheimzinnig gevoel van dankbaarheid pakte hij uit het handschoenenvak de Torah in zakformaat die hij daar bewaarde.

De geur van versgebakken brood gaf hem een veilig gevoel, alsof er iemand voor hem zorgde nadat hij lange tijd in zijn eentje ziek had gelegen. Hij dacht aan Adele, de kanker, hoe snel die zich door haar lichaam had verspreid. Hij dacht aan Marty die hem had bestolen, aan het meisje met in haar handen de kussensloop waar zijn muntenverzameling in zat.

Een blonde serveerster stond ogenblikkelijk naast hem. Op haar naamkaartje stond 'Angie'. Ze leek op haar hoede, en plotseling was hij zich pijnlijk bewust van zijn luxueuze parka, zijn dure skinuts en zijn Torah, die naast zijn elleboog lag. Door deze argwanende blik wist hij eigenlijk niet meer waarom hij het boek mee naar binnen had genomen. Hij wilde het wegbergen, maar durfde er niet de aandacht op te vestigen. Dan zou duidelijk zijn dat hij zich verlegen voelde met de situatie. Ze wachtte geduldig, maar hij kon geen keuze maken uit het menu, had zelfs geen honger. Zijn ingewanden voelden hard, verstard. Hij had het gevoel dat zijn spijsvertering tot stilstand was gekomen en dat hij de rest van zijn leven zou moeten besteden aan het losmaken van zijn ingewanden, zijn zenuwachtige darmen.

Toen hij ten slotte bestelde, vatte hij genoeg moed om de weg te vragen. Hij zag dat Angie, de serveerster, een conclusie over hem leek te hebben getrokken, een conclusie waardoor hij er in haar ogen minder ongunstig uitzag. Toen haar lippen en ogen dat strakke verloren, leek haar hele gezicht zachter te worden, op te lichten. Hij vond haar heel bijzonder, ze leek eenvoudig en ingetogen. Toch maakte ze een grapje over zijn schoenen en zijn auto, en hij moest toegeven dat die laatste er te schoon en te duur uitzag tussen al die pickup-trucks en haveloze personenauto's met aangekoekte modder aan hun velgen en gedeukte bumpers.

'Ziet u die jongens aan die tafel daar?' zei ze.

Hij wilde zijn bril pakken. Hij voelde zich erg oud en zwak, zoals hij ernaar tastte, zoals zijn handen licht beefden toen hij hem op-zette.

'Die gaan zo dadelijk ook naar boven,' zei ze. 'Ik kan met ze af-spreken dat u achter hen aanrijdt. Dan zorgen zij wel dat u er komt.'

En dat hadden ze gedaan. Ze reden langzaam, hij wist niet of ze dat speciaal voor hem deden of niet. Op een bepaald punt sloegen ze een onverharde bosweg in. Maar algauw werd de weg onbegaan-baar door de sneeuw, en er zaten diepe voren in. Ze hielden stil en bleven een paar minuten overleggen. Toen gebaarden ze naar hem dat hij terug moest. Ze kwamen weer op de weg uit, reden verder en sloegen een volgende bosweg in, die wel door de sneeuwploeg was bewerkt. Ten slotte stopten ze aan het eind van de weg, waar links en rechts een bonte verzameling auto's geparkeerd stond, en waar de bomen boven hen uittorenden, als een plafond van dennentakken en sneeuw. Hij herinnerde zich wat de serveerster in het restaurant over het bos had gezegd. Dat het een mens met huid en haar kon op-slokken. Hij kwam tot het schaamtevolle, ontstellende inzicht dat hij oorspronkelijk de bergen in had willen gaan om aan alles een eind te maken, en dat de verdwijning van deze jongen, de wanho-pige toestand waarin hij verkeerde, hem weer tot bezinning had ge-bracht. Hij begreep dat God wederom had ingegrepen, dat Hij hem stevig aan de rand van de afgrond had vastgemaakt zodat hij zonder echt te vallen kon zien dat zijn leven zin had, ook al leek verder alles hopeloos.

Hij dacht aan zijn eigen zoon. Hij dacht vaag dat Marty's leven, het achteruitgaan ervan, op de een of andere manier, ten diepste te wijten was aan zijn falen als vader; alleen had hij het gevoel blind te zijn voor zijn eigen fouten, niet te weten wat hij verkeerd had ge-daan. Hij dacht aan het jongetje dat verdwaald was in het bos, aan de angst die te groot was om te bevatten en daardoor nog enger. Hij sloot zijn ogen en de pijn bedaarde, maar verdween niet. Soms kon hij bidden zonder woorden uit te spreken.

Later liep hij door het bos met een intelligente, welbespraakte vrouw. Ze deed heel aardig maar haar strakke, magere lichaam leek gespannen en ze zei soms onverwachte dingen. Hij mijmerde even over het wonderlijke feit dat hij met een lesbische imkeres door het bos liep, op zoek naar het vermiste zoontje van een man die hij niet eens kende. Maar het leek nog vreemder dat hij al pratend met Jane soms opeens vergat waarom hij eigenlijk hier was. Dan had hij alleen het beeld voor ogen van Marty die daar stond met Adeles juwelenkistje in zijn handen, of hij dacht aan Adele, het hakenkruis op het gazon, de graszode die er na haar dood op mysterieuze wijze voor in de plaats was gekomen. En dan drong het weer tot hem door dat ze bezig waren een kind te zoeken dat al meer dan zes uur vermist was, dat de nacht hoogstwaarschijnlijk niet zou overleven als het niet gevonden werd.

Hij had het gevoel dat het dom was haar over Marty en diens drugsprobleem te vertellen. Maar door het bos, met zijn schaduwen en de bomen met hun vracht sneeuw op de takken voelde hij een vertrouwdheid met Jane die hij anders misschien niet gevoeld zou hebben. Het was een besloten, stille plek. Een heiligdom waar, zo leek het, alle geheimen die hij uitsprak zouden blijven wanneer hij wegging.

Toen het echt hard begon te sneeuwen, voelde Jack het rijpen van oude wonden en een beklemmende angst voor het alleen-zijn. Zijn vrouw was er niet meer, zijn twee oudste zonen waren ver weg en Marty had het nodig gevonden hem te bestelen – hij bedacht dat het stelen van de juwelen van zijn moeder en van zijn muntenverzameling in feite een misdrijf was – omdat hij aan drugs verslaafd was. Het leek alsof hij uit zijn leven was verdwenen, en er een lange, misschien troosteloze toekomst van niets overbleef.

Hij voelde zijn hart een duikeling maken en om zich te herstellen nam hij zijn bril af en veegde die schoon aan zijn overhemd. Hij voelde de kou tegen zijn gezicht en de nattigheid die in zijn schoenen drong. Hij keek naar de zwijgende verzameling bomen en de rookachtige nevel die ertussendoor fluisterde. Hij dacht aan Marty, hoe mooi hij als jongen was, hoe veelbelovend zijn leven had geleken.

'Het was net of mijn zoon het bos in was gelopen en nooit terug is gekomen.'

Op weg naar huis bedacht hij dat hij geen afscheid had genomen van Jane. Hij voelde een steek van spijt. Hij had haar aardig gevonden. Ze had een goede kameraad voor hem kunnen zijn, iemand om af en toe een kop koffie mee te drinken of om lekker mee te gaan eten. Hij had ook wel kennis willen maken met haar vriendin.

Toen hij de bergen uitreed, veranderde de sneeuw in regen, en tegen de tijd dat hij op de snelweg reed, was er niet veel meer van over dan een zachte, lauwe nevel. Het was al laat en de duisternis viel in, plotseling en onomkeerbaar zoals dat in de winter ging.

Morgen zou hij weer naar zijn werk gaan. Hij dacht aan het jongetje dat verdwaald was in het bos, aan het verdriet van de vader. Onderweg naar huis hoorde hij hoe er op de radio over werd gepraat. Schuld. De wet, mogelijke arrestaties als – God verhoede – het kind dood was. Hij had het gevoel dat hier iets niet klopte. Hij kreeg er een angstig gevoel van.

Jacks geloof had hem geleerd dat geen mens in zijn eentje verantwoordelijk kon zijn voor het welzijn van de hele mensheid. Er moest een wereldlijke wet zijn, geloofde hij, omdat de mensen morele wetten altijd zouden overtreden. En hoewel een volmaakte uitspraak volgens de door mensen gemaakte wetten onbereikbaar was, kon je er toch bij in de buurt komen, geloofde Jack, als je je leven baseerde op vroomheid, op eerbied voor God en de mensheid. Hij dacht aan de oude, blinde man in het gemeentearchief, met de bijbel in zijn hand. Hij dacht weer aan de vader en vroeg zich af welke rol er in deze ellendige situatie voor justitie was weggelegd.

Die avond zat hij lange tijd in de keuken zonder het licht aan te doen. Later, toen het helemaal donker was geworden, liep hij naar zijn werkkamer en ging op de leren ligstoel zitten. Hij knipte de lamp naast zich aan en opende zijn Torah bij het boek Job. *God is wijs van hart en sterk van kracht. Wie heeft zich tegen hem verhard en vrede gehad?*

Hoewel zijn verdriet 's nachts altijd erger was, deed hij zijn best om zichzelf als een bevoorrecht man te beschouwen. Begenadigd met Gods zegen. Een eerlijk en fatsoenlijk mens. Hij probeerde de gemurmelde frasen van zijn geloof te vinden, de troost die het bood, de verlossing. Maar het lukte niet. Hij hield zich voor dat hij van nu af aan zijn zoon zou loochenen. In zijn geest mocht Marty niet langer bestaan. Hij dacht weer aan Marty zoals hij in de gang had gestaan, zo mager en vuil, met het juwelenkistje van zijn moeder in zijn handen, aan het meisje dat de kussensloop voor haar buik hield en aan de gedachte die hij had gehad dat ze hem ermee een klap op zijn hoofd zou geven, hem bewusteloos zou slaan, hem misschien zelfs doden met zijn kostbare muntenverzameling. Hij sloot de Torah en deed zijn ogen dicht. Hij moest eerlijk zijn tegenover zichzelf. Het lag niet op zijn weg om te vergeven. Dat was alleen voor God weggelegd.

Glick

Het was opgehouden met sneeuwen. Hij lag nog steeds in omstrengeling met de hond. Maar warm. De hond had hem warm gehouden en dat feit verbaasde hem. Hoe had hij zo droog kunnen blijven? Hij had geen honger, geen dorst. Maar toen hij overeind kwam, merkte hij dat zijn gezicht en neus ijskoud waren. Hij rilde en voelde angst opkomen over zijn situatie. Hij keek op zijn horloge. Twee uur in de nacht. Hij ging niet meer slapen. Op die manier gingen mensen dood in de sneeuw.

Hij wachtte. De hond wachtte ook, wakker en waakzaam. Toen het eerste licht verscheen, een vage grijze gloed, stond Glick op en klauterde het ravijn uit; hij gebruikte de punten van zijn schoenen om steun te zoeken in de met ijs bedekte wand van de kloof. Alles om hem heen was bestoven met sneeuw, en de kristallijnen aanblik gaf hem een ogenblik innerlijke rust. Toen herkende hij plotseling de plek waar hij zich bevond en wist hij hoe hij terug moest komen. Heel vreemd dat hij zich zo verdwaald had gevoeld.

Glick hees de hond uit het ravijn – het was niet zo diep – en even later stond de hond met zijn neus aan de grond, en zijn staart wees kaarsrecht omhoog. Hij liep een heuvel op en begon daar, bij een groep dennen, in de sneeuw te krabben en te graven. Achter de hond, boven de smalle rotspunten uit, werd opeens de top van Angels Crest zichtbaar tussen de wolken.

Toen Glick weer bij de hond was aangeland, was er genoeg sneeuw weggegraven om het gezichtje van Ethans zoontje te onthullen. Glick knielde erbij neer en keek er verwonderd naar. Dit kind. Deze plek. Deze donzige sneeuw, als de hemelse velden.

Hij groef de rest van het lichaam van de jongen uit. En zoals Ethan had gezegd had Nate zijn hansop aan, een witte met blauwe maantjes erop. De voetjes waren gescheurd, doordat hij erop gelopen of gerend had. Glick zag ook dat de huid van zijn voetzolen bijna was weggesleten. De ogen van de jongen waren open en hij lag vredig op zijn zij, met zijn knietjes opgetrokken in foetushouding. Zijn mond was iets geopend, met de duim erin, en Glick boog zich er overheen, hoewel hij wist dat er geen adem zou zijn. Toen zag hij dat Nates tranen twee volmaakt gevormde dauwdruppels op zijn wangen hadden gevormd. Dit was te veel, en hij nam de jongen in zijn armen, hield hem zo vast en huilde.

Ethan

Het sneeuwde niet meer. Aan alle kanten om hem heen een wonderwereld van wit en zilverkleurig licht. De stilte van het bos werd alleen doorbroken door het ruisen van de wind in de bomen. Het was koud in de truck. Zijn vuurtje was in de loop van de nacht uitgegaan. Hij schroefde zijn thermosfles open, maar zijn koffie was koud. Voorlopig zou er nog niemand komen. Als hij nu begon met zoeken, voor de mensen kwamen, zou hij misschien een aanwijzing vinden, een spoor, iets wat hem gisteren ontgaan was in de drukte en angst.

Hij keek naar buiten en zag Glicks truck staan. Nu ging hij ook op zoek naar Glick. Het leek vreemd dat Glick, die de beste spoorzoeker van het dorp was, en zijn hond die over een zesde zintuig beschikte, ook zoek waren. Verdwenen, net als zijn zoontje. Voor het eerst zag hij het bos als bedreigend. Levend en hongerig.

Hij stapte uit zijn truck. De storm was voorbij en hij ritste vlug zijn jack dicht en trok zijn handschoenen aan omdat het erg koud was. Hij had nog steeds een vage hoop dat er een wonder zou gebeuren, dat zijn zoontje levend gevonden zou worden.

Hij stak juist een sigaret op toen Glick door het bos kwam aanstormen op de open plek. Hij was buiten adem en toen hij Ethan zag, bleef hij stokstijf staan. Hun blikken kruisten elkaar en Ethan zag in Glicks gezicht de hele geschiedenis van hun vriendschap, alles wat hen hier op deze open plek in het bos had gebracht op deze dag, deze sombere epiloog. Hoewel zijn zoontje niet bij Glick was, zag Ethan op dat moment in zijn ogen dat Nate gevonden was. Hij wist dat Nate dood was.

Hij voelde het bloed in zijn aderen samentrekken, een felle, primitieve pijn. Hij viel eerst op zijn knieën, klapte toen dubbel en lag voorover op de besneeuwde aarde, zodat hij de metalige geur ervan inademde. Hij voelde alles wat hij ooit was geweest of had kunnen zijn, wegdrijven, wegzweven in het bos. Hoe had hij zo dom kunnen zijn om een risico te nemen waarvan de inzet zo hoog was? Hoe zou hij kunnen leven met het feit dat hij, en hij alleen, had toegelaten dat zijn zoontje had geleden en was gestorven in het besneeuwde bos, enkel en alleen omdat hij zo nodig een paar herten had willen volgen in de stilte van de ochtend?

Rocksan

osie lag nog te slapen toen Rocksan haar schoenen aantrok, haar jack aanschoot en naar beneden ging om te kijken hoe het met de bijenkasten was. Jane was vroeg opgestaan en teruggegaan naar het bos om Nate te zoeken. Rocksan had weinig hoop dat hij de sneeuwstorm van de afgelopen nacht had overleefd, want het was bitter koud geweest en er was veel sneeuw gevallen.

De storm was overgewaaid, en achter de laatste strakke wolken was een bleekblauwe hemel te zien. Ze kwam langs de oude opslagschuur en keek naar de temperatuur die de thermometer aangaf. Twee graden onder nul. Haar adem vormde een wolk in de lucht. Ze had haar handschoenen vergeten en haar vingertoppen deden al pijn van de kou.

Toen ze bij de kasten aankwam, zag ze de darren op de vliegplank liggen. Allemaal dood. De massamoord op de darren was begonnen en geëindigd zonder dat ze er ook maar iets van had gemerkt. Maar dat ging elk jaar zo: mannelijke bijen werden systematisch gedood; ze werden fel aangevallen en bleven dood of stervend liggen, met gebroken of uitgerukte pootjes, met afgescheurde vleugels. Deed het pijn? Voelden ze het op een primitief, cellulair vlak?

Ze had er een keer naar gekeken, in het eerste jaar nadat ze de kasten had getimmerd. Ze vond het akelig om te zien, maar ook fascinerend. Ze keek toe terwijl de werksterbijen hun slachtoffers naar een hoek van de kast sleepten en ze vasthielden terwijl de rest van de meute ze uit elkaar scheurde. Het deed haar denken aan een gruwelijke genocide, aan lynchpartijen, de nazi's, de vreemde, verzwegen slachtingen in de wildernissen van Zuid-Amerika.

Toen de meeste darren dood waren, sleepten en duwden de werksterbijen ze naar buiten. De paar darren die nog naar adem hapten bleven op de plank liggen om te creperen. Er waren altijd een paar meelijwekkende darren die het ondanks hun gehavende lichaam niet wilden opgeven. Die deden wanhopige pogingen om weer in de kast te komen. Ze konden de aantrekkingskracht van hun huis, het verlies ervan misschien, niet bevatten, en hoewel ze wisten dat hun een wisse dood wachtte, wilden ze toch terugkeren.

Het was een gruwelijk gezicht. Rocksan kon niet begrijpen waarom de darren niet voelden dat er een slachting aankwam, waarom ze niet vluchtten om hun leven te redden. Waarom bleven de laatste bijen, nadat ze het lot van hun broeders hadden gezien, toch bij de kast? Ze had de werking van hun overlevingsinstinct bij andere gelegenheden gezien. Waarom niet nu? Was ontkenning iets instinctiefs? Was de hoop dat het uiteindelijk toch nog goed zou komen een genetische eigenschap, zoals dat bij mensen het geval scheen te zijn?

De voorspelbaarheid van zijn optimisme en het vertrouwen dat alles goed zou aflopen leek in haar ogen een kenmerkende eigenschap van de mens. Bijen, dacht ze, leken er net als mensen van overtuigd te zijn dat zelfs hun domme fouten en verkeerde keuzes hen uiteindelijk niet in de muil van de dood of van rampspoed zouden brengen.

Ze bleef een paar minuten kijken terwijl de werksters hun doden over de rand schoven. Toen draaide ze zich om en ging terug naar de warmte van het huis.

Jane

Jane reed in de pick-up terug naar de zoekplek. Zodra ze kwam aanrijden, wist ze dat er iets veranderd was. Dat er iets gebeurd was. Ze zag Glick wat opzij staan met een aantal rangers in een kring om hem heen. Toen er een cameraploeg en een aantal reporters kwamen aanrijden, die naar Glick toe gingen, werd hij snel achter in de auto van de sheriff geduwd en reden ze met hem weg.

Ethan was nergens te bekennen. Jane stapte uit de wagen en liep naar een groep jongens bij een gebutste Camaro. Ze stonden allemaal te roken.

'Wat is er gebeurd?' zei ze.

Een van de jongens keek om en ze zag de sombere, opgewonden uitdrukking op zijn gezicht. Zijn ogen waren groot, zoals bij mensen die getuige zijn van een gruwelijke gebeurtenis waar ze niets aan kunnen doen.

'Ze hebben de jongen gevonden. Hij is dood.'

Jane had een gevoel alsof ze een klap had gekregen. Ze zocht even steun aan de Camaro, en liep toen weg naar het bos. Het was een bijtend koude morgen. De zon verlichtte de sneeuw zodat die verblindend schitterde. Opeens dacht ze aan haar eigen zoon. Aan de manier waarop ze hem had achtergelaten, geharnast door al die drank en de misvatting dat dit hun beiden de vrijheid zou geven.

Enkele ogenblikken later hoorde ze gedempte stemmen en zag ze Ethan door het bos naar haar toe komen, met zijn zoontje in zijn armen. Nate was in een wit laken gewikkeld. Achter hem droegen twee ambulancebroeders een lege draagbaar, en de sheriff liep met een somber gezicht met hen mee, en vormde het einde van de sombere stoet.

Toen Ethan tussen de bomen vandaan kwam, keek hij Jane recht in het gezicht. Hun blikken kruisten elkaar, maar ze wist dat hij haar niet zag. Hij zag helemaal niets. Ze zag Nates voetjes onder het laken uit steken, de zooltjes van zijn pyjama waren weggesleten, zijn voetzolen geschaafd en bedekt met een korst opgedroogd bloed. Ze dacht eraan hoeveel ze van hem hield, alsof hij haar eigen zoon was. Ze dacht eraan dat ze weleens speelde dat ze George niet had achtergelaten, dat dit jongetje, Nate, haar zoon was. Ze herinnerde zich dat het door Nates liefde voor haar soms net leek alsof alles wat ze had gedaan in orde was.

'Ethan,' zei ze.

Nu keek hij haar echt aan, er kwam een gerichte blik in zijn ogen.

'Nee,' zei hij. 'Niets zeggen.'

Ze keek naar de grond om de versteende, dode uitdrukking in zijn ogen niet te hoeven zien.

'Ik vind het heel erg,' zei Jane.

'Niets zeggen,' zei hij.

Toen was hij weg. Jane zag dat de reporters met hun camera's en taperecorders recht op hem af liepen. De sheriff zag al die mensen aankomen en leek plotseling opgelucht dat hij iets te doen had. Hij hield de mensen tegen, liet ze opzij gaan. Een van de ambulance-broeders duwde bars een cameraman weg.

'Wegwezen,' riep hij. 'Oprotten.'

Ethan ging sneller lopen. In een drafje liep hij met zijn dode zoontje in zijn armen naar de wachtende ambulance en klom erin. Toen hij erin zat, reed de ambulance achteruit, en zonder sirene reed hij weg van de open plek en verdween via de bosweg.

Jane ging terug naar de pick-up en klom erin. Het was zo koud dat ze in de hoeken van de voorruit een stervormig patroon van ijzel zag ontstaan. Ze startte de motor, zette de verwarming aan, reed achteruit tussen de mensenmenigte door en opeens kwam het allemaal terug, de kwellende zekerheid toen ze nog maar een tiener was dat ze lesbisch was. Hoe ze was getrouwd om dat te verbergen. Hoe ze stiekem het huis uit sloop, vanwege de dwingende behoefte aan seksuele liefde, en hoe dat toen allemaal was opgehouden toen ze zwanger raakte en haar zoon kreeg. Ze dacht eraan hoe ze George had verlaten toen hij nog maar vijf maanden oud was. Ze kreeg het gevoel dat ze moest overgeven omdat ze wist dat het er in wezen op neerkwam dat ze had gedacht dat het voor haar ziel belangrijker was dat ze aan haar seksuele verlangens voldeed dan aan haar moederlijke verlangens.

Ze moest even de auto stoppen om naar adem te happen. Ze proefde de gal achter in haar keel. Ze dacht aan Ethan, aan hoe hij met zijn zoontje in zijn armen half rennend uit het bos was gekomen, verwilderd. Ze had de indruk dat het hem verbaasde dat dit hem echt kon gebeuren, dat dit de wending was die zijn leven had genomen.

Ze besefte dat zij vergeleken met hem geluk had gehad. Maar ze zag ook in dat geluk een grillig iets was. Het was net als met alles. Het kon zonder waarschuwing veranderen. Plotseling dacht ze aan de legende van Angels Crest. Dat die baby's de beruchte storm van 1889 hadden overleefd, maar dat bijna alle andere mensen waren gestorven. Ze moest weer stoppen. Ze moest het portier openen om te kunnen braken.

Angie

De ochtenddrukte was voorbij. Nate was nog steeds zoek. Angie verdrong het woord dood. Maar het kwam telkens op haar af, blindelings, alsof ze op een smalle weg een bocht rondde en het daar was, bij elke bocht op haar toe sprong.

Ze had nog nooit zo veel journalisten gezien. Het nieuws verspreidde zich als een lopend vuurtje. Er kwamen steeds meer belangstellenden, mensen leken er wel door gehypnotiseerd. Ze maakte zich zorgen over Glick. De afgelopen nacht had ze van hem gedroomd. Een vage, mistige droom. Erotisch en verontrustend. Ze kon zich maar een paar dingen herinneren. Zijn gezicht en zijn lichaam, een auto die snel over een weg reed en toen afremde. Hun armen, om elkaar heen geslagen, een schutterige, gejaagde omhelzing, alsof die verborgen moest blijven voor iemand anders.

Nu nam ze de tafels af met een doekje met heet sop, vulde de koffiemachine met gemalen koffie, veegde de tap af en bad in stilte dat Glick veilig was, dat Nate levend werd teruggevonden, ook al wist ze dat het er slecht uitzag en dat hij waarschijnlijk dood was.

Opeens dromde er een groepje mensen samen voor het kleine tv-toestel op de tapkast naast de kassa. Angie keek ook en ze herkende de open plek waar Ethan zijn zoontje het laatst had gezien. Er was een verslaggeefster, gekleed in kleurige winterkleren van het soort dat rijke mensen droegen in chique skioorden. Haar muts was wit, met een rand van het bont van een of ander dier. Ze had mooie maar nutteloze suède handschoenen aan. Wat was dat een ordinair gezicht, die lipstick tussen de bomen, bij de diepe tragedie die Ethans leven was.

Angie zette het geluid harder. De verslaggeefster zei juist dat Glick die morgen boven water was gekomen met het bericht dat hij het lichaam van het jongetje had gevonden. Angie drukte haar handen tegen haar mond om de onwillekeurige kreet van ontzetting te dempen. De camera liet zien dat Glick werd meegenomen in de auto van de sheriff; de verslaggeefster zei dat de opnamen eerder die morgen waren gemaakt. Angie kreeg een enorm, maar schuldig gevoel van opluchting dat Glick nog leefde. Haar gedachten hadden allereerst moeten uitgaan naar het jongetje. Ze herinnerde zich weer die schimmige droom, met die auto die snel over de weg reed, hun om elkaar verstrengelde armen.

Op dat moment kwam er leven in de verslaggeefster. De vader kwam met het lichaampje uit het bos. De cameraman rende naar de plek waar het allemaal gebeurde, zodat je alleen bomen en sneeuw zag die ordeloos over het scherm dansten. Toen hield de camera opeens stil en werd het beeld bijgesteld. Er verscheen even een beeld van Jane die wat achteraf naast de vijver stond, en toen kreeg je eindelijk Ethan te zien, die zijn dode zoontje in zijn armen droeg.

Angie wendde zich af van de tv. Het was te vreselijk. Te zichtbaar. Ze haatte de televisie, die zich zo in het leven van andere mensen binnendrong; ze werd er driftig van. Hoe durven ze, dacht ze. Dit moment zou hem voorgoed tekenen. Ze wist dat de hel voor Ethan nu was begonnen.

De deur van het restaurant ging open en Rocksan kwam binnen met Rosie achter zich aan. Toen Rosie Angie zag, begon ze te rennen. Ze holde om de tapkast heen en sprong in Angies uitgestoken armen. Angie begroef haar neus diep in het haar van haar kleindochter en ademde in en uit tot haar zenuwen bedaard waren en ze het gevoel had dat alles nog wel goed zou komen. Dat het goed móést komen.

Cindy

Cindy werd wakker. De bruine flat baadde in geel licht. Ze had haar kleren nog aan, nog één schoen aan haar voet. Niets was helder. De slaap had haar leven meegenomen. Niets meer. Zelfs geen herinneringen. Alleen zijzelf, volledig gekleed, hier op bed in deze kamer.

De telefoon ging. Het antwoordapparaat nam op maar ze hoorde niets. Ze had het geluid zeker zacht gezet. Toen kwam het opeens allemaal terug. Nate. Dat was het eerste woord dat zich vormde in haar hoofd.

Nate.

Ze probeerde rechtop te gaan zitten, maar werd overvallen door een golf van misselijkheid. Het respijt van de slaap duurde nooit lang genoeg. Ze stak haar hand uit naar de vloer en vond de fles. Ze nam een slok en de warmte van de alcohol kalmeerde haar zenuwen. Toen kon ze rechtop staan, en ze raapte de fles op van de vloer en ging op weg naar de telefoon. Het was zo koud in de flat dat ze haar adem in de lucht kon zien.

Ze nam nog een slokje – het brandende gevoel deed vriendelijk en vertrouwd aan. Ze keek naar het antwoordapparaat. Elf berichten. Haar hart begon wild te kloppen en ze wist, natuurlijk, dat ze hem hadden gevonden. Nate.

Ze had geen greintje moed meer over. Zijn verdwijning had alles opgesoupeerd en nu moest die telefoon zo nodig gaan en moesten mensen zo nodig berichten achterlaten en er waren elf berichten die ze niet kon aanhoren.

Ze ging op de barkruk aan het werkblad zitten en wachtte. De telefoon ging weer. Haar zenuwen waren aan flarden. Ze dronk door.

Toen kwam Trevor binnen. Hij zag haar daar en kwam naast haar zitten. Hij zei niets. Hij legde zijn arm om haar heen en ze liet haar hoofd tegen zijn schouder vallen. Ze begon te huilen.

'Hij is dood,' zei Trevor. 'Glick heeft hem gevonden, een paar kilometer van de weg af.'

Cindy voelde dat ze knikte. Ze kon niet ophouden met knikken. Ze had het gevoel dat ze langzaam uit elkaar viel, dat de schroeven en elastiekjes die haar bij elkaar hielden nu toch eindelijk losgingen. Dat ze open zou barsten en uit elkaar zou spatten.

'Ze hebben hem naar het mortuarium in het volgende dorp gebracht. Ze willen dat je erheen gaat. Er zijn papieren en zo, dingen die je moet tekenen. Beslissingen.'

'Oké,' zei ze. Ze kon niet aan haar zoontje denken. Als hij probeerde haar geest binnen te komen, duwde ze hem weg. Er was geen zoontje. Hij bestond niet. Als hij niet bestond, was er ook niets te voelen. Dan kon ze voorgoed in deze koele, witte ruimte blijven. Daar kon ze het best uithouden.

'Je moet hier eens schoonmaken.'

Ze knikte weer. Trevor keek naar het poepkleurige vloerkleed. Cindy zag de moddersporen ook.

'Wat is hier vannacht in vredesnaam gebeurd?'

'Ik weet het niet,' zei ze. En ze wist het werkelijk niet. Ze kon zich niet herinneren wat ze de vorige avond had gedaan. Haar handschoenen, haar muts en haar jack lagen her en der op de vloer, als lijken.

'Cindy,' zei Trevor. 'Cindy.'

Hij huilde.

Ze stond op. Op het werkblad lag het papieren bordje met de stukjes macaroni op de rand geplakt. Ze herinnerde zich het moment in het ziekenhuis, nadat Nate geboren was; hoe hij met zijn lijfje in de vorm van een L op haar had gelegen, met zijn hoofdje op haar borst had geslapen, met zijn ademhaling ritmisch en zacht tegen haar huid. Het sterke, zekere teken van zijn leven, zijn heilige adem.

Ze wist de slaapkamer te bereiken en toen zakte ze neer op de grond en ze wenste dat zij zelf degene was geweest die dood was gevonden in de sneeuw. Ze wenste dat zij dood was en niet haar zoontje. Ze opende haar mond om te huilen, om iets te zeggen, maar er kwam niets uit. Toen fluisterde ze zijn naam. 'Nate,' zei ze. 'Mijn kindje.'

Rechter Jack Rosenthal

Jack werd wakker. *Marty.* Het was zijn eerste gedachte na het ontwaken. De moed zonk hem in de schoenen. Hij zweefde weg naar een herinnering. Van lang geleden. Marty was net dertien geworden. Jack had hem in de garage betrapt op het roken van marihuana. Hij had gezegd: 'Wat stelt dit voor? Wat doe je, hoe kun je je moeder en mij zoiets aandoen?'

Marty had met zijn ogen staan knipperen, beschaamd maar toch uitdagend. Hij had de joint uitgetrapt met zijn nieuwe sportschoenen. Jack had gedacht: *ik heb voor die schoenen betaald.* Op de vloer lag een soort tekening, iets waar Marty mee bezig was geweest. Marty, zijn liefste zoon. Zijn laatstgeboren zoon met het broze temperament van een kunstenaar.

'Pap... ik...'

Marty was in huilen uitgebarsten. 'Wat is dit in vredesnaam?' had Jack gezegd, want nu zag hij dat de tekening een kind voorstelde dat wegrende voor een regen van stenen, dat de kinderen die ermee gooiden vals lachten. Er waren rode plekken. Bloed? Jack raapte de tekening op.

'Wat is dit voor walgelijks? En dan die drugs. Hebben we je niet opgevoed om anders te zijn, om daar boven te staan? Wat moet dit geweld betekenen?'

Het was slecht afgelopen. Met een ruzie waarvan de woorden niet meer in Jacks geheugen waren opgeslagen, maar de betekenis ervan lag onuitwisbaar vast. Hoe hij de tekening had verfrommeld en weggegooid, voor de ongelovige ogen van zijn zoon. En toen de dag, meteen de dag daarna was het geweest, toen hij vanuit zijn auto zijn zoon had zien wegrennen voor een groep jongens – de tweeling Richardson en de jongens McCudahy, en nog een paar anderen die hij niet herkende. Hoe hij had gezien dat zijn zoon op de vlucht was.

Hij herinnerde zich dat hij gestopt was en de jongens had uitgevloekt, woedend met zijn armen had gezwaaid, gezegd dat ze zijn zoon met rust moesten laten. De muziek van hun haat schalde door de lucht, *alle joden aan het gas*, en zodra hij in de auto zat had Marty op het dashboard gebonkt en door zijn tranen heen geschreeuwd: 'Godverdomme pap. Waarom heb je dat gedaan? Waarom heb je me het niet zelf laten oplossen?'

Daarna was Jack bang geworden voor zijn zoon en had hij het aan hem overgelaten manieren te bedenken om zich te verweren, had hij hem steeds verder laten wegdrijven zonder aandacht te besteden aan de duidelijke tekenen dat hij in iets verzeild raakte waar hij niet meer uit kon komen. Hij wist dat het verkeerd was geweest om die tekening te vernietigen. Maar hij had het gevoel dat het goed was geweest dat hij zijn zoon had gered.

De herinnering spookte nu door zijn geest. Zo veel jaren later en nog steeds twijfelde hij aan zijn keuzes, was hij zich ervan bewust dat die twee dagen een soort keerpunt waren geweest voor hem en zijn zoon, en dat hij ze niet verstandig had aangepakt, dat hij een koers had uitgezet, de verkeerde koers, voor de hele toekomst van Marty en hemzelf.

Nu dacht hij dat hij steeds op verkeerde momenten, steeds op verkeerde plaatsen had ingegrepen, steeds met verkeerde uitingen van verontwaardiging en beschermingsdrang. Waarom was het zoveel gemakkelijker geweest met zijn andere zonen? Was dat omdat hij hen veel minder briljant had gevonden, veel minder kwetsbaar? Was het domweg omdat het een zonde was om meer van de een te houden dan van de anderen, en omdat dit hem zoals alle zonden blind had gemaakt voor een beter inzicht?

Buiten schemerde een grijze mist door de half gesloten jaloezieën. Zoals elke morgen ging hij zijn verliezen na. Zijn vrouw was dood. Zij zou nooit terugkomen. Tegelijk hiermee kwamen de herinneringen aan het hakenkruis op het grasveld, hoe hij erop had gestaan dat het zichtbaar bleef. Zijn twee oudste zonen waren volwassen, hadden hun eigen gezin. En dan was daar Marty die in de gang stond met Adeles juwelenkistje, en de angst die hij had gevoeld dat hij vermoord zou worden. Het leek allemaal samen te hangen, allemaal deel uit te maken van hetzelfde.

Hij kwam uit bed en liep de trap af naar de woonkamer. Hij zette de televisie aan en hoorde meteen dat de jongen naar wie hij gisteren had gezocht, dood gevonden was in het bos. Er waren beelden van de vader die zijn zoontje droeg, gewikkeld in een laken, ook even een beeld van Jane met wie hij samen had gezocht. Zijn hart vulde zich met boosheid en spijt en met alle verdrietige dingen die hij elke dag op afstand probeerde te houden, en hij voelde zich volstrekt verloren. Het leek erop dat God hem in de steek had gelaten. Hij vond geen redding wanneer hij Zijn naam uitsprak.

Hij kon aan niets anders denken dan het verraad in de beslissingen die hij had genomen. Dat hij Adeles lijden erger had gemaakt omdat hij zo nodig een paar rotzakken een les moest leren die ze toch nooit zouden leren. Dat hij de vorige avond niet van zijn zoon had geëist dat hij zijn eigendommen achterliet en wegging, of anders de gevolgen onder ogen zag. Hij vond het vreselijk dat hij de politie niet wilde bellen, hij die nota bene tot de rechterlijke macht behoorde, die altijd had geloofd dat God de basis had gelegd voor de menselijke wetgeving, zodat ze zouden handelen in overeenstemming met Zijn geboden. Hij vond het vreselijk dat het inderdaad zo was dat hij bij Marty steeds op het verkeerde moment had ingegrepen, en juist niet had ingegrepen wanneer hij het had moeten doen.

Hij had zin om met zijn vuisten tegen de tafel te bonken waaraan hij zat, alleen in dit huis dat ooit vol was geweest van de vreugde en het licht van zijn gezin. Daarna richtte hij al zijn woede op de vader die het bos in was gelopen om achter een paar herten aan te gaan, in plaats van goed voor zijn eigen zoon te zorgen. Hoe kon iemand zo stom zijn? Zo eigengereid? Zo egoïstisch? Hoe kon een man de voorrang geven aan zijn eigen behoeften en verlangens boven de behoeften en verlangens van zijn zoon?

Jack zette de televisie uit. Hij walgde ervan. Hij wilde iets door het raam smijten. Hij keek naar buiten, naar de troosteloze komst van de winter. Hoe hij ook zijn best deed om het te negeren, hij voelde een ongewone afstand tussen hemzelf en God.

Glick

Hij probeerde zo rustig mogelijk te blijven, niets te voelen. Het was heel anders dan de politie in Los Angeles, maar toch zat hij in de auto van de sheriff; eerst reden ze naar zijn huis om de uitgeputte hond af te zetten, toen verder naar het bureau voor de lange, trage ondervraging, waarbij de meest onnozele vragen werden gesteld. Het boezemde hem angst in, daar kon hij niets aan doen. De vorige keer had hij ook niets misdaan.

Maar na een paar uur lieten ze hem gaan. Hij vertelde hun wat er was gebeurd. Hij was op de een of andere manier verdwaald. Had een gedeelte van de nacht geslapen. In de vroege ochtend had zijn hond de jongen gevonden. Hij had besloten Nate daar te laten liggen. Hij was bang dat de politie misschien een onderzoek zou willen instellen. Ja, zei hij, hij had de jongen opgenomen. Maar dat was voordat de rede de overhand had kunnen nemen.

De sheriff bracht hem terug naar de open plek in het bos, en hij startte zijn truck. Inmiddels waren er geen auto's meer, behalve Ethans truck. De bodem lag bezaaid met bekertjes en ander afval, en voordat hij wegging, raapte Glick de rommel op en gooide alles in de bak van zijn truck. Zijn thermosfles stond buiten op de grond, rechtop naast de bestuurdersplaats. Hij vroeg zich af hoe het ding daar gekomen was. Had hij het zelf zo laten staan?

Hij pakte zijn thermosfles en gooide hem op de bank. Toen reed hij naar zijn huis aan Cage Road; hij herinnerde zich dat hij het huis onder andere had gekocht omdat hij de ironie van de naam van de weg, 'kooiweg', wel grappig vond. De hond was moe en hongerig. De katten begroetten hem miauwend bij het trapje. Hij gaf de dieren eten en nam een hete douche. Er stond bier in de koelkast en hij dronk een blikje leeg. Hij at een boterham met worst en terwijl de hemel zwart werd en de lange duisternis van de nacht de holten van de aarde begon op te vullen, viel hij in slaap.

Een uur later schoot hij plotseling overeind. Door een droom misschien, of een geluid dat nu alweer weg was. Wat het ook was dat hem had gewekt, zijn hart bonsde genadeloos en hij herinnerde zich hoe hij de jongen had gevonden, hoe hij hem had vastgehouden en hoe hij had gehuild.

Nu klaarwakker staarde hij naar de katten die terugstaarden vanaf de commode. De hond lag te snurken aan het voeteneind van zijn bed. En Glick herinnerde het zich.

Het was bijna op de dag af tien jaar geleden. Hij logeerde toen in het huis van zijn moeder, omdat ze hulp nodig had. Er moest in de tuin worden gewerkt, het huis had een laag verf nodig, er was iets met het sanitair dat Glick dacht voor haar te kunnen repareren. Hij had goed verdiend met klussen in de huizen van rijke mensen in Malibu en Beverly Hills, dus hij had daar ervaring mee, en bovendien had zijn vriendin hem verlaten voor een ander en was hij alleen. Hij dacht dat het een goede plek zou zijn om zijn wonden te likken.

Hij was buiten bezig voorbereidingen te treffen voor het schilderwerk toen de politie aan kwam rijden. Hij dacht dat er misschien iets met zijn moeder was gebeurd; ook dacht hij vagelijk aan zijn vriendin.

Maar de agenten stormden op hem af, lazen hem zijn rechten voor en namen hem mee in de auto. Met handboeien aan werd hij naar een kamer gebracht waar hij moest gaan zitten, en toen begonnen ze hem het vuur na aan de schenen te leggen. Hij snapte het niet, maar het scheen dat ze hem ervan beschuldigden dat hij iemand had verkracht. Een bejaarde mevrouw in Beverly Hills. De moeder van een van zijn klanten. De gedachte alleen al was weerzinwekkend – wat voor beest zou zoiets doen? – maar dit scheen hij de politie niet duidelijk te kunnen maken. Hij begon te denken dat hij een schuldige indruk maakte. Hij had geen alibi. Zijn vriendin was bij hem weggegaan, dus hij had alleen liggen slapen in zijn kamer.

Ze lieten hem een gele short zien die ter plaatse was aangetroffen. Hij erkende dat die van hem was, maar hij kon het verklaren. Wilden ze dat horen? Ze hadden sceptisch geluisterd terwijl hij vertelde dat hij die korte broek had uitgetrokken en een jeans had aangetrokken omdat hij wist dat hij een verwarde bos struiken ging snoeien, met brandnetels ertussen en misschien ook poison oak. Hij was hem waarschijnlijk vergeten, zei hij.

Ze wilden weten hoe hij kon verklaren dat er een ooggetuige was – het slachtoffer zelf dat hem bij de confrontatie had aangewezen. Op dat moment had hij besloten dat hij beter af zou zijn als hij niets meer zei, en hij belde een kennis in Malibu die een advocaat kende.

Maar tegen een ooggetuige kon je niets inbrengen. Hij had er zijn spaargeld, en nog meer geld aan besteed om te proberen zich vrij te pleiten, maar het maakte allemaal niets uit. De ooggetuige – ze was oud, intelligent en rotsvast in haar overtuiging – was onverslaanbaar. Hij ging naar de gevangenis. Hij was nu een zedendelinquent en daar moest hij op alle mogelijke manieren voor boeten, want zedendelinquenten waren uitschot. Hij dankte God dat hij niet beschuldigd was van pedofilie en hield zich zoveel mogelijk afgezonderd; hij las boeken en keek naar de kleine natuurlijke gebeurtenissen op de binnenplaats. De zwaluwen die nesten bouwden aan het prikkeldraad met scheermesjes, de huiden van vervelde slangen in het voorjaar, de spinnen die webben bouwden en eieren legden. Eén jaar had hij een rups in een vlinder zien veranderen, en toen de lege pop was achtergebleven, had hij die gepakt en bewaard in een stuk tissue, tot een bewaker hem had gevonden en door de wc had gespoeld.

Glick hees zich uit bed. De hond bewoog, hief zijn kop op en ging toen weer liggen. De katten stonden op, rekten zich uit en sprongen van de commode af. Ze gaven hem kopjes, wilden eten. De lucht was erg droog, hij zag vonken van hun vacht springen terwijl ze liepen. Hij ging naar de keuken en keek op de klok boven het fornuis. Bijna tien uur.

Glick herinnerde het zich opnieuw, hoe hij Nate had gevonden, de bevroren tranen, zijn duim in zijn mond en de ijskoude levenloosheid van zijn lichaam. Hij had zo lang zo veel op afstand gehouden dat hij nu, alleen in dit donkere huis, met geen ander gezelschap dan de dood van de jongen en zijn herinneringen, in zijn binnenste iets donkers en hards voelde verschuiven. Hij herkende de boosheid en de algehele toestand van ongelukkig zijn. En hij wist dat het zo altijd zou kunnen blijven. Maar hij wist ook, net als op die dag, tien jaar geleden, toen hij zijn whisky door de gootsteen had gespoeld en naar de bergen was verhuisd, dat het tot zijn dood zo zou kunnen blijven. Hij zag de naderende ouderdom, die zich zou aansluiten bij zijn boosheid en eenzaamheid. Dat vooruitzicht maakte hem bang.

Hij floot de hond en trok zijn jack aan. Hij opende de deur en de felle kou sloeg hem en de hond in het gezicht. Het benam hem de adem en hij stak zijn handen in zijn zakken. Hij stapte in de truck, legde de hond vast en reed weg naar het dorp.

Main Street lag er verlaten bij. Angie's restaurant was gesloten. Er stonden wel auto's bij Trevor's Echo. In Ethans ijzerhandel was het donker. Hij reed verder tot hij bij Angies huis kwam, het eenvoudige huis van witte, overnaadse planken, ouderwets ambachtelijk gebouwd, met zorgvuldig uitgesneden latwerk op de veranda, sierlijke balustraden en brede ramen aan de voorkant. Glick vond het een mooi huis, eenvoudig en klein, maar degelijk.

Binnen brandde één lamp. Hij zag een schaduw langs een muur lopen; toen zag hij een hand omhoog komen die de gordijnen dichttrok. Hij maakte de hond los, en samen liepen ze naar haar voordeur.

Glick bleef even staan voor hij op de deur klopte. De hond ging gehoorzaam naast hem zitten. Glick voelde de geheimzinnigheid van de verlangens die nu naar boven kwamen. Dat ze hem nu zo duidelijk voor ogen stonden, verbaasde hem lang niet zo als het feit dat hij ze zo duidelijk accepteerde. De emmer van zijn eenzaamheid, besefte hij, was eindelijk overgelopen. Hij was bang om op deze manier te sterven.

Hij klopte zacht op de deur. Binnen flakkerde een kaars, daarna ging er een lamp aan, gevolgd door de verlichting van de veranda. Angie deed de deur open, gekleed in een badjas met rode bloemetjes erop. In het gele licht van de lamp op de veranda zag hij dat er een vlek op de badjas zat en daarin zag hij haar menselijkheid, haar onvolmaaktheid die hem welkom heette. Om de een of andere reden wilde hij er zijn hand naar uitsteken, die vlek aanraken.

'Glick,' zei ze. Ze leek niet verbaasd hem te zien. Ze keek naar de hond. Ze deed de deur verder open. 'Kom binnen.'

'Waar moet de hond naartoe?' zei Glick. 'Ik weet eigenlijk niet waarom ik hem heb meegenomen.'

'Hij kan zolang op de veranda aan de achterkant,' zei Angie. 'Die is meer besloten. Warm genoeg.'

Glick en zijn hond gingen het huis binnen. Angie riep de hond.

'Kom eens hier, Hond. Kom dan.'

De hond ging naar haar toe. Hij kwispelde met zijn staart. Ze deed de achterdeur naar de veranda open. De hond ging spijtig maar gehoorzaam naar buiten.

'Geef me je jas,' zei ze.

Hij deed zijn jas uit en gaf hem aan Angie die hem aan een haak naast de achterdeur hing. Hij vroeg zich af waar Rosie was. Ze lag waarschijnlijk te slapen. Angie kwam het huis weer in en Glick volgde haar naar de keuken. Ze zette een pan met water op het fornuis.

'Ik zal thee maken,' zei ze.

Hij knikte. Hij had het gevoel dat hij kon gaan huilen. Hij kon niet spreken. Alles aan haar leek vriendelijk en vergevensgezind, vol kennis en behoefte en gulheid. Hij wist dat ze waarschijnlijk had gehoord dat hij degene was geweest die het lichaampje had gevonden. Hij was dankbaar dat ze hem geen vragen stelde.

'Ga zitten,' zei ze.

Maar Glick kon niet gaan zitten. Hij scheen zich niet te kunnen ontdoen van het beeld van de hond die de sneeuw wegkrabde van Nates bevroren lichaam, of van de bevroren tranen op de wangen van het jongetje. Hij herinnerde zich al het onrecht dat hem zelf was aangedaan, tot in de kleinste bijzonderheden, alsof hij bezig was dood te vallen en dit zijn laatste gedachten waren. Hij hield het niet meer vol; hij snikte hoorbaar en Angie kwam naar hem toe en sloeg haar armen om hem heen.

'Toe maar,' fluisterde ze. 'Het is goed.'

Haar armen hielden hem stevig vast. Dat had hij niet verwacht. Ze rook naar zeep en een of ander poeder, een tikje bitter, als eucalyptus. Hij huilde en liet zich door haar vasthouden, en toen hij uitgehuild was, keek hij haar aan en bracht zijn lippen naar haar lippen, en ze kusten elkaar. Weer voelde ze zo zeker en krachtig en sterk naast hem. Hij kuste haar nek en hij bracht haar handen naar zijn gezicht en kuste haar handpalmen en toen ging hij weer naar haar lippen. Ze duwde hem weg, maar zacht, en zei: 'Rosie slaapt. Als je hier wilt blijven moet je stil doen.'

Zijn hele lichaam reageerde op deze uitnodiging en hij trok haar mee in het huis, terwijl hij haar bleef kussen. Ten slotte pakte ze zijn hand en liep, in het donker, met hem naar haar slaapkamer, en ze gingen op het bed liggen. De maan scheen in de kamer en sneed het donker in tweeën. Glick maakte zich van haar los.

'Hij had gehuild,' zei hij.

'Wie?'

'Nate. Er waren tranen vastgevroren aan zijn wangen. Hij had zijn duim in zijn mond toen hij doodging.'

'Oh, Glick. Oh.'

Zij begon ook te huilen en ze trok hem naar zich toe en hield hem in haar armen, en Glick wilde haar bedanken. Hij wilde haar alles vertellen. Al zijn gedachten en alle herinneringen die hem kwelden en alles waarmee mensen hem hadden gekwetst. Maar hij zei niets, en onder het vrijen bleef hij denken dat er nog meer dan genoeg tijd zou zijn om haar alles te vertellen.

Ethan

Ethan zag zijn zoontje liggen, daar in de sneeuw. Hij zag er heel vredig uit. Bijna als een pop. Heel even dacht Ethan dat hij gewoon sliep. Deze wens was zo sterk dat hij het lang genoeg geloofde om het brede, stralende vuur van opluchting te voelen. Maar zijn zoontje was natuurlijk dood.

Terwijl de ambulancebroeders en de sheriff op veilige, eerbiedige afstand bleven staan, knielde Ethan bij zijn zoontje neer.

'Nate,' fluisterde hij. 'Nate. Het spijt me zo.'

Hij begon weer te huilen en tilde de jongen op in zijn armen. Wat had de dood hem zwaar gemaakt. Hij bracht Nate dicht bij zijn gezicht en kuste zijn bevroren wang. Zijn huid was blauwig en zijn ledematen waren al verstijfd door de dood en de kou, zodat hij stijf aanvoelde en niet meegaf. Ethan dacht aan al het leven dat in zijn zoontje had gezeten. Hij realiseerde zich dat een beslissing die hij in een fractie van een seconde had genomen, de toekomst van zijn zoon had gestolen.

Een broeder kwam naar hem toe en tikte hem zacht op de schouder.

'Moeten wij hem uit het bos dragen?' vroeg hij, en wees naar zijn collega die de draagbaar tegen een boom had gezet en met een ongelukkig gezicht naar zijn voeten staarde.

'Nee,' zei Ethan. 'Ik draag hem zelf.'

Hij draaide zich om met zijn zoontje in zijn armen en liep naar het pad in de sneeuw dat Glick als eerste had gemaakt. De anderen volgden hem en onder het lopen werd niet gesproken. Het enige wat je kon horen was de wind en het geluid van de mannen die gromden tegen de kou en de inspanning van het lopen door de droge sneeuw.

Toen ze bijna een halfuur later uit het bos kwamen, was het alsof het verdriet hem de baas was geworden en hij niet langer Ethan was. Een andere man was in zijn schoenen gaan staan en zou hem hier doorheen helpen. De oude Ethan was weg.

Jane was de eerste die hij zag. Ze had een verpletterde uitdrukking op haar gezicht en hij besefte dat hij deze uitdrukking voortaan telkens zou zien. Dat alle gezichten die hij zou zien, net zo zouden kijken als het hare. Hij zou voortaan alleen medelijden en medeleven ontmoeten. En hij besefte ook dat hij geen woorden zou hebben om op dat medelijden te reageren. Toen hij Jane passeerde, zei hij tegen haar dat ze niets moest zeggen. Maar dat kwam er verkeerd uit. Het kwam eruit als een vermaning, terwijl hij bedoelde dat de oude Ethan weg was en dat deze nieuwe man zich niet kon verantwoorden voor de daden van de oude. Dat hij niets kon zeggen over dingen die waren gebeurd voordat hij er was.

Hij werd snel naar de ambulance gebracht. Nate werd op een brancard gelegd, en toen de ambulancebroeder bij Ethan achterin kwam zitten, dekte hij Nate af met een laken. Ethan nam het laken weg, en terwijl de ambulance tussen de bomen door wegreed, streelde Ethan de wang van zijn zoontje.

Inmiddels brandde de zon boven het bos en de hemel was helder en blauw. De wereld was een stralend, schitterend geheel, en terwijl ze het dorp uit reden en door het dal op weg gingen naar het stadje verderop, dacht Ethan dat hij misschien nooit meer in staat zou zijn om van die schoonheid te genieten.

Hij bleef zich voorstellen hoe het anders afgelopen had kunnen zijn. Hij werd geblokkeerd door het definitieve van de gebeurtenissen. De schok was te groot. Zijn leven was zo rustig geweest, er gebeurde zo weinig. Dat hij met een alcoholiste had willen trouwen was niets bijzonders. Mensen trouwden voortdurend met alcoholisten. Dat hij gescheiden was, dat was ook tamelijk gewoon. De strijd om de voogdij was een ramp. Maar hij had toch gewonnen? Was die overwinning geen beslissende stem geweest ten gunste van zijn betrouwbaarheid, zijn geschiktheid als ouder?

Misschien was het daar juist misgegaan. Toen hij de zaak over de voogdij over Nate had gewonnen, had hij het gevoel dat hij zich eindelijk kon ontspannen. Voor het eerst van zijn leven leek het alsof hij alles had wat hij maar kon willen. Wat gaf het dat er geen vrouw was? Met Nate had hij een rustige combinatie van eenzaamheid en gezelschap bereikt. Hij had zich ontspannen. Hij was minder voorzichtig geworden. Hij had een domme fout gemaakt – een fout die iedereen zou kunnen maken – en nu boette hij daarvoor. Het was moeilijk aan de gedachte te ontkomen dat het noodlot hem had uitgezocht. Mensen deden voortdurend zulke dingen zonder dat het slecht afliep. Hoe kon hij, Ethan Denton, deze ramp hebben veroorzaakt?

Het duurde bijna een uur om in het volgende stadje te komen waar het mortuarium was, want door een wegafsluiting moesten ze omrijden over de kleine weggetjes van de boerengehuchten. Ze passeerden hectaren sinaasappel- en avocadoplantages, walnotenbomen en statige esdoorns die hun blad lieten vallen voor de winter. Uiteindelijk kwamen ze weer op de autoweg uit, waar ze bijna meteen weer af moesten naar het stadje, en langzaam moesten rijden over de weg.

Het stadje was niet veel groter dan zijn eigen bergdorp, maar toch waren er dingen die ze thuis nooit zagen. McDonald's, een Target-warenhuis, een Ford-dealer. In het eigenlijke stadje was een brede hoofdstraat met drankwinkels en een bioscoop. Ook waren er de gebouwen van de provincie en de staat, een dierenarts, het ziekenhuis waar Nate geboren was, een kantongerecht. Ethan was er in geen maanden geweest, en hoewel dit nog geen grote stad was, vond hij het stadje toch te groot, te commercieel, te lawaaiig.

Toen ze bij het mortuarium aankwamen, stonden er overal persmensen en Ethan vroeg aan de chauffeur of er ook een achteringang was.

'Nee, man, hier moeten we zijn,' zei de chauffeur. Het was degene die hem in het bos op de schouder had getikt.

'Ik kan daar niet uitstappen. Het lijkt wel een school op bloed beluste haaien.'

'Oké. Wacht maar even.'

De man zocht via de radioverbinding met een coördinator. Hij wilde met de ambulance naar het ziekenhuis rijden en Nates lichaam later laten vervoeren, minder zichtbaar, misschien in een neutrale auto. Hij wist toestemming te krijgen en even later reden ze achteruit weg, zodat de mensen van de media met open mond bleven staan. Die waren ze te slim afgeweest.

Toen ze bij het ziekenhuis waren, zei de chauffeur: 'We zetten de wagen met de achterkant naar de Eerste Hulp. Nog even geduld.'

In de ambulance lag Nate op een brancard. De somber zwijgende broeder die naast de brancard zat, keek Ethan aan. Ethan knikte en de broeder dekte het gezicht van de jongen zwijgend toe. De handeling had iets van een bitter gebed. Ethan had het gevoel alsof er een gordijn was dichtgetrokken voor zijn leven. Hij wist dat hij niet meer naar zijn zoontje zou kunnen kijken, en hij nam snel afscheid terwijl de brancard uit de ambulance werd gezet en het ziekenhuis in werd gereden. Ethan werd naar een kamer gebracht en kreeg te horen dat hij op verdere instructies moest wachten.

Alles hierna leek ver weg en onbelangrijk. Het overlijden werd een zakelijke aangelegenheid. Zijn zoontje leek van de radar te zijn verdwenen en zijn dood moest administratief verwerkt worden. Er waren dus papieren die hij moest ondertekenen en vragen die hij moest beantwoorden. Waar en wanneer zou de rouwdienst plaatsvinden? De gerechtelijke lijkschouwer arriveerde en er werden gedempte gesprekken gevoerd tussen politiemensen en artsen, buiten Ethans gehoorsafstand. Er werden plannen gemaakt om het lichaam over te brengen naar het mortuarium van het stadje, om Nate te laten cremeren.

Het was een langdurige, wazige reeks gebeurtenissen die voor Ethan weinig betekenis hadden en die uren later een hoogtepunt bereikten toen Cindy arriveerde met Trevor. Ze zag er bleek en klein uit. Toen ze Ethan zag, zette hij zich al schrap tegen haar dronken venijn, maar in plaats van hem uit te schelden schudde ze haar hoofd en stortte zich huilend in zijn armen.

Ze klampten zich aan elkaar vast en Ethan herinnerde zich de tijd dat hij van haar had gehouden, toen zijn leven vol hoop en belofte was geweest. Hij herinnerde zich de keer dat ze hadden ontdekt dat ze zwanger was, hoe bang ze waren geweest, want ze zagen het als het beklimmen van een berg, vol angst en blijdschap. Hij dacht terug aan het moment dat zijn zoon geboren was, het wonderbaarlijke en mysterieuze ervan. Hij herinnerde zich de eerste keer dat hij Nate in zijn armen had gehouden, en dat hij ervan over-

tuigd was geweest dat Nate hem altijd uit het donker weg zou leiden, net als de poolster.

'God, Ethan,' zei ze. 'Wat bezielde je?'

Hij schudde zijn hoofd. 'Ik weet het niet. Ik dacht dat hij zou blijven slapen. Ik dacht dat ik eerder terug zou zijn. Ik was door het
dolle heen. Ik dacht nergens meer aan.'

'Hoe kon je nergens meer aan denken? Je zoontje zat in de auto.
Een jongetje van drie.'

'Ga me nou niet aanvallen, Cindy. Ik ben altijd degene geweest die
de rotzooi opruimde.'

'Godverdomme, Ethan,' siste ze. 'Ik was misschien aan de drank,
maar ik heb er toch nooit zo'n puinhoop van gemaakt als dit.'

'Misschien, als je je broek had aangehouden...'

'Als jij echt van me had gehouden, dan zou het misschien...'

'Hou op,' zei Ethan. 'Verdomme.'

Hij schudde zijn hoofd om het venijn kwijt te raken. Om te ver-
hinderen dat deze ramp nog meer schade zou aanrichten.

'Sta me hierin bij, Cindy. Sta me bij in deze ellende. Ik kan het niet
alleen aan.'

De tranen stroomden over zijn gezicht, hoewel hij helemaal niet
het gevoel had dat hij huilde. Hij zag haar trekken zachter worden.
Hij zag dat ze hem begreep, ook al haatte ze hem. Ze wist hoe diep
het ging, dit verlies.

'Je hebt me alles afgenomen wat ik had.'

'Het spijt me,' zei hij.

'En nu wil je dat ik hier ben om naast je te staan.'

Hij knikte.

'Ik weet niet of ik dat kan, Ethan.'

Trevor kwam naar hen toe en hij stak Ethan zijn hand toe. Ze waren nooit vrienden geweest, sinds de tijd op school dat Cindy Trevor
had laten zitten en voor Ethan had gekozen. Maar dat kon Ethan nu
niet meer schelen. Wat was het dom om een wrok te koesteren, om
slecht over iemand te denken vanwege zulke domme kleinigheden.
Wat leek het allemaal pietluttig in het licht hiervan.

Hij stak Trevor zijn hand toe en ze schudden elkaar de hand, en
Trevor legde zijn andere hand op Ethans schouder en zei om de een
of andere reden – Ethan kon het niet verklaren – 'bedankt'.

Het was donker tegen de tijd dat alles geregeld was. Een rouw-dienst, overmorgen. Ethan had hun opgedragen zijn zoontje te cre-meren, zodat zijn as kon worden verstrooid in het bos. Er zou een soort bijeenkomst zijn op de plek waar ze hem hadden gevonden. Dit leek nauwelijks van belang. Toch vond Ethan dat hij aandacht moest besteden aan deze details, want hij was bang dat hij er later, wanneer alles voorbij was, spijt van zou hebben als hij niet had mee-gedaan.

Nadat het donker was geworden, verscheen de chauffeur van de ambulance bij het mortuarium. Hij had intussen een spijkerbroek aan en een wit T-shirt. Hij droeg een fors jack en een honkbalpetje op zijn hoofd. Het duurde even voor Ethan hem herkende zonder zijn beroepskleding.

'Hoor eens,' zei hij. 'Ik weet dat uw truck nog op de plaats staat waar we uw zoontje hebben gevonden. Dus ik dacht zo, ik breng u weer terug daarheen, als u met mij mee wilt rijden.'

Ethan keek om zich heen. Hij wilde niet terugrijden met Cindy en Trevor.

'Het is geen moeite,' zei de man. 'We zouden onderweg kunnen stoppen als u dat zou willen, iets drinken. Of niet. Ik heb een zoon-tje van ongeveer dezelfde leeftijd als uw zoon. Ik...'

'Ja, graag,' zei Ethan. 'Ik rij graag met u mee.'

De man stak hem zijn hand toe. 'Derek,' zei hij.

'Ethan.'

Ze gingen naar buiten en Ethan stapte in de auto van de man, een oude Pontiac met een kinderzitje achterin en overal speelgoed. Toen Derek de auto startte, reed een zwarte Mercedes de parkeerplaats op en Ethan had een moment van herkenning. Hij herinnerde zich de auto, de man die was komen helpen met zoeken. Ethan zag dat iemand in de auto, een oudere man, zijn hoofd introk alsof hij zich wilde verbergen. Het leek hem heel vreemd dat het dezelfde man zou zijn. Hij was bang, voelde zich beklemd. Werd hij soms ge-volgd?

'Woon je daarboven in Angels Crest?'

'Ja.'

'Een mooi plekje.'

'Het lijkt opeens te mooi,' zei Ethan.

'Zullen we ergens wat gaan drinken? Er is een café vlak voor je de stad uitrijdt.'

'Nee. Volgens mij is het het beste als ik gewoon terugga. Maar we zouden wel een fles kunnen kopen en onderweg wat drinken.'

'Tja,' zei Derek. 'Er mag weleens een uitzondering worden gemaakt op de wet.'

Ze stopten bij een drankwinkel. Ethan haalde tien dollar uit zijn zak en gaf die aan de man. Derek wilde het niet aannemen, maar Ethan hield aan en tot zijn opluchting nam Derek het geld aan.

Toen hij terugkwam in de auto, gaf Derek een fles Jack Daniels aan Ethan, en die maakte hem open en nam een lange teug. Het brandde in zijn keel, maar hij voelde dat zijn rauwe zenuwen meteen verdoofd raakten. Hij begreep wat Cindy in de drank had kunnen vinden en kon zich in haar verplaatsen. Hij gaf de fles aan Derek die in de achteruitkijkspiegel en in beide zijspiegels van de auto keek voordat hij een slokje nam.

'Ik ben vroeger een paar keer bekeurd voor rijden onder invloed,' zei Derek. 'Nu ik een vrouw en een kind heb, moet ik wel goed oppassen.'

Ethan knikte. Alles kwam bij hem aan als een preek. 'Het valt zeker niet mee, een ambulance rijden.'

'Nou ja, het is anders dan in de stad, waar alles erg bloederig is. Hier gebeurt natuurlijk niet zoveel. Vaak oudjes die gevallen zijn.'

Ethan herinnerde zich zijn vader. Hij had de oude man naar zijn zij zien grijpen; toen was hij op de grond gevallen. Hij had gezien dat hij ging zitten, naar lucht hapte, en doodging. Hij herinnerde zich dat hij toen had gedacht dat het genadig was dat de dood hem zo snel had meegenomen. Anders dan zijn moeder, die jarenlang ziek was geweest. Hij dacht aan Nate in zijn hansop in het bos. Hij nam nog een slok uit de fles.

'Ik denk dat ik vanavond dronken word, dan zie ik morgen wel verder.'

'Ik vind het heel erg dat je je zoontje hebt verloren, man. Kinderen. Er zit geen garantie op.'

'Het was mijn schuld,' zei Ethan. 'Ik kan mijn zoontje niet de schuld geven. Hij deed alleen wat hij moest doen: zijn pappa zoeken. Hij ging naar mij op zoek. Daar zal ik mijn verdere leven mee moeten leven.'

Dat vooruitzicht bracht Ethan op de gedachte dat hij zichzelf zou kunnen doden. Hij dacht aan de oude 30-30 Savage in de truck. Het was een vluchtige gedachte. Maar er bleef iets van hangen.

'Ik had het daar buiten echt met je te doen. Maar ik begrijp waarom je je zoontje zelf wegdroeg.'

Ethan nam een slok uit de fles. Hij kon er niet meer over praten. Hij zag dat de bewolking weer begon toe te nemen.

'De winter komt vroeg dit jaar,' zei hij.

Derek keek recht voor zich uit. 'Ik hoop dat hij ook vroeg weggaat,' zei hij. 'Het is nu al zo verrekte koud.'

Toen Derek hem afzette op de open plek in het bos, blonk de maan tussen de bomen door. Een pluk wolken maakte plaats voor de sterren. Hun licht deed Ethan denken aan de sterretjes op Onafhankelijkheidsdag. Het was zo teer, zo fijn. Hij gaf Derek een hand en Derek reed weg, nadat hij Ethan de rest van de whisky had gegeven.

'Ik wil geen bekeuring,' zei hij.

Het leek zo prozaïsch. Dat ze praatten over het weer, de seizoenen, de alledaagse, triviale dingen van het leven. Wat vreemd dat de wereld gewoon doordraaide.

Ethan klom in zijn truck en startte. De motor sloeg niet meteen aan en hij wreef in zijn handen om warm te blijven voor hij weer probeerde te starten. Ditmaal kwam de truck brommend tot leven en Ethan bleef een paar minuten zitten met draaiende motor, wachtend tot het warm werd in de cabine. Hij zag nog de restanten van zijn kampvuur van de vorige avond, toen er nog hoop was geweest dat Nate levend gevonden zou worden.

Hij vroeg zich af hoe Glick hier was teruggekomen om zijn truck op te halen. Hij vroeg zich af hoe het met Cindy was. Hij dacht aan Nate, maar er was een soort verdoving over hem gekomen. Voordat hij wegreed, nam hij nog een flinke slok whisky.

Toen hij het dorp weer in reed en langs Angie's restaurant kwam, zag hij dat het er stampvol was. Er waren auto's en mensen die hij niet herkende, en nu bedacht hij dat het best mogelijk was dat zijn huis door de media werd belegerd. Hij keerde de auto bij het kruispunt en reed terug in de richting van Glicks huis. Het was over tienen, maar hij nam aan dat Glick nog wakker zou zijn. Hij herinnerde zich de tijd dat Glick en hij zowat de hele nacht opbleven, een paar uurtjes sliepen en dan voor zonsopgang opstonden om te gaan jagen. Ze konden de hele dag doorgaan zonder moe te worden, al herinnerde Ethan zich dat Glick hem er vaak op attent maakte dat hij vijftien jaar ouder was, en al wat versleten raakte.

Ethan reed de oprit in en parkeerde de auto. Glicks truck stond er niet en in het huis was het donker. Ethan pakte de whisky en liep over het besneeuwde pad naar de voordeur. Hij klopte, en duwde toen de deur open.

'Glick,' zei hij. 'Ben je thuis?'

Beide katten kwamen miauwend naar de deur rennen. De hond was nergens te zien.

'Glick?'

Hij werd begroet door stilte en het aanhoudend miauwen van de katten. Ze gaven kopjes tegen zijn enkels. Ethan liep naar binnen en deed de lamp naast de bank aan. Het rook muf in het huis, maar het was leeg en schoon. Het maakte een verlaten indruk, alsof Glick maanden geleden uit het dorp was vertrokken.

Hij ging naar de keuken. De katten volgden hem.

'Glick?' zei hij, hoewel hij wist dat Glick niet thuis was.

In de gootsteen stonden een paar schalen. Het fornuis was vettig. Ethan opende de koelkast. Wat kaas, wat vleeswaren, kattenvoer, een paar biertjes en een pot zuur. Er was mosterd en spuitslagroom, een doos crackers en iets in diepvriesfolie – waarschijnlijk een stuk wildbraad dat Glick uit de vrieskist had gehaald om het later op te eten.

Hij pakte wat kattenvoer en nam twee kommen uit de kast. Hij gaf de katten eten, liep naar de woonkamer en ging zitten. De tv stond voor hem maar Ethan wist dat Glick de kabel nooit had aangesloten zodat er alleen naar een lokale zender kon worden gekeken, en zelfs die kwam wazig door. Hij vond zijn sigaretten in zijn jack en stak er een op. Hij pakte de fles whisky. Er zat niet veel meer in.

Hij ging languit op de bank liggen. Hij herinnerde zich dat Glick in het dorp was gekomen, een paar maanden nadat zijn vader en hij hier waren gearriveerd. Ze hadden elkaar bij de ijzerhandel ontmoet, jaren voordat Ethan die had overgenomen. Glick kocht er een aantal scharnieren.

Ethan wist dat Glick het oude huis aan het eind van Cage Road had betrokken. Het had jaren leeg gestaan, het was in de wijde omtrek het enige huis en Glick had het voor een habbekrats gekocht omdat het zo afgelegen was en in verval was geraakt. Glick had Ethan verteld dat hij iets over Angels Crest had gelezen in een kampeertijdschrift. Het verhaal over de naam van het dorp was hem bijgebleven. Dat de overvliegende engelen er waren gebleven om die baby's te beschermen. Dat was een aardig verhaal, zei Glick. Het dateerde uit een andere tijd. Toen de mensen hun onschuld nog konden behouden, ondanks hun omstandigheden.

Hij herinnerde zich dat Glick zei dat Angels Crest in het artikel een stervend dorp werd genoemd, met een tragisch verleden en zonder een noemenswaardige toekomst. Maar er stond één zin in die Glick naar zijn zeggen had overgehaald om erheen te verhuizen. Angels Crest, schreef de auteur, had genoeg schoonheid te bieden om er vergeving te vinden. Hij had Ethan recht aangekeken en gezegd: 'Dat spreekt me aan.'

Alles was nieuw voor hen, de bergen, dingen zoals het jagen op herten en de weg vinden uit het bos, en met z'n tweeën hadden ze het allemaal geleerd. Toen Glick Ethan had verteld van de gevangenis, het feit dat hij onschuldig veroordeeld was, zijn woede, zei Ethan dat hij het voor zich zou houden. Maar dat had hij niet gedaan en nadat hij het aan Cindy had verteld, had zij het doorgekletst aan het hele dorp. Glick had zijn schouders opgehaald. Hij had gezegd: 'Dat geeft niks, man,' Ethan herinnerde zich dat hij had gedacht dat Glick iemand was wiens verleden hem ongevoelig had gemaakt voor gewoon verraad.

Ethan drukte de sigaret uit en dronk de laatste whisky op. Hij nam zich voor te gaan liggen tot Glick thuiskwam. Het was koud in het huis en hij vond een dikke deken in de gangkast. Hij ging op de bank liggen en trok de deken over zich heen; hij snoof gretig de lucht op van stof en wol, geuren die hij had leren kennen sinds hij in de bergen woonde. Geuren die hem moed en troost gaven. De katten hadden hun eten op en renden door de woonkamer, baldadig met hun volle maag. Ze gingen Glicks slaapkamer in en Ethan hoorde verder niets meer van hen.

Hij deed zijn ogen dicht. Hij zag Nate door het bos rennen, bijna alsof hij daar zelf had gerend. Hij kon het verdriet en de wanhoop voelen. Voor de tweede keer die dag dacht hij aan zijn geweer, in de truck. Hij had zijn leven lang nog nooit aan zelfmoord gedacht. Hij had een keer tegen Cindy gezegd, nadat ze een zware black-out had gekregen van de drank en pas een dag later was bijgekomen, dat ze bezig was langzaam zelfmoord te plegen. Hij had gezegd dat dit de uitweg van een lafaard was.

Hij dacht erover na hoe het drankgebruik van Cindy zich had ontwikkeld tot een verslaving. Hij had haar altijd het mooiste schepsel ter wereld gevonden, met haar groene ogen en haar blanke, tere huid. Ze was zo breekbaar, zo afhankelijk van hem. En dat beviel hem goed. Hij voelde zich op een vreemde manier tot haar aangetrokken. Haar lichaam en haar stem en de manier waarop ze naar hem luisterde, waarop ze hem aanraakte, het leek de zang van een sirene. Hij kon geen weerstand bieden aan haar.

Zelfs toen haar drankgebruik uit de hand begon te lopen, was hij nog steeds in haar ban. Maar tegen de tijd dat Nate geboren werd, was hij ook op zoek naar een uitweg. Het drankgebruik was één reden. Maar er was nog iets anders. Iets wat hij nauwelijks een naam kon geven, behalve dat het een verlangen was om alleen te zijn, om, vreemd genoeg, net zo te leven als hij met zijn vader had geleefd. Hij verlangde naar rust. Naar weinig complicaties. Hij hunkerde naar een gelijkheid, een gewoon leven dat hij niet had met Cindy en met de onvoorspelbaarheid die met haar drankgebruik samenhing.

Hij dacht aan hoe hij Cindy had gevraagd hem bij te staan toen ze in het mortuarium waren. De wanhoop die hij had gevoeld. Het deed hem denken aan iets wat gebeurd was toen Nate ongeveer zes maanden oud was. Toen hij die morgen wakker werd, was het bed leeg. Hij kreeg er een onrustig gevoel door. Hij had zijn broek aangetrokken en was naar de keuken gegaan. Daar zat Cindy uit het raam te staren. Buiten regende het. Herfst. Hij herinnerde zich de goudgele bladeren die op de grond vielen. De baby lag slapend in haar armen, en dat was ongewoon omdat Nate niet vaak rustig werd als zij hem aanraakte. Ze ging te ruw, te ongeduldig met hem om, en hoewel Nate naar zijn moeder leek te verlangen, scheen hij zelden rust of bevrediging bij haar te vinden.

'Hij slaapt,' fluisterde ze.

Op dat moment dacht Ethan dat Cindy er mooier uitzag dan hij haar ooit had gezien. Haar borsten waren gezwollen door de melk, en hij kon de vorm ervan zien in de opening van haar nachthemd. Er kwam een hoopvol gevoel in hem op. Maar toen zag hij de fles wodka, verstopt onder wat kleren op de stoel naast haar. Hij vermoedde dat ze had gedronken terwijl ze de baby de borst gaf. Hij vermoedde dat dat misschien de reden was dat Nate sliep. Dat hij dronken was.

'Heb je gedronken?'

Ze schudde haar hoofd. Hij zag haar ogen heel even opzij gaan naar de fles onder de kleren op de stoel naast haar. Hij zag dat ze wist dat hij de fles had gezien. De baby bewoog en ze schrokken er allebei van. Het ogenblik leek broos en gevaarlijk.

'Heb je hem gevoed nadat je had gedronken, Cindy?'

'Nee,' zei ze. 'Dat zou ik nooit doen.'

Ethan voelde de woede in zich opborrelen. Hij voelde een verlangen om haar verrot te schelden, haar de baby af te nemen en haar zonder meer het huis uit te zetten. Hij vond het vreselijk dat ze loog. Hij vond het vreselijk dat hij haar niet kon vertrouwen. Maar ze was ook wel erg mooi. Ze was zijn tropische bloem, zijn kasplant, maar hij zou met de beste wil van de wereld niet weten hoe hij haar moest redden.

'Geef de baby aan mij,' zei hij.

'Nee,' zei ze.

'Cindy, geef hem hier.'

'Jij moet ook altijd de goede ouder zijn, Ethan. Jij moet altijd degene zijn die het goed doet. Je bent zo volmaakt, Ethan, dat er voor mij geen ruimte is om ook goed te zijn.'

'Geef de baby aan mij, Cindy.'

'Volgens mij ben je veel te goed. Dat kan je nog weleens lelijk opbreken. Dan zul je wensen dat je beter voor me gezorgd had.'

Ze was niet boos. Ze leek eerder bedroefd. Ze zei: 'Je hebt mij gekozen, Ethan. En nu bevalt je keus je niet meer en probeer je dus van me af te komen.'

Ze gaf hem de baby aan. Ze stond op. Ze pakte openlijk de fles onder de kleren vandaan. Hij hield Nate vast en voelde opluchting. Hij wilde wel dat hij het goede dat van zijn vrouw over was kon behouden, dat hij van haar kon houden zoals hij vroeger van haar had gehouden. Hij wilde ook dat ze er zo'n puinhoop van zou maken dat hij uiteindelijk geen andere keus had dan weggaan.

Ethan keek omhoog naar het plafond van Glicks oude huis, maar moest algauw zijn ogen dichtdoen. Hij was doodmoe. Vlak voor hij insliep, herinnerde hij zich iets wat Glick tegen hem had gezegd toen ze een paar biertjes hadden gedronken op een avond voor het jachtseizoen begon. De mensen die schuldig waren, had Glick gezegd, hadden er nooit moeite mee in slaap te komen wanneer ze eenmaal gepakt waren.

Rocksan

Toen Jane thuiskwam met het nieuws van Nates dood was Rocksan verbaasd, verontwaardigd. Hoe kon zoiets gebeurd zijn? Hoewel ze zich in het dorp over het algemeen overal buiten had gehouden, was Nate toch maar een klein jongetje. Zijn dood had geen zin, geen reden. Welke hogere macht, vroeg ze zich af, zou baat hebben bij de dood van een klein jongetje? Ze realiseerde zich dat ze alleen wanneer iets onverklaarbaar leek, over het schimmige concept van God begon na te denken. Ze was blij dat ze nooit veel in een geloof had geïnvesteerd. Ze hoefde geen uitvluchten te zoeken om het onuitsprekelijke te haten.

'Hoe is Ethan eronder? Heb je met hem gesproken?'

Jane schudde haar hoofd. 'Hij zei dat er geen woorden meer waren. Of iets dergelijks. Hij zag er verwilderd uit. Hij kwam uit het bos met zijn zoontje in zijn armen.'

'O, god. Wat vreselijk.'

'Ik moest overgeven.'

'Jezus, echt waar?'

Jane knikte. Rocksan durfde zich niet te ver in het moeras te wagen dat het verleden bevatte, dus ze hield zich voorlopig bij Nate en Ethan, worstelde zich er langzaam doorheen.

'En Cindy? Weet iemand waar ze is?'

Weer schudde Jane haar hoofd. 'Waarschijnlijk dronken,' zei ze. 'Met Trevor, denk ik.'

Rocksan herinnerde zich dat ze op een warme zomermiddag had gezien dat Cindy een fles whisky stal bij de drankhandel. Hun blikken hadden elkaar gekruist en er was een ogenblik van verstandhouding. Nee, Rocksan zou niets zeggen. Ze was de winkel uit gelopen zonder de frisdrank die ze er had willen kopen, want ze schaamde zich voor Cindy die nog zo jong was. Nu vond Rocksan het vreselijk dat ze met haar had samengespannen, dat ze had bijgedragen aan haar dronkenschap, aan haar onwettige daad. Ze voelde zich even bezoedeld.

'Het arme kind.'

'Ik ga een stoofpotje voor haar maken,' zei Jane.

Jane en Rocksan keken elkaar een tijd lang aan. De ruzie van de vorige dag was nog blijven hangen, en de zorgen die erdoor werden veroorzaakt waren er nog.

'Ik was van plan om de kasten klaar te maken voor de winter; dan kom ik terug om je te helpen alles in orde te maken voor als George komt.'

'Goed hoor,' zei Jane. Rocksan zag dat ze haar ogen neersloeg.

'Als die jongen van je mij een dikke pot noemt, zal ik hem moeten vermoorden en begraven in de tuin.'

'Rocksan.'

'Grapje, Bonenstaak. Kop op. Het zal alleen maar erger worden, dus we kunnen er nu net zo goed om lachen.'

'Wat optimistisch.'

'Je hoeft heus niet te denken dat die jongen met open armen op je af komt hollen en "mamma" roept. Ten eerste heb je hem gedumpt en ben je naar San Francisco gegaan om met lekkere wijven te vrijen. En ten tweede woon je nu met mij samen en ik ben niet altijd aangenaam. We zijn lesbiennes, Jane. Hij komt uit Ohio.'

'Er zijn ook lesbiennes in Ohio. Je weet best dat ik met een paar ervan naar bed ben geweest.'

'Ja, maar hij is opgegroeid bij hoe heet-ie ook weer. Ik weet zeker dat hij heel wat heeft gehoord over ons, hoererende viezeriken.'

Jane knikte. 'Dat weet ik ook wel,' zei ze. 'Ik verwacht geen wonderen. Maar je moet bedenken dat hij degene is die me heeft gebeld.'

'Een wanhoopsdaad, Jane. Volgens mij kan hij nergens anders naartoe. Heb je trouwens enig idee in wat voor moeilijkheden hij zit?'

Ze schudde haar hoofd. Dit irriteerde Rocksan eindeloos. Jane loste dingen op door er niet aan te denken. Ze behoorde tot de mensen die gewoon maar schenen te hopen dat alles vanzelf over zou gaan.

'Nou, als het over drugs gaat, kan hij weer vertrekken.'

Jane knikte.

'Oké, dan ga ik met de kasten aan de gang,' zei Rocksan. En om de bitterheid weg te nemen, kuste ze Jane op de lippen. Ze ging via de achterdeur naar buiten, nadat ze haar muts had opgezet en haar handschoenen had aangetrokken. Het was een stralende dag geworden. Helder, zonnig, maar bitter koud. Rocksan hield van de winter met zijn korte, sobere dagen, de stille belofte van lente die bij elke sneeuwbui werd gedaan. Ze vond het lekker om zich warm in te pakken tegen de kou, ze hield van de geur van rook in de lucht, de nachtelijke winterhemel met zijn harde licht en fonkelende sterren.

In de winter was het stil in de kasten, er bewoog niets. Veel bijen zouden doodgaan. Elk jaar verzamelde Rocksan enkele dode bijen en stuurde ze weg naar het laboratorium voor onderzoek naar nosema en mijt. Ze herstelde de kasten die door een storm beschadigd waren. Ze vond rust in het bouwen van nieuwe kasten, genoot van de vruchten van haar eenzame arbeid.

Ze was een aantal uren bezig de kasten te bedekken met asfaltpapier, een van de laatste van de werkjes voor de winter. Op een gegeven moment zat ze uit te rusten, en keek uit naar het berglandschap dat achter de bomen oprees. Opeens zag ze een hert met een schitterend gewei kalm grazen bij de rand van haar terrein. Het leek nauwelijks mogelijk dat er een jongetje dood was.

Jane had stoofpotjes gemaakt en was naar het dorp gegaan om ze naar Cindy en Ethan te brengen. Terwijl ze weg was, ging Rocksan naar de schuur. Ze vond het dekbed en een stel druk versierde lakens die een van haar homovrienden uit haar tijd in de stad hun had gegeven toen ze weggingen. Ze vond ook de ladekast en de schommelstoel, naast elkaar onder twee oude dekens. Ze haalde de dekens eraf en zag op de ladekast een doos met het etiket *Rocksan; persoonlijk.*

Ze had geen idee wat er in de doos zat. Had hem waarschijnlijk in geen twintig jaar opengemaakt. Ze wist dat het raar was dat ze hem nog altijd met zich meenam, dat ze hem overal mee naartoe had genomen, maar hem om de een of andere reden nooit had opengemaakt.

Ze ging op de schommelstoel zitten en luisterde naar de wind die buiten door de pijnbomen woei. De geur van de aarde was schoon. En het was zo koud dat het bijna pijn deed om te ademen. Het geritsel van kleine dieren, eekhoorns en muizen, luisterde de stilte van de schuur op.

Ze stak haar hand uit en pakte de doos. Hij was maar iets groter dan een schoenendoos en zo stevig met plakband dichtgeplakt dat ze hem niet open kon krijgen. Ze zocht in de gereedschapskist onder de werkbank een oud Zwitsers zakmes. Met het botte lemmet van het mes ritste ze door het plakband.

Onmiddellijk kwam er een wolk wierookgeur uit de doos. Het was een aangename, rijpe geur die aan dennen deed denken. Een klein plastic doosje was gevuld met kegeltjes wierook. Ze nam ze uit de doos en zette ze op de ladekast. Er was een klein plakboek dat ze zich uit haar jeugd herinnerde. Toen ze het opende, vielen er wat gedroogde bloemen uit, die naar de vloer zweefden. Op een bladzijde van het plakboek waren de melktandjes van haar hond met plakband bevestigd, en daarnaast een lok van zijn vacht. Er was een foto van de hond, Shambala, en op de volgende bladzijde, een foto van het graf van de hond. Ze herinnerde zich dat het zo'n traumatische ervaring was geweest toen Shambala van ouderdom was gestorven, dat ze zich had voorgenomen nooit meer een huisdier te nemen. En ook geen vriend. En geen vriendin, gedurende lange tijd. Ze kon er niet tegen afscheid te moeten nemen. Niet alleen van die hond. Van alles.

Er waren nog meer foto's. Van Angie en haar als kinderen. Rocksan keek aandachtig naar de foto's van haarzelf als baby. Hardop zei ze in de stille schuur: Ik was schattig.

Ze had toen sproeten op haar gezicht, en rood haar. Hoe was ze zo sproetloos en donker geworden? Ze bekeek de foto's van haar vader voor hij van hen was weggegaan. Ze was sprekend op hem gaan lijken. Ze vroeg zich af of ze ook zijn karakter had. Dat zou ze nooit weten. Hij was weggegaan toen zij pas zes was en Angie vier. Ze hield de doos een ogenblik op haar schoot en dacht peinzend aan de lange tijd die was voorbijgegaan. Hoe waren vijfendertig jaren zomaar verdwenen?

Er was een foto van het eerste meisje op wie ze verliefd was geworden. Pauline Rheaconty. Het was op de middelbare school en Rocksan wist inmiddels dat ze lesbisch was, ze had altijd geweten dat ze anders was. Ze wist dat ze een jongen had moeten zijn. Vroeger dacht ze altijd dat ze een interessanter iemand zou zijn als ze maar een jongen was geweest. Wat had ze aan haar borsten, die al in de eerste klas waren uitgegroeid tot een D-cup? Wat had de menstruatie voor nut, of zelfs, als ze erover nadacht, haar vagina? Ze had bewondering gekregen voor de kracht die ervan uitging, het genot dat ze eruit putte, maar ze wist dat ze nooit kinderen zou willen, nooit kinderen zou krijgen. Ze dacht altijd dat haar grote lichaam – zo fors en onhandig in vergelijking met dat van haar zus – beter geschikt zou zijn als jongenslichaam.

Pauline was niet lesbisch en er vond een pijnlijke scène plaats in de kelder van Paulines huis. Een ongewenste kus, tranen die ontaardden in afkeer en walging. Rocksan had in haar fantasie het einde van hun vriendschap al zien aankomen voor ze Pauline kuste. De versmade liefde, de weerzin; ze had al geweten dat het eraan kwam nog voor de gedachte aan een kus in haar hoofd was opgekomen. Haar liefdesleven en de dramatische ontwikkelingen daarin waren op een afschuwelijke manier begonnen. Maar was dat niet altijd het geval in de liefde?

Rocksan deed de doos dicht, maar eerst haalde ze er nog een foto van Angie en haarzelf uit. Ze waren heel jong. Hun vader zat geknield achter hen. Hij was buitengewoon knap met zijn donkere, Italiaanse haar en zijn fraai gespierde lichaam. Zijn ogen waren zwart en romantisch. Hij had een arm om elk van zijn dochters, maar hij leek boos te zijn, zich niet op zijn gemak te voelen. Rocksan lachte op de foto, straalde van plezier. Angie keek recht voor zich, uitdrukkingsloos. Rocksan kon zich niet herinneren waar de foto was genomen, maar ze herinnerde zich wel dat haar moeder het fototoestel voor haar ogen hield en zei: 'Rob, kun je niet even doen alsof je van ons houdt?'

Rocksan vroeg zich af wat er van hem was geworden in de jaren voor zijn dood.

De dag was snel weg. De hemel werd donker, de wereld bewegingloos. Rocksan schonk voor zichzelf een glas whisky in, wat ze zelden deed. Jane nam wijn. Samen zaten ze voor het haardvuur en wachtten. Op een zeker moment stond Jane op om het licht op de veranda aan te doen. George had al uren geleden moeten aankomen.

'Misschien ligt het in zijn aard om te laat te komen,' zei Jane. 'Zijn vader was altijd te laat.'

'Hij komt heus nog wel.'

'Toen ik vandaag naar Ethans huis ging om hem het stoofpotje te brengen, was het afgesloten. Er was niemand in huis. Er liepen wel een paar mediamensen rond te neuzen. Ik ben weggegaan voor ze bij me konden komen.'

'Heb je Cindy nog opgezocht?'

Jane knikte. 'Ja. Ik heb haar de beide potjes gegeven. Ze was zowat in coma. Ze bedankte me. Ze zei dat het grappig was wie er langskwam en wie niet. Ze zei dat ze nooit gedacht zou hebben dat ik langs zou komen.'

'Nou, dat klopt dan. Wij doen toch alles raar?'

'Jij bent er altijd maar van overtuigd dat iedereen ons haat omdat we lesbisch zijn.'

'En niet vanwege onze persoonlijkheid of zo?'

Jane begon te lachen. Ze schonk nog een glas wijn in. Rocksan hield van Janes kaaklijn, de scherpe jukbeenderen, het feit dat ze nooit over haar uiterlijk zeurde en toch zo mooi was. Ze leek ongerust en toch rustig.

'Hij komt heus wel,' zei Rocksan. Maar zij was ook zenuwachtig. Ze was uit San Francisco weggegaan om aan dit soort toestanden te ontkomen, deze drama's. Ze haatte drama's nu net zo erg als ze er vroeger van genoot.

Jane nam een slok van haar wijn. 'Ik dacht eigenlijk aan Cindy. Ze had daar iets op de werkplank in de keuken liggen. Een papieren bordje met stukjes macaroni op de rand geplakt. Ze pakte het en liet het me zien. Ze hield het vast alsof het een kostbaarheid was. Nate had het gemaakt. Ze zei almaar: "Ik had hem beloofd dat ik het op zou hangen."'

Op dit moment hoorden ze het geluid van een auto. Het werd luider naarmate het dichterbij kwam, en stopte toen. Jane stak haar hand uit over de tafel en pakte die van Rocksan. Haar aanraking leek geladen. In Rocksans ogen was ze net zo mooi als altijd. Mooier nog. Haar gezicht was vol van vreugde en angst. Rocksan voelde haar eigen hart kloppen. Ze dacht dat ze ook Janes hartslag kon voelen, die door haar arm pompte, in haar hand.

Ze stonden allebei op.

'Blijf nou niet zo stom staan,' zei Rocksan.

Jane liep langzaam naar de deur. Rocksan volgde haar. Ze hoorde stemmen. Jane en zij wisselden een blik.

'Met wie praat hij daar?' zei ze.

Rocksan haalde haar schouders op. 'Doe de deur open.'

Jane opende de deur. Rocksan voelde dat ze haar adem inhield. Ze keek over Janes schouder. Op de veranda stond een lange jongeman met lang haar, die sprekend op Jane leek. Hij hield de hand vast van een heel mooi, heel tenger en heel zwanger meisje.

Jane

Ze wachtten op George terwijl de maan opkwam. Weer zag Jane tijdens de lange stiltes die tussen hen vielen het beeld van Ethan die uit het bos kwam aanlopen met het dode jongetje in zijn armen, en dit herinnerde haar aan alles waar ze bang voor was.

Ze herinnerde zich de angst die ze had gehad dat iedereen die ze vroeger in Ohio kende aan haar zou merken dat ze lesbisch was. Ze werd gekozen als het knapste meisje in haar eindexamenklas. Ze was cheerleader geweest. Ze had alles gedaan wat ze moest doen om het te verbergen.

Ze had haar echtgenoot haar hele leven gekend. Hij was van goede komaf. Een *football*-ster op de middelbare school. Een bierdrinker. Een man die van discipline hield, van Jezus en van een goede reputatie. Hij was de volmaakte vermomming. Ze was met hem getrouwd. Maar in de nacht, wanneer hij sliep, masturbeerde ze in stilte en dacht daarbij aan de aanraking van een vrouwenhand.

Haar echtgenoot was erg streng, erg hard geweest. Hij had haar zelfs een keer betrapt toen ze in haar eentje klaarkwam, en gezegd: 'Weet je niet dat dat een zonde is?' Maar het had hem wel opgewonden. Hij had haar meteen gencukt, ter plekke. Zelfs nu verbaasde het haar nog niet dat ze met hem was getrouwd. Ze was altijd op zoek geweest naar een uitweg. Vrouwen die beter in hun vel zaten, die zelfvertrouwen en moed hadden, zouden geen klootzak zoeken om hen te redden. Maar Jane begreep zelfs nog terwijl het aan de gang was dat ze Pete had gekozen omdat ze wist dat het niet duurzaam kon zijn, dat hij met zijn supermannelijke persoonlijkheid op den duur de lesbienne in haar naar boven zou halen.

Ze dacht aan al de keren dat ze met een of ander smoesje was weggegaan, en de vrouwencafés in Cincinnati had bezocht. Het werd bijna een verslaving. Ze dronk er iets en dan was er altijd wel een ander eenzaam, wanhopig huisvrouwtype dat ook op zoek was. Daar had ze dan seks mee, vol schuldgevoel, en met zo veel opgekropt genot dat ze bij haar orgasmes bijna flauwviel. Ze herinnerde zich dat het de eerste keer moeilijk was geweest, maar dat het daarna elke keer heel gemakkelijk ging.

Maar toen had Pete het in de gaten gekregen. Hij had waarschijnlijk aan haar geroken dat ze seks had gehad. Hij had het waarschijnlijk aan haar gezicht gezien, de voorpret, het schuldgevoel. Hij moest, ook al was hij niet zo erg slim, geweten hebben dat ze niet was wat ze voorgaf te zijn.

Toen hij haar had betrapt en haar dat ultimatum had gesteld, had hij haar ook meteen zwanger gemaakt. Hij had een plan. Hij waarschuwde haar dat als hij haar ooit weer betrapte, hij het aan de grote klok zou hangen. Hij sleepte haar mee naar de kerk en dwong haar te bidden. Zelf bad hij vurig naast haar. In de kerk fluisterde hij in haar oor: 'Je hebt wellust in je.' Of hij zei: 'Je moet God vragen die wellust weg te nemen.' En ze had altijd de indruk dat hij daar op de een of andere manier seksueel opgewonden van werd. Hij werd er geil van.

Jane moest hier niet meer aan denken. Ze kreeg er buikpijn van. Ze keek op de klok. Het werd al erg laat. Ze was bang dat George verdwaald was, of erger nog, dat hij van gedachten was veranderd en niet zou komen.

Rocksan keek haar aan. 'Hij komt heus wel,' zei ze.

Eerder die dag was Jane over de slingerende weg de heuvels uit gereden en door het dorp gereden. Ze was verbijsterd over de stormloop van de media. Het deed haar denken aan een poging te veel idioten in een telefooncel te proppen. Dit dorp, met zijn onverharde wegen, vervallen hoofdstraat en zijn in zichzelf gekeerde bevolking kon deze stormloop niet aan. Ze herkende niemand op straat. Veel winkels waren niet eens open, ook Ethans ijzerwinkel niet. Maar bij Angie's was het stampvol. Terwijl ze langsreed zag ze mensen in de rij staan wachten tot er een tafel vrijkwam, iets wat Jane nooit eerder had gezien.

Toch liet ze zich niet van haar voornemen afbrengen. Ze had geleerd hoe je met rouwende mensen omging toen ze zelf rouwde. Nadat haar vader was gestorven, en een paar maanden later ook haar moeder, was ze overstelpt met bloemen. Overal stonden bloemen. Ze waren mooi, maar ze hielpen niet. Waar ze behoefte aan had, was iemand die voor haar zorgde. Die haar te eten gaf. Sinds die tijd kwam ze nooit bij rouwende nabestaanden over de vloer zonder een stoofpot mee te nemen. Ook bracht ze altijd een stoofpot en een fles wijn mee wanneer er iets te vieren was, zoals de geboorte van een kind.

Ze reed het dorp door en sloeg linksaf de weg in die haar bij Ethans huis zou brengen. Die begon als een door de staat onderhouden, verharde weg, maar naarmate hij zich verder het bos in slingerde, werd het een grindweg en zelfs de provincie had geen geld, of geen zin om hem te onderhouden. Midden in de winter kon je er alleen komen als je vierwielaandrijving had. Ethan skiede vaak naar de hoofdweg en liftte dan verder naar het dorp; zijn ski's liet hij tegen een boom staan. Hij had haar een keer verteld dat hij dit al jaren deed en dat zijn ski's nog nooit gestolen waren. Ze herinnerde zich dat hij nog vorige week had gezegd dat hij wilde dat die weg verhard werd, nu hij Nate had, voor het geval dat er iets gebeurde en hij daar snel weg moest.

De weg was moeilijk begaanbaar. De sneeuwploeg was opgehouden waar het verharde gedeelte ophield. Ze reed voorzichtig, maar was er nog niet van overtuigd dat ze moest overschakelen op vierwielaandrijving. Ze zag dat er langs de weg een paar auto's stonden, alsof ze daar waren achtergelaten. Stadslui die niet verder hadden gekund. Ze schakelde over op vierwielaandrijving.

Toen ze bij Ethans huis aankwam, zag ze de slagorde van de media. Haar instinct zei haar om te keren en dezelfde weg terug te rijden. Ze keken allemaal naar haar terwijl ze naar het huis reed. Ze dacht aan een meute verwilderde honden die ze een keer in de stad had gezien, die met zijn allen een zwakke kat belaagden.

Ze parkeerde haar auto en liep naar het huis toe. Een paar verslaggevers vroegen haar wie ze was, maar ze deed alsof ze hen niet hoorde. Ze liep naar de veranda en werd overvallen door de herinnering aan Nate, op wie ze vaak had gepast wanneer zijn vader 's avonds moest werken of een enkele keer uitging.

'Ethan?' riep ze. Ze probeerde de deurknop. Iemand achter haar zei: 'Hij is afgesloten, dame.' Ze draaide zich om en tegenover haar stond een gezette man in spijkerbroek en een lichtgewicht parka. Hij rookte een sigaret.

'Hebt u het zelf geprobeerd?' vroeg ze.

'Ja.'

'Klootzak,' zei ze binnensmonds. Toen riep ze nog eens Ethans naam, maar ze wist dat hij er niet was. Ze overwoog de stoofpot achter te laten, maar dacht dat de mensen die daar op hem wachtten zich ervan meester zouden maken. Vóór Rocksan en zij naar de bergen waren verhuisd, had ze zich niet gerealiseerd hoe beroerd stedelingen zich vaak gedroegen. Ze had zichzelf eerst ook tot die groep gerekend, maar nu hoopte ze dat ze veranderd was.

Toen ze terugliep naar haar auto, kwam een jonge, knappe vrouw met een pen achter haar oor op haar toe lopen.

'Bent u zijn vriendin?' vroeg ze.

'Niet bepaald,' zei ze. Onder andere omstandigheden was het grappig geweest. Maar de media maakten haar bang. De situatie deed haar denken aan haar eigen geheimen. Ook zag ze duidelijker hoe afhankelijk ze was geworden van de privacy die Angels Crest haar bood. Door het feit dat het isolement en de rust van het dorp zo verstoord konden worden, zag ze in dat er eigenlijk geen grenzen, geen begrenzingen bestonden. Ze voelde zich kwetsbaar en onbeschermd terwijl ze terugreed naar de hoofdweg. Voor het eerst maakte ze zich echt ongerust over Ethan.

Een kwartier later was ze bij Cindy's flat. Daar stond maar één busje van de televisie – Jane zag dat het een nationale zender was – op het parkeerterrein van het flatgebouw, en een tweede auto stond met draaiende motor in de stille straat; er zaten een man en een vrouw in die uit piepschuim bekertjes dronken. Ze keken naar haar. Ze liep snel door en vermeed oogcontact met hen.

Toen ze bij het gebouw was, liep Jane de twee trappen op naar Cindy's flat. Ze had altijd een hekel gehad aan dit gebouw met zijn bruine verf, zijn goedkope gepleisterde muren, zijn stomme naam: *Skyview Manors*. Dat deed eerder denken aan een bejaardentehuis. Ze klopte zacht op de deur. Trevor deed open.

'Hallo, Jane,' zei hij.

'Je ziet eruit alsof je iemand een klap wilt verkopen.'

'Dat is ook zo. Ik dacht dat het weer zo'n vervloekte journalist was.'

Jane knikte en Trevor deed de deur verder voor haar open. Ze liep langs hem de slordige flat in. Cindy lag op de bank met haar linkerarm over haar ogen. In haar rechterhand had ze een leeg glas dat op haar buik rustte. Er stond een geopende fles whisky op de salontafel en de asbak lag vol sigarettenpeuken. De kachel blies hete lucht in de toch al benauwde kamer. Toen Cindy zag dat het Jane was, ging ze rechtop zitten.

'Jane?'

'Ik heb twee bakjes met stoofvlees voor je meegebracht,' zei Jane. Ze besloot maar niet te zeggen dat ze er een bij Ethan had willen achterlaten, maar dat niet had gedaan. Ze besloot dat het beter was zijn naam helemaal niet te noemen.

Cindy maakte een gebaar naar een versleten leunstoel. 'Ga zitten.'

Jane ging zitten. De kamer met zijn bijeengeraapte meubels en rotzooi ademde een sfeer van rouw.

'Die journalisten, dat is me wat,' zei Jane. Ze voelde zich dom omdat ze de twee plastic bakjes met gestoofd vlees nog steeds in haar handen hield. Alsof hij haar gedachten had gelezen, kwam Trevor naar haar toe en nam ze van haar over. Ze hoorde dat hij ze in de ijskast zette. Hij riep: 'Wil je bier of zo?'

'Graag,' zei Jane.

'Bedankt dat je gekomen bent,' zei Cindy. Ze boog zich naar voren en pakte een sigaret. Ze schonk haar glas vol. Ze was waarschijnlijk vroeger heel mooi geweest, maar ze leek erg oud, erg versleten, ook al was ze pas vijfentwintig. De drank, het slechte huwelijk, en nu dit. Het eiste zijn tol in haar gezicht. 'Ik zou nooit gedacht hebben dat jij langs zou komen. Maar ja, er zijn ook mensen van wie ik absoluut zeker wist dat ze zouden komen, en die zijn niet gekomen,' zei ze.

'Het is raar maar waar,' zei Trevor vanuit de keuken. 'Ik zeg altijd: als er iemand doodgaat, merk je pas wie je vrienden zijn.'

Cindy glimlachte flauwtjes. Jane herinnerde zich de keer dat Rocksan had gezien dat Cindy een fles whisky stal. Ze herinnerde zich hoe ellendig Rocksan zich had gevoeld. Het ging niet zozeer om de morele kant ervan, had Rocksan gezegd. Ze had zich schuldig gevoeld omdat het, doordat ze niets zei, leek alsof ze er stilzwijgend mee instemde. Jane keek toe terwijl Cindy zich whisky inschonk en haar sigaret rookte. Haar handen trilden, ze hield ze voor haar gezicht en keek ernaar.

'Moet je dat zien. Volgens mij houdt dat beven nooit meer op.'

Trevor kwam de kamer binnen. 'Misschien moet je wat rustiger aan doen met de whisky,' zei hij.

'Wat je zegt,' zei Cindy.

Trevor keek naar Cindy. Toen liep hij de kamer uit. Cindy leunde naar achteren en dronk haar glas leeg. Daarna stond ze opeens op. Heel even was Jane er niet zeker van of Cindy kon blijven staan, maar ze vond haar evenwicht terug en liep naar de keuken. Ze pakte er iets en bracht het mee om aan Jane te laten zien.

'Dit heeft Nate voor me gemaakt. Hij heeft het voor me gemaakt en ik heb hem beloofd dat ik het op zou hangen,' zei Cindy.

Het was een papieren bordje, beplakt met stukjes macaroni. De rand was versierd met tekeningen in blauw potlood. Klodders gedroogde lijm puilden onder de macaronistukjes uit. Jane wist niet wat ze moest zeggen.

'Ik had hem beloofd dat ik het op zou hangen, maar dat heb ik niet gedaan,' zei ze. 'Ik zou het nu moeten doen.'

Jane keek naar Cindy. Haar ogen zaten bijna dicht, zo gezwollen waren haar oogleden. Haar gezicht was roze en vlekkerig. Ze boog zich naar voren. Ze zei: 'Ik ben de voogdij over mijn zoon kwijtgeraakt door mijn drankgebruik.'

Jane knikte.

'Ik weet toevallig dat jij weleens op mijn zoontje paste. Ik weet ook dat ik tegen Ethan heb gezegd dat hij dat niet aan jou mocht overlaten. Maar er is nog iets wat jullie geen van tweeën weten.'

Jane keek op. Ze slikte. Ze zei: 'Wat was dat dan?' Het was erg moeilijk om de woorden uit te spreken.

'Ik wist dat hij het toch deed, achter mijn rug om. Snap je? En ik heb er niets tegen gedaan. Je seksuele geaardheid, of hoe dat ook heet, maakt me niets meer uit. Op een keer kwam Nate thuis en zei dat jij op hem had gepast. En hij zei ook dat hij van jou langer op de schommel mocht dan van mij of van zijn vader. Als hij over jou praatte, straalde hij helemaal. Het kon me niet meer schelen met wie je hokte.'

'Ik...'

Cindy stak haar hand op. 'Ik weet dat jullie allemaal denken dat ik een smerige, dronken zuipschuit ben. Ik weet hoe Ethan me zwart maakte.'

'Ethan heeft nooit...'

'Maar ik zag hoe mijn zoontje begon te stralen wanneer hij over jou praatte. Ik wilde dat hij gelukkig was. Snap je?'

Jane zag hoe dronken Cindy was. Ze dacht niet dat Cindy hier iets van zou onthouden. Cindy pakte het papieren bordje met de erop geplakte stukjes macaroni. Ze had een brandende sigaret in haar hand.

'Ik heb tegen hem gezegd dat ik het meteen zou ophangen,' zei ze. 'Ik schijn er nooit aan toe te komen de dingen te doen die belangrijk zijn.'

Op dat moment werd er op de deur geklopt. Trevor liep erheen en deed open. Hij rookte een sigaret. Hij liet drie vrouwen binnen, van wie Jane wist dat ze bij de Calvariekerk waren. Ze ging niet echt om met mensen van de Calvariekerk, maar ze herkende de drie dames omdat ze elk jaar een huis-aan-huis collecte hielden. Ze klopten nooit bij Jane en Rocksan aan. Rocksan doneerde jaarlijks 100 dollar, en ze verzilverden de cheque elk jaar weer. Rocksan vond het elk jaar weer grappig.

Jane wendde zich naar Cindy. 'Ik vind het heel erg voor je,' zei ze. Haar emoties vormden een brok in haar keel.

Cindy keek haar even aan. In haar ogen welden tranen op. Ze sloeg haar armen om Jane heen. Ze zei: 'Ik zal niet vergeten hoe lief je bent geweest.'

Toen ze eindelijk de auto hoorden aankomen, keek Jane snel naar Rocksan en zag voor het eerst dat Rocksan ook nerveus was. Haar hart begon genadeloos te bonzen. Ze wilde het liefst verdwijnen. Ze was bang dat George er achter zou komen wie ze écht was. Niet de lesbienne – dat wist hij – maar haar geheime ik. De vrouw die van haar zoon was verdreven door haar angst en haar wellust en haar behoefte aan alles wat volgens haar beter voor haar zou zijn.

Ze liep naar de deur en deed hem open. Ze voelde dat Rocksan achter haar stond en over haar schouder keek. Ze voelde dat ze haar adem inhield.

'Jane?' zei haar zoon. Hij had lang bruin haar, groene ogen en een puntige kin. Jane had even het gevoel dat ze zichzelf zag. Het was niet te geloven. Het meisje nam haar bril af.

'Wauw, George. Je lijkt sprekend op haar.'

'Dit is Melody,' zei George.

'Hallo,' zei Melody. Ze hield Georges hand stevig vast en stak de andere naar voren.

Rocksan moest eraan te pas komen om hen op gang te helpen.

'Kom toch binnen, blijf niet in de kou staan. Jullie zijn vast dood moe. En jullie zullen wel honger hebben. Mijn god, je bent wel goed zwanger, zeg.'

Jane gaf Rocksan een mep op haar schouder.

'Au,' zei Rocksan. 'Waarom doe je dat?'

Jane gaf geen antwoord. Ze leunde tegen de muur om steun te zoeken. Waarom was ze er nog steeds niet achter dat niets ooit ging zoals je dacht dat het zou gaan?

Angie

Het bedienen van de klanten was vandaag bijna moordend geweest. Er waren zo veel mensen, zo veel vreemden – voornamelijk van de media – dat zelfs haar vaste klanten niet waren gekomen. Toen ze de zaak eindelijk had gesloten, zag ze dat het ook in het café stampvol was. Ze had wel gehoord dat dat bij journalisten hoorde. Dat ze zoveel dronken. Ze vroeg zich af waar iedereen zou overnachten. Er was niet eens een motel in dit dorp.

Nu was ze thuis en zat in het donker. Rosie sliep. Ze probeerde te bedenken hoe ze het extra geld dat ze verdiende, zou gebruiken om na de rouwdienst een wake te houden, of hoe het ook heette. Ze wist dat Ethan en Cindy geen geld hadden. Het was het minste wat ze kon doen.

Ze was uit haar humeur en ze had honger, maar ze kon niet eten. Ze schonk een glas wijn voor zichzelf in en ging haar slaapkamer binnen. Ze trok de onderste la van haar commode open en pakte het fotoalbum dat ze achterin had weggestopt. Ze keek het door, bekeek de foto's van haar dochter. Ze sprak de naam van haar dochter in gedachten telkens weer uit.

De laatste keer dat Angie haar dochter had gezien, was de dag dat Rachel Rosie bij haar bracht. Ze was lang genoeg weg geweest om te trouwen, het kind te krijgen en te scheiden. Een jaar. Iets minder. Ze was binnengekomen alsof het niets was, en had een twintig-dollarbiljet en een tas met luiers op het aanrecht achtergelaten. En dat hatelijke briefje: *Lieve mam, misschien doe je het bij haar beter dan bij mij.*

In de tussenliggende jaren waren er drie brieven van Rachel geko-

146

men: twee met het poststempel Portland, Oregon, een derde uit Laramie, Wyoming. Ze was hertrouwd, schreef dat ze een zoon had. Haar man bestuurde een vrachtwagen. De lading, schreef haar dochter, bestond uit kippen. Waren dat dode kippen, vroeg Angie zich af. Bevroren en verpakt? Of levende vogels? Legkippen?

Angie zette de televisie aan. Het nieuws schetterde uit de buis en weer ging het over Nates dood, alsof er op de wereld geen ander nieuws was. Er werden beelden vertoond van eerder op de dag, die hier waren opgenomen, in haar tuttige dorp. Glick werd in de auto van de sheriff geholpen. Hij zag er somber en bang uit. Angie voelde haar hart zwellen, daarna samentrekken. Er waren beelden van de mensenmenigte op de open plek in het bos, een opname van Ethan die zijn zoontje uit het bos droeg, iemand die later op de dag de sheriff interviewde. Angie zette het geluid zacht. Ze wilde niet dat Rosie er wakker van werd.

Ze zette de televisie uit en ging naar de keuken om nog een glas wijn in te schenken. Ze was te hongerig en te moe om te eten, en soms kreeg ze van wijn haar eetlust terug. Ze belde haar zus op.

'Wij zitten op Janes zoon te wachten,' zei Rocksan.

Angie voelde een steek van jaloezie. Wat zou het heerlijk zijn als ze op haar dochter zaten te wachten.

'Zij boft maar,' zei Angie.

'Boffen? Niks boffen. Dit is een storm in een glas water, let op mijn woorden, Ang.'

'Misschien niet.'

'Het is nogal deprimerend allemaal, hè? Kun jij geloven dat dat jongetje dood is?'

'Ik ga er mijn dochter door missen, Rocks. Ik wil dat ze thuiskomt. Op avonden als deze heb ik zo'n spijt. Ik voel me zo schuldig. Ik heb niet genoeg mijn best gedaan.'

Rocksan zei een hele tijd niets. Angie voelde zich ellendig tijdens deze stilte.

'Haar vader is doodgegaan, Angie. Daar kun jij niets aan doen.'

'Nee, dat zal wel niet,' zei Angie. Ze zei verder niets. Ze beriep zich niet op haar tweede huwelijk, hoe kort van duur en gewelddadig het was geweest. En Rocksan zei er ook niets over. Doordat zij erover zweeg, werd het Angie duidelijk hoezeer ze had gefaald. Hoe egocentrisch ze was geweest. Misschien was de neergang van haar dochter begonnen toen haar vader gestorven was. Maar Angie had haar verder naar beneden geduwd toen ze aan het lijden van haar dochter voorbij was gegaan en had gekozen voor haar wanhopige behoefte niet alleen te zijn. Waarom had ze toen niet gezien wat ze nu zo duidelijk zag, dat zij door opnieuw te trouwen Rachel in de steek had gelaten, zodat die de dood van haar vader in haar eentje had moeten verwerken? Geen wonder dat ze aan de drank, aan de drugs was gegaan. Geen wonder dat ze elders haar toevlucht zocht.

Nadat ze had opgehangen, ging ze naar de woonkamer en schopte haar schoenen uit. Ze leunde naar achteren op de bank en dronk in het donker van haar wijn, maar probeerde de beelden die haar fantasie creëerde over de laatste uren van Nates leven, op afstand te houden. Toen haar gedachten de kant opgingen van Rosie in een soortgelijke situatie, verzette Angie zich. Dit stond ze zichzelf niet toe. Wat had je ook aan loze gedachten?

Ze was moe, afgepeigerd, en ze begreep ergens wel dat ze depressief was. Hoeveel jaren had ze alleen in dit huis doorgebracht met haar nare herinneringen, zonder de vergeving van haar dochter, zonder de liefde van een man? Ze sloot haar ogen en voelde dat ze indommelde, om enkele ogenblikken later wakker te worden van het geluid van iemand die op de deur klopte. Ze stond op, trok de jaloezieën dicht en ging nog even naar Rosie kijken, voor ze naar de deur liep.

Toen ze zag dat het Glick was, voelde ze alles om zich heen tot rust komen, bedaren. Ze voelde al haar verdriet wegebben.

'Glick,' zei ze. Ze vond het bedenkelijk dat het voor haar geen verrassing leek. Maar het was geen verrassing. Ze besefte dat ze hierop had gewacht. Lang gewacht. Nu was het zover. De gedachte kwam bij haar op dat zijn komst iets van thuiskomen had. Ze opende de deur verder en liet hem binnen.

Ze had de hond niet opgemerkt tot Glick iets zei. Ze keek van hem naar zijn hond en voelde zich even gedwarsboomd. Ze besefte dat Glick natuurlijk zijn hond bij zich had. Hij nam dat beest overal mee naartoe. Ze begreep dat de hond voor Glick een vriend was. Ze kon hem niet buiten laten in de nacht, dus ze stelde voor hem op de veranda achter het huis te laten, en dat scheen Glick wel goed te vinden.

Toen ze thee voor hem maakte, zag ze dat hij bijna in tranen was, en ze wist dat het vanavond anders was, dat alles voortaan anders zou zijn tussen hen. Het was een gevoel dat ze diep in haar hart had weggestopt. Ze had alleen en geduldig gewacht maar had geweten – zonder dat ooit aan zichzelf toe te geven – dat deze avond zou komen, dat Glick zou komen.

Ze vroeg hem te gaan zitten, maar dat kon hij niet, en toen hij snikte, ging ze naar hem toe en sloeg haar armen om hem heen, en ze begonnen te kussen met zo veel tederheid dat het voor Angie even licht en levenbrengend voelde als adem. Op de een of andere manier kwamen ze in haar kamer terecht zonder Rosie wakker te maken, en toen hij haar vertelde van de tranen die in Nates ogen waren bevroren, begon zij ook te huilen. Het was alsof al haar angsten en al haar verdriet naar buiten konden komen in de ruimte die tussen hen bestond, terwijl ze er toch niet door getroffen of gekwetst konden worden. Ze sloeg haar ochtendjas open en legde zijn handen op haar borsten. Ze voelde de tranen warm op haar wangen, zijn handen op haar lichaam. Ze wilde zeggen: *Ik hou van je.*

Rechter Jack Rosenthal

Hij had geen idee wat hem bezielde om naar het mortuarium te rijden. Hij wist dat de jongen gevonden was en daarheen zou worden gebracht. Hij wist ook dat de dood van deze jongen niets goeds tot gevolg zou hebben. Hij was te lang rechter geweest om niet te zien dat de justitiële raderen in beweging zouden komen. Het zag er niet goed uit voor Ethan Denton.

De nacht was bitter koud geweest. De sterren schitterden fel aan de hemel. Jack verafschuwde de winter en hij was van plan om na zijn pensionering naar een warm oord te verhuizen. Zijn gedachten gingen naar Florida waar Adele en hij vaak heen waren gevlogen om vakantie te houden op een cruiseschip. Hij dacht aan de woestijn. In Palm Springs was een huis dat ze een keer hadden gehuurd. Hij hield van de hete, droge lucht van de woestijn, van de gloed van het licht op de bruine heuvels. Hij hield van de metalige geur in de lucht, van de bloedrode bloemen van de ocotillo. Hij besloot een makelaar in onroerend goed te bellen, om misschien een bescheiden huisje in de woestijn te vinden met wat grond erbij en weinig buren.

Hij was bij het mortuarium aangekomen toen de vader juist wegreed. Hij probeerde zich voor hem te verbergen, en het wegduiken leek een slinkse en kinderachtige handeling. Wat stak er voor kwaad in dat hij de laatste eer kwam bewijzen? Maar toen hij bij de deur van het mortuarium was, zei de begrafenisondernemer dat er geen bezoek werd toegelaten.

'Alstublieft,' zei Jack. 'Ik wil alleen een kort gebed uitspreken.'

'Het is de wens van de familie.'

Jack had niet verwacht dat hij zou worden weggestuurd. Hij overwoog te zeggen dat hij rechter was. Maar het stond hem tegen om zijn officiële status voor persoonlijke doeleinden te gebruiken. Hij herinnerde zich een keer toen hij was aangehouden wegens te snel rijden. Hij had de bon in ontvangst genomen en toen ze wegreden, had Adele gezegd: 'Dat was dom, Jack. Waarom zei je niet gewoon tegen hem wie je bent?' Misschien had Adele toen gelijk. Ze zei altijd tegen hem dat hij te koppig was, dat hij zichzelf daarmee benadeelde. Maar hij kon er niets aan doen; hij hield nu eenmaal van de wetten, vooral van de kleintjes die zelfs hem konden treffen. Koppig? Misschien.

'Alstublieft,' zei hij tegen de begrafenisondernemer.

Maar de man liet zich niet vermurwen. Hij schudde zijn hoofd en vermeed het hem aan te kijken. 'Het is tegen de wens van de familie,' zei hij.

Toen Jack enkele uren later thuiskwam – hij had in de stad biefstuk en een biertje genomen – werd hij wederom begroet door het lege huis. Het kraken, kreunen en piepen was het enige wat hij hoorde terwijl hij over de vloerplanken ijsbeerde en terugdacht aan het verleden.

Hij dacht aan Marty en vroeg zich af waar hij nu was, wat hij nu deed. Hij vroeg zich af of Marty de juwelen en zijn munten verkocht had. Hoeveel hij ervoor gekregen had. Hij kreeg een beeld voor ogen van Marty die door de sjofele onderbuik van Hollywood rondliep, door stegen en over braakliggende, overwoekerde terreinen waar het naar urine en sperma rook. Het was een huiveringwekkende gedachte dat Marty daar op ditzelfde ogenblik op zoek kon zijn naar een plek om de nacht door te brengen. Hoe kon een zoon van hem in vredesnaam een drugsverslaafde of dakloze zijn? Had hij Marty niet alles gegeven wat hij nodig had? Met zijn andere zonen was niets mis. Ze hadden een gezin, ze leken gelukkig. Wat was er met Marty gebeurd, dat hij zo was geworden? Toen herinnerde hij zich de tekening die hij had weggegooid, de redding die verkeerd was uitgepakt, de kreten om hulp waarop hij niet had gereageerd.

Hij wilde bidden, maar kon de woorden niet vinden, de juiste instelling niet voelen. Hij dacht aan iets wat de rabbijn in de synagoge een keer had gezegd. Dat iemand die zich tot God wendt over iets wat gebeurd is, een vergeefs gebed uitspreekt. Jack had het gevoel dat al zijn gebeden de laatste tijd vergeefs waren. Hij probeerde in zijn binnenste die troostrijke plek te vinden, de plaats waar hij zijn geloof bewaarde. Maar daar was het leeg.

Toen de telefoon ging, dacht hij dat het misschien Marty was. Een vlammetje van hoop. Maar het was een oude vriend van hem, een man die in de stad openbaar aanklager was geweest, en nu gepensioneerd was.

'Steven,' zei Jack. Hij hoorde de geforceerde jovialiteit in zijn stem. Wat klonk dat gemaakt en wanhopig.

'Hoe gaat het, Jack?'

'Prima, hoor. Heel goed. Hoe gaat het met jou? En met Candy?'

'Met haar gaat het heel goed. Ze is in San Francisco op bezoek bij de kleinkinderen. Ze is daar niet weg te branden. Vroeger had ik medelijden met mezelf toen onze kinderen geboren waren. Ik kreeg geen spatje aandacht meer van Candy. Maar dat oma-gedoe is nog erger.'

Jack hoorde zichzelf grinniken. Steven lachte aan de andere kant.

'Waar bel je voor?' vroeg Jack.

'Och, ik dacht dat ik je maar vast moest waarschuwen. Je weet van dat jochie daar in Angels Crest. Dat jongetje dat zoek was?'

Jacks hart begon snel te kloppen. Hij dacht dat hij wel kon raden wat er zou komen.

'Jawel,' zei hij. Hij wilde niet dat iemand wist dat hij had geholpen met zoeken, dat hij had geprobeerd de jongen te zien bij het mortuarium. Hij wilde niet dat iemand wist wat daaraan ten grondslag lag: het verraad van zijn zoon en de schaamtevolle manier waarop hij had geprobeerd uit zijn leven weg te sluipen. Dit alles had hem onbedoeld in Angels Crest doen belanden.

'Het ziet ernaar uit dat Tom Kraft als aanklager zal optreden.'

Jack nam de telefoon mee naar de woonkamer en ging op de bank zitten. Hij had een gevoel alsof iemand een zware deken over hem heen had gelegd. Heel even kon hij niet ademen.

'Allemachtig,' zei Jack. 'Wat gaat hij ten laste leggen?'

'Criminele nalatigheid,' zei Steven.

'Nee,' zei Jack. 'Wat een rotzak.'

'Ik hoor dat hij gevangenisstraf wil eisen. Het gerucht gaat dat jij de zaak zult krijgen, Jack.'

Jack wreef over zijn voorhoofd. Hij voelde zijn ingewanden krampachtig samentrekken. 'Dit is een beroerde zaak, Steven. Echt een beroerde zaak.'

Aan de andere kant bleef het even stil. Toen: 'Ik wist dat je dat zou vinden.'

'Criminele nalatigheid is een misdrijf,' zei Jack. 'Misschien bekent hij schuld, om zich een proces te besparen.'

'Dat valt maar te hopen,' zei Steven.

'Jezus,' zei Jack. 'Wat een verspilling van justitiële mankracht.'

'Zo denken sommige mensen er misschien over. Heb je toevallig naar de radio geluisterd?'

Jack lachte. 'Nee, stel je voor, Steven. Waarom zou ik mijn tijd verdoen?'

'Misschien wil je hem toch aanzetten. Er belde een vent naar een praatprogramma, en die zei dat de doodstraf nog te licht was als straf voor die vader.'

Jack was verbijsterd. 'Ze zeggen dat het een ongeluk was.'

'Tja, de tijden zijn veranderd, Jack. Je weet hoe het is. Je mag niet meer menselijk zijn.'

Jack leunde naar achteren op de bank met de telefoon in zijn hand. Hij voelde het bonzen en slaan van zijn hart, het bloed dat door zijn aderen stroomde. Toen dacht hij opeens, zonder waarschuwing, aan een moment lang geleden. De herinnering viel hem plotseling in en hij sloot zijn ogen. Hij kon zich alles herinneren, hoe het buiten rook, de geluiden, het licht. Marty was aan het schommelen aan de takken van de plataan in het zachte ochtendlicht van het vroege voorjaar. Jack had de schommel gemaakt voor zijn oudste zoon. Hij had zijn tweede zoon erop zien schommelen. Nu was het Marty's beurt. Hij herinnerde zich hoe de zon het haar van zijn zoon bescheen, het geluid van Marty's lach, het gevoel dat alles op dat moment goed was in de wereld.

'Het is lang geleden dat ik ook maar ergens een goed gevoel over heb gehad, Steven,' zei Jack.

'Ik snap wat je bedoelt, Jack. Ik weet precies hoe je je voelt.'

'Dit is een nare zaak, zeg ik je.'

'Ja. Maar ik heb alle hoop dat jij met je welwillende benadering tot een goede uitspraak zult komen.'

Jack glimlachte. Steven gebruikte graag bloemrijke bewoordingen, hij hield van de muziek in taal. 'Aardig van je om dat te zeggen.'

'Je reputatie strekt tot troost. Je zult verstandig oordelen,' zei Steven.

Nadat hij had opgehangen, liep Jack naar het raam en keek naar de straat buiten. De bomen waren kaal. Lange, naakte armen met knoestige gewrichten. Artritische gewrichten. De winter legde de botten onder het soepele vlees van de lente bloot. Hoe kon hij elk jaar weer vergeten dat dit zo was?

Glick

Toen Glick zijn ogen opende, kon hij zich niet oriënteren. Hij dacht even dat hij nog verdwaald was en in de sneeuw lag. Hij kreeg een beeld voor ogen van Nate die naast de boom lag, van de hond die de sneeuw van het lichaam van de jongen wegkrabde. Toen maakte hij zich even zorgen over zijn hond, omdat hij die miste, nog voor hij zich herinnerde waar hij zelf was. Maar binnen een seconde besefte hij al dat hij hier was, in dit bed, naast Angie. Haar huid tegen de zijne. Hij was al heel lang niet teder geweest met een vrouw. Hij herinnerde zich de vorige nacht, hoe ze elkaar hadden aangeraakt. Hij vroeg zich af of het ooit eerder zo was geweest.

Het was nog donker en de kamer, met zijn onbekende vormen en schaduwen, deed troostrijk aan. Het rook er naar iets zoetigs, lotion of poeder, en er het was er geruststellend rommelig: hopen kleren over meubelen, openliggende pockets, een halfvol glas water op het nachtkastje.

Angie maakte een geluid en draaide zich om. Ze ging half zitten, alsof het haar verbaasde Glick hier aan te treffen, en liet zich toen terugvallen in het bed. In het donker leunde ze tegen hem aan en kuste hem zacht. In stilte begonnen ze weer te vrijen en toen ze klaar waren, stapte Angie uit bed en ging naar de badkamer. Glick hoorde haar rondscharrelen, het geluid van de kraan, daarna de wc. Het werd weer stil. Toen ze de deur opendeed om de kamer weer binnen te komen, duurde het een ogenblik voordat ze het licht uit deed en Glick zag haar in het licht, met haar lange haren om haar schouders en de glanzende onvolmaaktheden van haar lichaam. Hij wilde niets anders dan haar aanraken, zich aan haar warmen, haar beminnen. Hij werd er zo door getroffen haar zo te zien, met het licht achter haar, dat hij weer opgewonden werd. Maar toen ze in bed kwam, nam hij haar alleen in zijn armen en ze zei: 'Je moet nu gauw weg. Om zeven uur wordt Rosie wakker.'

Hij knikte.

'Kom anders langs bij het restaurant. Ontbijten.'

'Dat doe ik,' zei hij.

Ze bleven zo liggen in het donker tot het eerste beetje licht; toen kleedde Glick zich aan en gaf Angie een kusje op haar wang.

'De hond,' zei ze.

'Die vergeet ik heus niet.'

'Natuurlijk niet. Maar ik wel.'

'Het spijt me dat ik hem heb meegenomen.'

'Je mag hem altijd meenemen.'

Hij ging de kamer uit en liep naar de achterveranda waar de hond opgerold in een hoek lag. Toen het dier Glick hoorde, stond hij op en kreunde blij. Glick zei dat hij stil moest zijn, en de hond die scheen te begrijpen dat dit een gezegende ochtend was, kalmeerde en liep stil naast Glick het huis uit.

Hij zag Ethans truck op de oprit staan en werd onmiddellijk in de kalme wateren van de depressie geworpen die hem, zoals hij nu wist, al twintig jaren had vergezeld. Hij begreep dat zijn leven voortaan plaats zou moeten bieden aan zowel verdriet als geluk, dat hij opnieuw zou moeten leren dat er ook vreugde bestond.

Het was een moment van inzicht dat hij niet gauw zou vergeten. Hij besefte dat hij niet naar geluk moest streven, dat hij nooit naar geluk had moeten streven. Datgene wat hij nodig had, wat hij moest hebben, was veel gecompliceerder. Hij zag nu in dat een man, om de dingen te doen die een man van hem zouden maken, uit moest stijgen boven de jacht op zijn eigen genoegens en de zoektocht naar voorspoed. Gerechtigheid leek een beter doel, maar toen hij dit dacht, wist hij niet goed wat hij bedoelde.

Hij ging het huis binnen. Het was er ijzig koud. Hij draaide de thermostaat hoger. De jaloezieën waren gesloten en op de vloer stonden twee kommetjes met kattenvoer dat in de nacht was ingedroogd. De stank ervan vermengde zich met de muffe, afgesloten lucht van het huis. De hond gromde en Ethan, die onder een deken op de bank lag, ging snel zitten. Toen de hond zag wie het was, kwispelde hij met zijn staart en ging naar Ethan toe.

'O, man. Sorry hoor,' zei Ethan. Hij leek te willen opstaan, maar Glick zei: 'Blijf maar liggen, Ethan. Het is oké.'

Ethan ging weer liggen. Hij had nog dezelfde kleren aan als toen ze naar Nate hadden gezocht. Zijn haar zat in de war. Er stond een lege whiskyfles op de tafel bij de bank.

'Hoe laat is het?'

'Iets over zevenen,' zei Glick. Hij dacht aan Angie en Rosie die nu net wakker werden. Hij vroeg zich af wat ze 's ochtends deden, hoe Angie zich voorbereidde op haar werk, wat ze Rosie te eten gaf. Hij vroeg zich af of Angie 's morgens koffie dronk. Of thee. Of ze naar het nieuws luisterde of naar een ochtendprogramma op de televisie keek. Hij wilde erbij zijn. Hij wilde weten wat ze deed, op elk uur van de dag. Hij wilde haar tegen Rosie horen praten, Rosie iets terug horen zeggen.

'Ik kon niet terug naar mijn eigen huis,' zei Ethan. 'Die journalisten zijn overal. Het zijn parasieten, man. Ze kampeerden voor mijn huis.'

'Je kunt hier blijven zo lang het nodig is, Ethan.'

Hij had Glick nog steeds niet aangekeken. Hij was twee keer zo oud geworden. In één dag was alles aan hem veranderd.

Glick liep naar de keuken en zette koffie. Hij zette de radio aan, op de enige zender die hij hier kon ontvangen. Twee mannen lachten, hakten de ochtend in stukken met hun harde stemmen. Een van hen zei: 'We zijn dadelijk terug met uw reacties.' Toen volgde een reclameboodschap voor een winkel die dassen verkocht.

'Wil je koffie?'

'Nee,' zei Ethan. 'Ik voel me erg beverig.'

'Water dan?'

'Ja,' zei hij. 'Ik kom het wel halen.'

Glick wachtte bij het koffiezetapparaat tot de koffie was doorgelopen. Hij hoorde Ethan opstaan en naar de wc gaan. Een van de katten schoot door de woonkamer, de keuken in en naar de kelder beneden, alsof hij werd belaagd door iets spookachtigs dat Glick niet kon zien.

Glick keek uit zijn raam naar de besneeuwde weide en het bos erachter, dat de horizon afdekte met zijn witte boomtoppen. Het sneeuwde zacht. Alles was schoon en gedempt. Er was geen hindernis in zijn geest, geen belemmering om ver te zien. De hond kwam hollend in zicht, bleef staan, snoof de lucht op en rende weg naar het donkere bos.

Ethan verscheen in de keuken. Hoewel hij bijna een meter tachtig lang was, leek hij kleiner geworden. Hij ging aan de keukentafel zitten en steunde zijn hoofd in zijn handen. Op dat moment begon het radioprogramma weer. Een van de presentatoren nam een telefoontje aan. De beller zei: 'Er is geen straf hoog genoeg voor wat die man zijn zoontje heeft aangedaan. Ik zeg: op de elektrische stoel met hem. Het maakt me niet uit of hij het een ongeluk wenst te noemen. Hij heeft dat joch in de auto achtergelaten. Dat joch is vermoord.'

Glick zette vlug de radio uit. Maar dat was natuurlijk te laat. Ethan was bleek geworden. Hij liet zijn hoofd op de tafel zakken. Glick kwam naar hem toe en ging naast hem zitten. Hij stak zijn hand uit om hem aan te raken maar merkte dat hij het niet kon. Na de vorige avond was er niets in hem dat hem ertoe kon brengen weer zo ver te komen.

'Sorry hoor,' zei hij. 'Ik had geen idee dat het... dat er op de radio over werd gepraat. Ik dacht niet na.'

Ethan zei niets.

'Je weet dat mensen graag moraliseren,' zei Glick. 'Dat weet je ook wel. Wij hadden ook wel kunnen bellen, vroeger. In onze onwetendheid. Maar nu weten we beter.'

'Het geeft niet, Glick. Je hoeft niks te zeggen. Ik verdien de zwaarste straf.'

'Het was een óngeluk, Ethan. Dat moet je goed onthouden.'

'Ik zou met Nate van plaats ruilen als het kon. Ik zou liever dood zijn dan hier in deze keuken te zitten. Ik ben bereid gestraft te worden voor wat ik heb gedaan. Ik ga naar de gevangenis. Ik weet dat ze me naar de gevangenis zullen sturen.'

'Goddomme, Ethan. Je moet hiermee ophouden. We weten helemaal niks.'

Ethan keek op en Glick besefte dat dit deze morgen de eerste keer was dat ze elkaar in de ogen keken, en dat bedroefde Glick; hij betreurde het dat hij niets kon doen om zijn oude vriend te troosten. De gedachte kwam bij hem op dat misschien de enige persoon die Ethan had kunnen troosten, Angie zou zijn geweest.

Hij beleefde in een paar seconden de hele avond opnieuw, de tijd voor zijn komst, hoe Angie hem had begroet op de veranda, de vlek op haar badjas, hoe ze hem kuste en fluisterde: *Als je wilt blijven, moet je stil doen.* Hij bloosde bij de herinnering. Het leek de verontschuldiging te zijn waarop hij had gewacht. Wat vreemd dat die op deze manier was gekomen, in deze vrouw, op deze plek, ver verwijderd van alle mensen die hem onrecht hadden aangedaan, van alle mensen van wie hij had verwacht dat ze zouden boeten voor het kwaad dat ze hem hadden berokkend.

'Ik weet vandaag meer,' zei Ethan, 'dan ik ooit in mijn leven heb geweten.'

Glick knikte. Er was echt niets anders wat hij kon zeggen.

Hij was veertig jaar oud. Dit bleef hij zich voorhouden terwijl hij naar Angie's Diner reed. *Je bent veertig jaar oud, dus handel daarnaar.* Maar dat lukte niet. Hij voelde zich net zo als hij zich vroeger op school had gevoeld. Zoals hij zich altijd had gevoeld wanneer hij verliefd was. Het zweet stond in zijn handen. Zijn hart klopte heftig en snel, en hij had een raar gevoel in zijn maag. Hij dacht niet dat hij ooit had gebloosd en hij hield zich voor dat hij daar nu niet mee ging beginnen. Angie leek hem even ontvankelijk, even weids en open als het bos; het leek alsof ze zich voor hem uitstrekte met dezelfde oneindige mogelijkheden, dezelfde belofte.

Toen hij er aankwam, werd hij bestormd door een menigte verslaggevers met microfoons. Hij duwde ze weg. 'Geen commentaar,' zei hij. Hij ging naar binnen, terwijl de journalisten achter hem joelden, en de sheriff, die aan de tap een kop koffie zat te drinken, stond op.

'Jullie moeten iemands privacy respecteren,' zei de sheriff.

Iets aan hem – een vreemd, verlegen soort gezag – deed hen afdruipen. Glick knikte naar de sheriff die de krant naast hem weer oppakte en begon te lezen alsof er niets was gebeurd.

'Je bent gekomen,' zei Angie terwijl ze een beker volschonk met koffie. 'Dat doet me plezier.'

Hij keek op de menukaart. Hij kon haar niet aankijken.

'Rosie heeft niets gehoord,' zei Angie.

'Mooi zo,' zei Glick.

'Koffie?'

Hij knikte. Ze zette het kopje voor hem neer en schonk er de koffie in. Daarbij boog ze zich zo dicht naar hem toe dat hij haar lichte, poederige geur kon ruiken. Hij wilde alleen met haar zijn.

'Niet te geloven toch, dit circus?' zei ze.

Hij keek rond in de zaak. Behalve de vaste klanten waren er veel vreemden. In de nis waar hij meestal zat, zaten een jonge vrouw en een oudere man, elk met een laptop. Beiden zaten te typen. Ze spraken niet tegen elkaar. Van tijd tot tijd keek een van de journalisten zijn kant op. Glick voelde zich nerveus en bekeken.

'Ethan is bij mij thuis,' zei Glick. Hij merkte dat hij fluisterde.

'O, gelukkig,' zei Angie.

Voor het eerst keek hij haar in de ogen. Ze glimlachte met warmte. Hij lachte terug en keek toen weer vlug op zijn menukaart. Hij kon de woorden niet echt onderscheiden.

'Ik heb je nog nooit zien blozen, Glick,' zei ze.

'Ik heb nooit de gelegenheid gehad om te blozen,' zei hij.

'Je vleit me.'

'Ik ben blij dat je het zo ziet.'

Ze liep weg en ging naar de keuken. Even later kwam ze achter de tapkast vandaan met drie borden en haastte zich weg om ze af te leveren. Ze kwam terug terwijl ze haar handen aan haar schort afveegde, en haalde haar notitieblok uit haar achterzak. Hoe vaak had hij haar precies hetzelfde zien doen, en toch leek het vandaag heel anders.

'Wil je vandaag aardappelen of grutjes?' vroeg Angie.

'Heb je ook bonen met hachee?'

Angie schudde haar hoofd. 'Nee. Boerenaardappeltjes of grutjes.'

Ze keek hem aan en ze begonnen allebei te lachen.

'Hoe vaak hebben we ditzelfde gesprek al gevoerd?' vroeg Glick.

'Sinds mensenheugenis, lijkt het wel.'

'Nou, dan weet je het antwoord ook al.'

'Aardappeltjes. Met wat extra bacon.'

'Dat lijkt me prima.'

'Je hebt vandaag honger, hè?' zei ze.

Ze glimlachten allebei – hun moment samen – en het leek niet te passen in deze sfeer van verdriet en voyeurisme. Hij kwam omhoog en zij boog zich naar hem toe, en hij fluisterde in haar oor: 'Wat ruik je lekker.'

'Nu is het geloof ik mijn beurt om te blozen,' zei ze. Ze draaide zich om voor hij haar gezicht kon zien, en ze spraken pas weer met elkaar toen hij wegging.

'Kom je vanavond weer bij me langs?' vroeg ze terwijl hij zijn geld op de tapkast legde.

'Als je me wilt ontvangen.'

Ze boog haar hoofd. Haar gezicht was zo kalm, zo vol warmte. Waarom had het zo lang geduurd voor ze elkaar hadden gevonden?

'Na donker dan,' zei ze. 'Rosie gaat om acht uur naar bed.'

Hij wilde haar kussen, maar wist dat dit niet goed zou zijn. Daarom knikte hij, pakte een tandenstoker en liep naar buiten, juist toen Rocksan en Jane eraan kwamen. Overal waren journalisten. Hij zag dat ze op hem wachtten. Achter Rocksan en Jane zag Glick een jongeman en een zwanger meisje. Hij groette Rocksan en Jane, en Jane hield hem staande en zei: 'Dit zijn mijn zoon George en zijn...'

George stak zijn hand uit. Een rode kleur begon in zijn hals en steeg op naar zijn wangen.

'Mijn vriendin, Melody.'

'Ze is zwanger,' zei Jane.

Glick schudde Georges hand, die koud en droog was. Het isolement van het dorp, het felle begin van de winter hier en de tragedie die zich ontvouwde, dat alles werd gereflecteerd in Georges lichtelijk verbijsterde blik.

'Aangenaam kennis te maken,' zei Glick. 'Welkom in Angels Crest.'

Hij wierp Jane en Rocksan een snelle blik toe. Ze maakten beiden een nerveuze indruk. Gespannen. Glick schudde zijn hoofd om de gedachte kwijt te raken die altijd bij hem opkwam wanneer hij hen zag – waarom kon hij hen niet tegenkomen zonder zich voor te stellen hoe ze samen in bed lagen? – en zei: 'Het is stampvol daarbinnen.'

Iedereen keek naar binnen in het restaurant, kennelijk opgelucht een plek te vinden om hun ogen op te richten. Glick kon wel begrijpen dat ze zich niet op hun gemak voelden; de reden ervan was duidelijk zichtbaar.

Jane zei: 'Nog iets van Ethan gehoord?'

Glick dacht erover na. Hij besloot niemand anders te vertellen dat Ethan zich in zijn huis verborgen had. 'Niets,' zei hij. 'Maar ik weet dat morgen de rouwdienst is.'

'Het is vreselijk allemaal,' zei Rocksan.

Ze zeiden gedag en Glick liep naar zijn truck. Hij moest de verslaggevers van zich af houden. Telkens weer zei hij: 'Geen commentaar.' Toen hij was weggereden en een flinke afstand had afgelegd, stopte hij bij de begraafplaats en stapte uit. De grafstenen waren bestoven met sneeuw. De bomen waren kaal. Sommige graven waren even oud als het dorp. Glick keek omhoog en het begon harder te sneeuwen, zodat hij de lucht niet meer goed kon zien, zodat zijn gedachten op één plek bleven, in het middelpunt van zijn leven.

Ethan

Toen hij de hond hoorde grommen, voelde Ethan kippenvel opkomen over zijn hele lichaam. Het was een nieuw soort angst.
Een angst gebaseerd op schuldgevoel en rouw. Hij zag Glicks hond
en herinnerde zich toen weer waar hij was. Zijn kater maakte het
gevoel compleet dat hij was afgesneden van alle dingen die vroeger
vertrouwd waren.

Hij schaamde zich voor het feit dat hij zich verborgen hield. Het
leek erg op wegkruipen, op wat een schuldig man zou doen. Maar
Glick scheen het te begrijpen. Glick, die in de gevangenis had gezeten, wie zo veel onrecht was aangedaan, was een man die nooit over
anderen leek te oordelen. Ethan wist dat ze door alles wat tussen hen
was gekomen – Cindy, en nu dit – nooit terug konden keren naar waar
ze vroeger waren. Hij had nooit eerder een vriend gehad zoals Glick.

Hij probeerde uiterlijk kalm te lijken maar hij wist dat de afgelopen twee dagen op zijn gezicht stonden geschreven, in zijn lichaam
waren gegrift, zodat zelfs in de manier waarop hij bewoog zijn wanhoop tot uiting leek te komen. Dit werd allemaal nog versterkt, leek
een toppunt te bereiken toen hij het praatprogramma op de radio
hoorde waarin de beller zei dat Ethan een moordenaar was. Het was
een verbijsterend moment; de kwelling was zo volmaakt gedoseerd
dat Ethan het gevoel had dat hij niet anders kon dan het eens zijn met
de beller.

Het leek lang te duren voor Glick vertrok, en toen pas besefte
Ethan dat hij niet eens aan hem had gevraagd waar hij de afgelopen
nacht was geweest. De gewone, dagelijkse dingen van de wereld
interesseerden hem niet meer. Het kon hem niet schelen.

Hij poetste zijn tanden door wat tandpasta uit Glicks medicijn-kastje op zijn vinger te doen. Hij maakte zijn oksels nat en leende een schoon shirt uit Glicks kast. Het rook naar schimmel en wol, zoals alles in Glicks huis. De katten staarden hem aan vanaf hun zit-plaats op de commode.

Het was gaan sneeuwen. De lucht voelde warmer aan dan de vo-rige dag en hij liet de rits van zijn jack open. Weer dacht hij aan de man die naar het radioprogramma had gebeld om te zeggen dat Ethan moest sterven voor zijn nalatigheid. Hij voelde gal omhoog komen in zijn keel. Niet dat hij het zelf niet wilde. Hij had al bedacht dat het niet zo slecht leek om te sterven. Het erge was dat anderen dit voor hem wilden. Zij konden niet weten dat het een veel ergere straf was te moeten leven met wat hij gedaan had. Hij spuwde op de verse sneeuw. Toen ging hij naar zijn truck en startte hem.

Toen hij er zeker van was dat de truck niet af zou slaan, liep hij achterom langs Glicks huis en vond de bijl en een stapel hout. Hij pakte de bijl, die in het gevelde stuk boomstam stak dat Glick als hakblok gebruikte, en kloofde een flink stuk brandhout in drieën en nogmaals in drieën. Hij sloeg de bijl weer in de boomstam en liep naar Glicks schuur. Binnen hoorde hij de muizen wegrennen toen hij de verlichting aanknipte. Onder het schelle licht van het kale peertje vond hij een hamer en een aantal lange spijkers. Hij stopte de spijkers in zijn zak en nam de hamer mee naar zijn truck, evenals het hout dat hij zojuist had gekloofd.

Hij reed langzaam de oprit uit, waarbij hij uitkeek naar mensen die misschien achter zijn verblijfplaats waren gekomen. Maar toen hij op de grote weg kwam, was die verlaten. Hij sloeg linksaf, weg van het dorp, en reed de kant van de bergen op.

Het sneeuwde harder en terwijl hij de slingerende wegen naar het bos op reed, werd het zicht minder dan een paar meter. Hij reed langzaam en botste bijna tegen twee herten op die voor hem weg-sprongen en het bos in renden. Wat was de wereld toch mooi. Hij verlangde naar het leven dat hij vroeger had. Een dag zoals deze bracht hem altijd kalmte en geluk. Dan werkte hij in de ijzerhandel, sloot de zaak vroeg en bracht de dag door met zijn zoontje. Hij maakte eten of bracht Nate bij Jane terwijl hij laat doorwerkte aan de inventaris of de belastingaangifte, of heel soms een afspraak had om uit eten te gaan en naar een film in het stadje verderop in het dal. Maar vaker waren ze met z'n tweetjes, wandelden in het bos, of 's nachts lagen Nate en hij in bed en verzonnen verhaaltjes tot Nates ogen zwaar werden. Zijn leven had een bepaald ritme gehad, een soort muziek die Ethan kon horen zingen. Elk deel van de dag had een vaste bestemming, een duidelijke betekenis. Het hinderde hem niet dat alles zo voorspelbaar was. Dit was wat hij wilde. Hij geloofde dat alles eindelijk op zijn plek was gevallen.

Maar nu deed het hem pijn om de wonderbaarlijke schoonheid van de wereld om hem heen te zien. Hij wist dat het voor hem niet meer mogelijk was erin te passen. Er zou geen plaats meer zijn voor eenvoudige genoegens. Hoe kon je ooit opnieuw beginnen? Hij dacht aan Glick, wiens leven verwoest was doordat hij ten onrechte was veroordeeld. Dat zou zoveel gemakkelijker zijn; wat verlangde hij naar zoiets simpels, dat je ten minste het gelijk aan jouw kant had.

Hij draaide de dag dat hij zijn zoontje in de auto had achtergelaten telkens weer af in zijn hoofd. En elke keer stelde hij zich voor dat hij bij de truck terugkwam en zijn zoontje nog slapend aantrof, of zelfs dat hij terugkwam en hem in de buurt vond, dat Nate dicht bij de truck rondliep, niet ergens diep in het bos. Soms speelde hij het zo terug dat hij helemaal niet uit de truck was gestapt. Maar hierdoor kwam alleen zijn slordigheid, zijn blinde pech nog sterker uit.

Soms gingen zijn gedachten naar Nate, die in het bos naar hem zocht, maar hier kon Ethan niet ver over doordenken. Elke keer dat hij zich voorstelde hoe zijn zoontje had geleden, schreeuwde hij het uit. Wat zou het veel gemakkelijker zijn geweest als God het nodig had gevonden Ethan weg te nemen en niet zijn zoon. Sterven leek niet zo ondenkbaar als het vroeger had geleken.

Langzaam reed hij over de bochtige weg de berg op. Er waren geen andere auto's op de weg en hij wist dat zijn eenzaamheid te danken was aan dit slechte weer. Hij was bang dat hij door terug te komen naar de plek waar Glick zijn zoontje had gevonden, in de schijnwerpers van de wachtende media terecht zou komen. Maar niemand durfde in dit weer de berg op te rijden, en stadslui al helemaal niet. Toen hij uiteindelijk aankwam op de open plek van waaruit de zoektocht was georganiseerd, zag hij tot zijn opluchting dat er niemand was. Binnenkort, wist hij, zou hij hier niet meer met de auto kunnen komen. De winter zou de overhand nemen en het bos overlaten aan de wereld van de dieren en de hoge bomen, aan de herinnering van zijn zoontje dat daar was gestorven.

Hij stapte uit zijn truck en stak zijn handen in de zak van zijn broek. Daar voelde hij de drie kwartjes die hij in Glicks truck had opgeraapt. Wat leek dat lang geleden. Er waren deze morgen al vele centimeters verse sneeuw gevallen. De voetsporen en bandensporen die de zoekers hadden achtergelaten werden uitgewist door de nieuwe sneeuw. Ethan ritste zijn jack dicht – het was op deze hoogte veel kouder – en trok een paar handschoenen aan dat hij in het handschoenenvak vond. Zijn geweer stond achter de stoel en hij keek er lange tijd naar. Toen pakte hij het hout, de hamer en de spijkers.

Hij maakte een plek sneeuwvrij en pakte een plaat multiplex uit de laadbak van zijn truck. Hij legde het multiplex op de grond en legde de twee stukken hout erop in de vorm van een kruis. Toen spijkerde hij de twee stukken aan elkaar. De spijkers waren te lang, daarom draaide hij het kruis om en hamerde ze plat tegen het hout.

Hij gooide het stuk multiplex achterin en hield de hamer vast. In zijn andere hand droeg hij het kruis het bos in. Het sneeuwde zo hard dat het moeilijk was de weg te vinden. Maar hij kende het hier goed en vertrouwde erop dat zijn intuïtie hem terug zou brengen naar de plek waar Glick Nate had gevonden. Onderweg herinnerde hij zich hoe Glick en hij vroeger elk najaar door dit bos liepen op zoek naar herten, hoe ze uren samen waren zonder ooit een woord te spreken.

Nate begon ook al enig begrip te krijgen van het belang van stilte. Hij scheen het voorbeeld van Ethan te volgen. Hij scheen net als Ethan te weten dat je op een eerbiedige manier door het bos kon lopen. Met een mengeling van eerbied en ontzag. Praten leek de stilte die in de ruimte tussen de bomen stroomde, te bezoedelen. Praten leek verspilling van adem. Dat had Nate al geleerd. Ethan was niet ongevoelig voor de ironie dat hij de laatste rustplaats van zijn zoontje ging markeren met een kruis.

Het duurde een halfuur voor Ethan de plek gevonden had. Toen hij er eenmaal was, kon hij zich niet vergissen in de den waar Nate was gaan liggen om te sterven. Hij liep naar de boom toe, knielde neer en boog zijn hoofd. Maar er kwamen geen gebeden. Dat was onmogelijk. Hij was een man die God nooit had gekend. In de liefde voor zijn zoontje was hij nog het dichtst bij geloven gekomen. Dat was het heiligste gevoel dat hij ooit had gehad. Hij zette het kruis in de grond en hamerde het vast in de bevroren aarde onder de sneeuw.

Rocksan

Toen Rocksan de volgende dag Glick zag voor Angie's restaurant, dacht ze even dat er iets aan hem veranderd was. Ze vroeg bijna of hij naar de kapper was geweest. Had hij nieuwe kleren gekocht? Hoewel ze nooit het woord zwierig zou gebruiken om hem te beschrijven, had hij iets zwierigs over zich. Hij leek in elk geval minder stoïcijns, minder somber. Iets levends in zijn gezicht.

Nadat hij was vertrokken, wendde Rocksan zich tot Jane. 'Vond jij hem ook een zwierige indruk maken?'

'Glick? Zwierig?'

'Nou ja. Vrolijk dan?'

'Rocksan, heb je vanmorgen soms een pepmiddel in je koffie gedaan?'

Rocksan begon te lachen. 'Ik dacht eerst dat hij misschien zijn haar had laten knippen.'

Maar Jane luisterde al niet meer. Rocksan zag dat ze gekweld werd door zorgen en angst. Haar gezicht was bleek en strak en ze schrok van het minste geluidje. De afgelopen nacht had haar erg aangegrepen. Hen allemaal eigenlijk.

Rocksan moest eraan te pas komen om George en het meisje te vragen binnen te komen. Iedereen was erg nerveus. Bij Georges oog trok een spiertje. Hij bleef naar Jane staren, toen ook naar Rocksan. Zijn gezicht leek precies op dat van Jane, alleen was het anders dan het hare, gesloten en hard. Het was een uitdagend gezicht. Een gezicht dat zei: bewijs maar dat ik het mis heb. De enige die zich nergens iets van aan leek te trekken was het meisje, Melody.

Ze waren gaan zitten en Jane had hun een glas wijn aangeboden.

Melody zei nee, maar George zei ja. Dat zeiden ze tegelijkertijd. Iedereen moest lachen. Toch was het een akelig ogenblik, want hiermee was het ijs nog niet gebroken. Uiteindelijk ging George rechtop zitten. Hij schraapte zijn keel.

'Ik wil wel een glas wijn,' zei hij.

Jane schonk een glas voor hem in en een voor zichzelf. Rocksan zag dat ze haar glas in twee grote slokken leegdronk. Dat had ze Jane nog nooit zien doen. Het maakte wel indruk op haar. En ze vond het grappig toen George hetzelfde deed.

Ze praatten een halfuur, of langer misschien, over de lange rit, de vreemde dingen die ze onderweg hadden gezien – in Wyoming drie cowboys op paarden die een kudde koeien dwars over de weg voortdreven, in Utah Goblin Valley, in Arizona één enkele vuurrode bloem die uit een laag sneeuw stak. George dronk meer wijn. Jane ook. Rocksan zag dat ze allebei trager werden, aangeschoten raakten, maar niet op een ontspannen manier. Eerder alsof ze zich voorbereidden op een ruzie. En het duurde niet lang voor die als het ware uit de lucht kwam vallen.

'Pa heeft ons eruit getrapt,' zei George. 'Hij zei dat ik een hoer was, net als mijn moeder.'

'Au,' zei Rocksan. Die jongen liet er geen gras over groeien om een belediging af te vuren. Ze zou hem bewonderd hebben als die belediging tot een ander was gericht. Rocksan voelde haar testosteron opvlammen.

'Hij heeft al spijt,' zei Melody. 'Zo is het toch, George?'

'Ik bedoelde er niets mee,' zei George. Hij keek Jane recht in de ogen. 'Alleen heb ik mijn hele leven van mijn vader gehoord dat jij en ik als twee druppels water waren. Nou ja, ik ben natuurlijk geen flikker.'

Melody schrapte haar keel. 'George vertelt het helemaal verkeerd,' zei ze.

'Dat mag je wel zeggen, ja,' zei Rocksan. Ze was blij dat ze kwaad begon te worden. Dat maakte het gemakkelijker aan de kant van Jane te staan. Maar toen besefte ze dat er veel meer kanten waren om te kiezen. Haar eigen kant natuurlijk. De kant van haar vader. Nou nee, nooit de kant van haar vader. Maar de kant van haar vriendin, althans de kant van de goede Jane, de kant van Jane die geen baby in de steek liet. Er was ook de kant van George. Hij was degene die in de steek was gelaten. Net als zij in feite, dus daar kon ze zich iets bij voorstellen. En hoewel ze daar nog niets over had gehoord, leek het haar waarschijnlijk dat Melody ook een kant had.

'Het verhaal is zo,' zei Melody. Ze sprak heel zacht. Heel lief. Rocksan vond dat haar stem iets had van water dat over stenen kabbelt in een beek. Ze had iets wat Rocksan beviel. Onmiddellijk. Het sprak haar aan. 'George en ik waren christenen.'

'O, god,' zei Rocksan.

'Toe, Rocks. Maak het niet nog moeilijker,' zei Jane, bijna fluisterend. Haar gezicht was zo rood als een biet. Het zag ernaar uit dat de inspanning om ook maar iets te zeggen, dodelijk zou kunnen zijn.

'We gingen allemaal naar dezelfde kerk. Ik kan niet zeggen dat we er echt bij hoorden, zoals de andere mensen. En je weet dat het eigenlijk niet de bedoeling is dat je aan seks doet voor je getrouwd bent...'

'Dat is echt zo'n stomme onzin,' zei George. 'Ik ging alleen maar naar die stomme kerk omdat ik mijn hele leven heb gewild dat die klootzak me aardig vond.'

Melody zuchtte. Ze wreef over haar buik. 'George doet zo vijandig omdat hij steeds vergeet dat ik degene ben die zwanger is, niet hij.' Ze lachte lief naar George maar je kon zien dat ze hem wel wilde slaan.

'Ik wilde niet hierheen komen,' zei George. 'Dat was jouw idee.'

'Wat?' zei Jane.

'Nadat zijn vader hem eruit had getrapt, heb ik George voorgesteld weg te gaan. Ik zei dat we misschien naar Californië konden gaan, hoewel ik eerlijk gezegd meer dacht aan, nou ja, strandweer...'

'Nou, als het je niet bevalt...' zei Jane. Haar gezicht was zo rood aangelopen dat Rocksan dacht dat ze misschien een hartaanval kreeg.

'Nee,' zei Melody. Opeens leek het huilen haar nader te staan dan het lachen. 'Nee. Dit gaat helemaal verkeerd. Luister. Het was mijn idee. Ik vond dat George moest proberen jou te vergeven, Jane. Alleen dan wilde ik met hem trouwen.'

George steunde zijn hoofd in zijn handen.

'Ik snap er niets van,' zei Jane. Ze had haar lippen op elkaar geperst. Haar lichaam was zo gespannen dat op haar voorhoofd een gezwollen ader was verschenen, een ader die Rocksan nooit eerder had gezien. Dit was dramatisch. Dit was precies het soort toestand dat Rocksan had willen vermijden door naar deze hooggelegen uithoek te komen.

'Oké, luister,' zei Melody. 'Het zit zo. Ik hou van je zoon.' Ze had het tegen Jane. Het was alsof alleen Jane en Melody in deze kamer bestonden. Rocksan en George keken elkaar even aan. George wendde zijn blik als eerste af.

'Maar hij is heel erg verbitterd, Jane. En ik kan niet met hem trouwen voor hij op zijn minst naar de bron daarvan gaat en probeert er iets aan te doen. Ik wil niet leven met iemand die zo veel woede in zich heeft. En dan nog iets, we kunnen beter open kaart met elkaar spelen. Hij heeft er moeite mee dat jullie, eh...'

'Dank je wel, Melody,' zei George. 'Hierdoor wordt het voor beide partijen vast een stuk gemakkelijker.'

Rocksan stak haar handen omhoog in de lucht, want ze zag voor het eerst die avond iets van hoop gloren voor iedereen. Ze vond het goed wanneer homofoben toegaven dat ze homofoob waren. Ze beschouwde dat als positief. Ze zei: 'Nee, dit is goed. Het is goed. Vroeger voelde ik me altijd gedreven om homofoben te bekeren. Dat was mijn ding. Hen bekeren of ze laten verdwijnen.'

'Je zegt dat alsof je van de maffia bent,' zei George.

Jane glimlachte. Ze keek naar George. 'Vroeger waren veel mensen echt bang voor Rocksan, George. Ze zou jou ook bang kunnen maken, maar ze gedraagt zich nu voorbeeldig.'

'Dit gaat allemaal helemaal verkeerd,' zei Melody. 'En deze baby zit helemaal in mijn keel. Echt waar, ze heeft haar beentje om mijn slokdarm geslagen.'

Rocksan keek naar George. Die zat weer met zijn hoofd in zijn handen. Het ging inderdaad slecht, maar beter dan ze had verwacht.

Bij Angie's was het stampvol. Rocksan herkende bijna niemand. Ze hoopte dat het harder zou gaan sneeuwen en kouder zou worden en dat iedereen dan terug zou gaan naar de stad, of waar ze anders ook vandaan kwamen. Ze wilde niet dat iemand haar geheime vondst zou ontdekken. Zij had Angels Crest gekozen omdat het een slonzig dorp was waar ze niets moesten hebben van de ijdelheden van de moderne cultuur. Met de auto bereikbare espressostands, fladderende banieren aan de straatverlichting waarop een of andere tentoonstelling werd aangekondigd, theehuizen met pretentieuze namen als Cheshire Knoll.

Angels Crest, met zijn tuttige winkels en zijn achtergrond van puntige bergtoppen, was voor Rocksan een paradijs geweest. Ze hield van de ijzige winters en van de stiltes, die alleen werden bevolkt door verdovende winden en vogelgeluiden. Ze vond het fijn bij haar zus in de buurt te zijn. Van al die mensen hier werd ze zenuwachtig. Ze wist hoe een plaatsje overlopen kon worden.

'Moet je dit nou toch zien,' zei Rocksan. 'Wie zijn al deze klootzakken?'

Jane schudde haar hoofd. 'Het is diep treurig. De jongen is dood en niemand schijnt ook maar een beetje respect te hebben.'

Boven de bar tetterde een tv en op het scherm werd een van de zatlappen in Trevors café door een verslaggever geïnterviewd over Ethan. Hij leek veel groter op de televisie, op de een of andere manier veel legitiemer, alsof de ethergolven zelfs de nederigen konden bekleden met een wade van waardigheid. Hij zei dat Ethan altijd erg op zichzelf was geweest. Hij vertelde aan de verslaggever, een vreemdeling die niemand in het dorp ooit eerder had ontmoet, dat Ethan en Cindy een felle strijd om de voogdij hadden gevoerd. Hij zei: 'Volgens mij wilde Ethan gewoon alleen met zijn zoon in het bos wonen.'

'O, fantastisch. Nu zal de wereld denken dat hij een soort biofanaat is,' zei Jane.

George keek Melody aan. Hij zei: 'Dit is een slecht voorteken. Je gaat een kind krijgen in een dorp waar net een kind is doodgegaan.'

'Het is alleen een voorteken als jij dat zegt. Neem het nu terug,' zei Melody.

'Ik neem het terug,' zei George.

Wat waren ze vréémd. Rocksan keek naar Jane om te proberen haar te laten zien hoe vreemd zij hen vond, maar Jane staarde aandachtig naar de vloer.

Op dat moment kwam Angie aanlopen. Ze maakte een kalme, onkwetsbare indruk. Hoe kon haar zus zo kalm zijn?

'Kun je ons aan een tafel helpen, Ang?' zei Jane.

'Er wachten nog mensen.'

'O, toe nou,' zei Rocksan. 'Laat zien dat je kloten hebt. Laat die mediamensen wachten.'

'Oké,' zei Angie. 'Ik geef jullie de eerstvolgende tafel, maar dan mogen jullie de rel proberen te sussen.'

Nu richtte Angie haar ogen op George en Melody. Jane bloosde waarachtig. 'Dit is mijn zoon George en dit is zijn... vriendin Melody.'

'Aangenaam kennis te maken,' zei Jane.

'Melody is zwanger,' zei Jane.

'Jane,' zei Rocksan. 'Je hoeft het niet tegen iedereen te zeggen aan wie je haar voorstelt. Het is zo ook wel duidelijk.'

Zo te zien kon Jane elk ogenblik in tranen uitbarsten. Toen legde Melody, met een gebaar dat Rocksan iets zei over Melody's karakter, zacht haar arm om Janes schouder en fluisterde iets in haar oor. Jane glimlachte en keek Melody aan met een mengeling van dankbaarheid en opluchting.

Het was sinds de komst van George en Melody de eerste keer dat Jane zich scheen te ontspannen. Dit was een opluchting voor Rocksan, die erg met Jane te doen had. Sinds George en Melody hun huis waren binnengekomen, was ze steeds stiller geworden, leek ze steeds wanhopiger te worden. Rocksan was opgelucht dat ze snel een plaats kregen, onder de boze blikken van de verslaggevers die op een tafel wachtten; ze wisten waarschijnlijk wel beter dan een aanval te doen op een dorpeling. Angie kwam hun allemaal koffie brengen, behalve Melody die om een kop thee vroeg. Rocksan keek naar haar zus. Er was iets aan haar veranderd. Iets was weer in elkaar gezet, gerepareerd, wat ze in jaren niet had gezien.

Ze bestelden elk een ontbijt en zaten in hun banken naar de mensen te kijken. Eén man zat alleen aan een tafel met een reusachtige camera erop, alsof dit apparaat zijn enige vriend was. Om zijn nek droeg hij een lint met daaraan een badge met de naam van een belangrijke tv-zender.

'Ik vraag me af wat er met Ethan gebeurd is,' zei Jane. 'Niemand heeft hem gezien of iets van hem gehoord.'

'Hij houdt zich waarschijnlijk ergens verborgen. Waarschijnlijk in het huis van Glick,' zei Rocksan.

'Is die Ethan de vader?' vroeg Melody.

'Ja,' zei Rocksan.

Angie kwam aanlopen met water en meer koffie. Ze zei: 'Die journalisten. Ze hebben me allerlei vragen gesteld. Of ik Ethan ken. Of ik Glick ken. Toen Glick het restaurant binnen kwam, moest de sheriff de journalisten zowat weg slaan.'

'Wat vreselijk,' zei Melody. 'Ik heb zo te doen met die vader. Hij moet zichzelf wel haten. Het was iets wat iedereen zou kunnen overkomen.'

Het viel Rocksan op dat Melody altijd wanneer ze iets zei bijna fluisterde. Ze was als damp, een soort geestverschijning. Als Rocksan midden in de nacht wakker was geworden en het meisje in nachthemd door het huis had zien lopen, zou ze gedacht hebben dat ze een spook zag.

'Ja,' zei Jane. 'Ethan is een aardige man. Jong. Niet veel ouder dan jullie.'

Melody en George keken elkaar aan. Het bleef lang stil tussen hen. Duizend vragen hingen in de lucht. Uiteindelijk zei Rocksan: 'Wat is er nou eigenlijk gebeurd in Ohio. Kunnen we het verhaal nog eens horen, maar nu zonder de beledigingen?'

George zuchtte. Rocksan zag dat het hem speet hoe het de vorige avond was gegaan.

'Het komt erop neer dat mijn vader me het huis uit schopte. Ik kon oprotten. En zoals jullie kunnen zien, is Melody zwanger. Dat kon pa niet aan.'

'Precies hetzelfde heeft hij bij mij gedaan omdat ik lesbisch was,' zei Jane.

Rocksan keek vlug naar George en Melody om te zien hoe ze zouden reageren nu dit woord hardop werd uitgesproken. *Lesbisch*. Maar er kwam geen reactie.

Melody glimlachte dapper. Jane ook. George keek ergens in de verte. 'Hij was een ontzettende hufter, Jane. Ik bedoel, ik heb mijn hele leven niets anders gehoord dan pottenhoer dit, pottenhoer dat.'

'Zo noemde hij me altijd graag, George. Waarvoor schold hij jou uit?'

George haalde zijn schouders op. Nu had Rocksan met hém te doen. Hij leek gekrompen te zijn. Ze wist wat een vooroordeel met je deed, wat voor vergif het was. Ze wist dat het werd doorgegeven, net als bepaalde maniertjes of een manier van spreken, of een bepaald handschrift. Hij had zich de vorige avond agressief gepresenteerd, maar Rocksan kon nu aan de manier waarop zijn hele lichaam als verslagen leek te krimpen, zien dat hij bang was. Ze zag vaag iets lichten in zijn ogen. Vriendelijkheid. Berouw. Hoop.

Melody keek George even aan en George zei: 'Hij was grof, laten we het daarop houden. Maar ik raakte eraan gewend. Ik vond een manier om eraan te ontsnappen, voor een groot deel. In school, in mijn studie. Maar toen hij ook tegen Melody begon, wist ik dat ik niet veel langer kon blijven.'

Rocksan zag dat Melody haar hand uitstak en zijn hand pakte. Ze zag dat zijn hand beefde. Ze zag in dit gebaar het oneindige geneesmiddel van de liefde, de balsem van de aanraking van een ander mens. Ze zag ook dat Melody echt onvoorwaardelijk van hem hield, en het feit dat iemand zo veel van hem hield deed zijn uitbarstingen op de een of andere manier vergeeflijk lijken.

Rocksan keek naar Jane. Haar hoofd was naar de tafel gebogen. Ze kon zien dat Jane het allemaal op zich nam. De last op haar schouders nam.

'Hoor eens, Jane,' zei George. Er was een soort berusting in zijn stem. 'Dat pa ons allebei verrot scheldt, betekent nog niet dat ik je zomaar kan vergeven. Maar ik wil het wel. Kan dat voorlopig genoeg zijn?'

'Oké,' zei Jane. Ze vouwde haar armen voor haar borst.

Rocksan was onder de indruk. Jane hield zich toch goed.

Later, nadat de zon was ondergegaan en Jane en de jongelui binnen bezig waren vlees te braden en aardappelpuree te maken, ging Rocksan naar buiten naar de bijenkasten. De avond was bitter koud. Met een mes zou je een stuk duisternis uit de lucht kunnen snijden. De sneeuwstorm was voorbij en de wolken gingen weer uiteen om het schitterende licht van de winterhemel te onthullen. De sterren leken heel dichtbij.

De wind huilde door de bomen. Rocksan zette de kraag van haar jack op en duwde haar handen dieper in haar zakken. Ze herinnerde zich de ergste fout die ze ooit had gemaakt met de bijen. Dat was kort nadat Jane en zij in het dorp waren komen wonen. Ze had de kasten net opgesteld en was op zoek naar een zwerm omdat ze het aantal volken dat ze al had graag wilde uitbreiden. Ze belde de sheriff en vroeg of hij haar wilde waarschuwen als er in het dorp een zwerm bijen werd gesignaleerd.

Jane en zij werden in die tijd al met argwaan bekeken, door sommigen zelfs met angst. Ze waren lesbisch. Ze kwamen uit de grote stad. Ze hielden bijen. Ze waren rijk. Als Angie niet Rocksans zus was geweest, zouden ze vast gestenigd zijn vanwege deze eigenaardigheden.

Zowat een week later belde de sheriff. Hij zei dat er een zwerm was bij de school van de Calvariekerk, in een iep, dicht bij een van de klaslokalen. De dominee ging iemand bellen om de bijen te laten doden. Wilde zij ze soms hebben?

Ze zei dat ze ze wilde hebben en de sheriff waarschuwde haar dat ze er beter voor kon zorgen dat niemand er last van had. Ze moest komen nadat de school uit was, en als er een probleem ontstond, wat dan ook voor probleem, zou zij daarvoor aansprakelijk worden gesteld, financieel of anderszins.

Ze haastte zich naar de kerk en werd meteen al teleurgesteld. Het was een kleine zwerm, waarschijnlijk een nazwerm, en ze wist dat hij niet genoeg was om een nieuwe kast mee te bevolken. Maar ze was toen al lid van het verbond van imkers geweest, en daar had ze een paar maanden tevoren bij de jaarlijkse bijeenkomst in Oregon een opgeblazen ouwe kerel uit Vancouver leren kennen.

Hij had haar verteld over een methode die hij al enkele malen met succes had toegepast, om een nieuwe zwerm veilig in een bestaande kast te introduceren. Hiervoor moesten zowel de oude bijen als de nieuwe, te introduceren bijen met suikerwater worden overgoten. Verder moest ze tussen de beide volken een vel keukenpapier aanbrengen, waar de bijen zich vervolgens doorheen zouden knagen. De theorie was dat de bijen nadat ze zich door het papier hadden geknaagd, aan elkaar gewend waren geraakt en elkaar zouden accepteren.

Ze besloot het te proberen, ook al zei iets vanbinnen haar dat het niet zou werken. Snel en behendig nam ze de zwerm van de boomtak weg en deed de bijen in de zwermdoos. Ze herinnerde zich dat er, toen ze het terrein van de kerk verliet, een dominee met een stok langs kwam lopen die zei: 'G'navond, zuster.' Ze besefte dat hij blind was en dat ze hem vaak in het gemeentehuis van het dorp had zien zitten, waar hij op zijn stok leunde en naar de muur staarde alsof hij naar de foto's keek die daar hingen.

Tegen de tijd dat ze thuiskwam, was het gaan regenen, en ze wist meteen dat het geen geschikte tijd was om met de bijen te werken. Maar de man uit Vancouver zei dat zijn methode onder alle weersomstandigheden werkte. Rocksan had daar haar twijfels over. Ze stond een hele tijd in de regen bij de kasten. De moeilijkheid was, een evenwicht te vinden tussen het beheer van de kasten en ingrijpen in de natuur.

Uiteindelijk besloot ze het te proberen. Maar niets ging zoals het had moeten gaan. Na de eerste poging kwam ze een paar uur later bij de kasten terug en zag dat de nieuwe bijen uit de kast waren verdreven en niet ver ervandaan in een knoedel op het gras lagen. Ze waren nat en ellendig, lagen bijna bewegingloos samengebald in de regen. En overal lagen dode bijen.

Ze deed nog een poging, en de tweede keer gebeurde hetzelfde.

De bijen die uitgestoten waren, leken de tweede keer nog sterker uitgedund, nog zieliger. Er lagen meer doden en gewonden. En erger nog, de bijen die hen hadden uitgestoten, waren door het dolle heen. Rocksan droeg geen beschermende kleding. Ze was twee keer gestoken, wat haar zelden gebeurd was. Ze vond het vreselijk te zien hoe ongelukkig en verslagen de zwerm die ze bij de kerk had gevonden eraan toe was, terwijl ze op het gras toevlucht zochten bij wat er van hun volk over was.

In de wetenschap dat ze al deze bijen zou verliezen, redde ze de koningin, stopte haar in een hokje en probeerde haar met suikerwater in leven te houden. Toen ging ze naar binnen en belde allerlei mensen op om te vragen of iemand die ze kenden een koningin nodig had. Haar pogingen om de koningin te redden werden steeds wanhopiger. Niemand had er een nodig. Niemand kende iemand die er een nodig had. De vooruitzichten waren slecht en Rocksan begon zich wanhopig te voelen, stom en gedeprimeerd.

Ze kon er niets aan doen dat ze zich verantwoordelijk voelde voor de dood van de bijen die ze van de boom bij de Calvariekerk had gehaald. Ze herinnerde zich de blinde dominee en vroeg zich met voor haar ongewoon zelfmedelijden af of hij haar zou hebben aangesproken als hij had gezien wie ze was. Ze wist dat de koningin dood zou gaan als ze haar uit haar gevangenis vrijliet. Maar als ze haar opgesloten hield, zou de koningin ook doodgaan.

Ze wist niet wat ze moest doen. Welk alternatief was het minst wreed? Moest ze de koningin doden of haar laten doodgaan? Als ze haar liet doodgaan, zou dat langzaam en akelig zijn? In welke mate voelden bijen pijn of ellende? Ze vond het vreselijk dat het feit dat ze dit soort beslissingen moest nemen, een nevenproduct was van haar ingrijpen in de natuur. Ze wist dat de enige keus die ze had, was een keus te maken en zich daarbij neer te leggen. Niet achteraf kritiek te hebben op zichzelf. Te accepteren dat geen van de alternatieven gemakkelijk was. Ze mocht de koningin niet gevangen houden. Ze mocht haar niet een langzame dood laten sterven. Ze besloot de koningin zelf te doden.

Het was een van de moeilijkste momenten die ze voordien of later ooit met de bijen had beleefd. In het bewustzijn van het hartverscheurende lot dat de uitgestoten bijen had getroffen – was er iets ergers dan afgewezen, uitgestoten te worden? – wist ze dat zij door met de levens van bijen bezig te zijn, altijd degene zou zijn die de beslissingen nam en die, door een fout of op een andere manier, het leven en de dood van haar bijen beheerste.

Nadat ze de koningin had gedood, ging ze naar binnen en bleef alleen in het donkere huis zitten. Toen Jane thuiskwam, probeerde ze uit te leggen waarom ze zo wanhopig was, maar ze kon er de woorden niet voor vinden.

Jane

Na het ontbijt in het restaurant gingen ze in kameraadschappelijk stilzwijgen met z'n vieren weg. Zo hadden ze al een paar minuten gereden toen George zei: 'Waarom noemen ze dit dorp Angels Crest?'

'Je kunt hem nu niet zien door de wolken, maar daarboven, op een hoogte van ongeveer 3600 meter is een berg met een spectaculaire puntige top,' zei Rocksan. Ze wees in de verte. Je kon niets zien omdat er weer een sneeuwstorm was komen aanwaaien, die in de hogere regionen was blijven hangen en de puntige toppen bedekte met mist en donkere wolken.

'Toen de kolonisten zich hier in de negentiende eeuw vestigden,' zei Rocksan, 'overleefde bijna niemand de eerste winter. Het was een verschrikkelijke winter. De strengste die er ooit geweest is. Je kunt er plaatjes van zien in het gemeentearchief. Daar hebben ze ook een oude krant waarin je kunt lezen hoe hun proviand opraakte en hoe ze hierboven vastzaten. De mensen gingen een voor een dood. Al het vee was gestorven en ze konden niet naar beneden via de pas. Maar door een of ander wonder, zo luidt het verhaal, haalde een handvol baby's die dat najaar geboren waren, het volgende voorjaar. Iedereen zei dat de engelen, op weg ergens naartoe, waarschijnlijk op de Crest hadden gebivakkeerd, en de wacht hadden gehouden over de kinderen tot de winter voorbij was.'

'Nou ja, dat lijkt me een kletsverhaal,' zei George.

'Jawel,' zei Rocksan. 'Maar als je er niet te veel over nadenkt, kun je zien dat het ook wel mooi is.'

Vanaf de achterbank kon Jane horen dat Melody neuriede. Toen begon ze te zingen, terwijl ze afwezig over haar vooruitstekende buik wreef: '*Stil, mijn liefje, slaap maar zacht, heilige engelen houden de wacht, hemelse zegeningen ongeteld, komen op je hoofdje neer.*'

Niemand sprak een woord. Haar stem klonk lief, een tikje vals, volkomen natuurlijk. Ze staarde uit het raam in de richting van de Angels Crest, schijnbaar zonder te beseffen dat er nog meer mensen in de auto zaten.

Jane keek uit het raam en volgde Melody's blik naar de witte wereld en de broze schoonheid ervan. Ze herinnerde zich de eerste gedachte die bij haar was opgekomen toen ze de vorige avond George voor de deur had zien staan: hoe zou het zijn als ze een blinddoek voor had en zijn gezicht aanraakte? Het was niet te geloven hoe groot hij was. Nooit, maar dan ook nooit had ze zich hem voorgesteld als langer dan tweeënvijftig centimeter.

Later, toen de situatie uitzichtloos leek – het zou nooit lukken en wat had ze zich eigenlijk voorgesteld? – had Jane hun twee kleine koffers naar boven gebracht en George de kamer laten zien. Ze had geen zwanger meisje verwacht, en Jane beleefde een vreemd, omgekeerd ogenblik – misschien begaf ze zich in een wereld die ze nooit had gekend, toen ze eerst vond dat die twee in afzonderlijke bedden moesten slapen. Maar toen besefte ze hoe bespottelijk dat zou zijn. En hoe dom, gezien de soepele grenzen van haar eigen leven.

'Hemeltje, George. Moet je die lakens zien,' zei Melody.

'Ze lijken erg... raar,' zei George.

Melody giechelde. George werd vuurrood. 'Sorry,' zei hij. 'Ik wilde niet...'

'Laat maar,' zei Jane. 'Ze zijn ook raar. We hebben ze lang geleden van een vriend gekregen. Rocksan heeft ze uit de schuur gehaald, waar we ze bewaarden.'

Melody streek met haar hand over de lakens. 'Ze zijn van satijn,' zei ze.

'Jullie kunnen je spullen uitpakken. Daar is een lege muurkast en die ladekast is ook leeg,' zei Jane. 'Morgenochtend kunnen we de rest van jullie spullen halen.'

'O, we hebben verder niets,' zei Melody.

'Twee koffers?' zei Jane.

George knikte. 'We dachten dat we wel wat spullen konden kopen.'

'George heeft geld gestolen van zijn vader,' zei Melody.

'Wat?'

'Ja,' zei George. 'Hij bewaarde altijd een rol bankbiljetten in de koektrommel. Ik heb ze meegenomen toen hij zei dat we weg moesten.'

'Ons wegjoeg,' zei Melody.

'Mijn god,' zei Jane. 'Dat heb ik ook gedaan. Was het een koektrommel in de vorm van een rugbybal?'

George begon te lachen. 'Absoluut,' zei hij. 'Dat is verbijsterend.'

Voor het eerst keek George haar echt aan. Jane kreeg de indruk dat hij haar voor het eerst zag, dat hij haar met nieuwe belangstelling opnam. Ze zag heel even herkenning, vergeving.

'Het was verkeerd dat hij dat deed,' zei Melody. 'Ik wil er niks mee te maken hebben.'

George keek Melody aan. 'O nee?' zei hij sarcastisch.

Ze haalde haar schouders op. 'Ik moest een warmere trui hebben. Wat verwachtte je dan dat ik deed? Er een stelen?'

George keek Jane aan. 'Melody hangt graag het brave meisje uit,' zei hij. 'Maar zij heeft ook uit de koektrommel gejat. Ze heeft genoeg van de duivel in zich om het spannend te houden.'

Melody gaf George een mep op zijn schouder. 'Praat tegen me alsof ik ook in de kamer ben. Bovendien, we zitten sámen in dit schuitje. We doen wat we moeten doen.'

Jane kreeg opeens het gevoel dat ze hier te veel was. Ze waren zo vreemd, zo op elkaar ingesteld. Ze leken niet bang voor de waarheid, of liever, niet bang hun leugens naar buiten te brengen. Hun vuile was buiten te hangen. Het maakte niet uit wie het zag. Ze hadden gestolen. Ze gaven het toe. Het was gedaan, en daarmee uit.

'We zullen het hem terugbetalen,' zei Melody tegen Jane.

'Dat had je gedacht,' zei George. 'Hij is een klootzak.'

'Nou ja,' zei Jane. Het was plotseling erg vol in de kamer. 'Ik laat jullie alleen, dan kunnen jullie overleggen over de terugbetaling,' zei ze. 'Welterusten.'

Ze ging vlug de kamer uit, en toen ze in haar eigen kamer kwam, zag ze dat Rocksan al in bed lag.

'Ik heb je niet horen binnenkomen,' zei Jane.

'En toch ben ik hier,' zei Rocksan afwezig. Ze las een boek. De titel ervan, zag Jane, was *Nectar*.

'George heeft geld gestolen van zijn vader,' zei Jane.

'Verbaast je dat?'

'Misschien niet,' zei Jane. 'Maar het is wel vreemd.'

Rocksan sloeg een bladzijde van haar boek om. Ze leek niet te luisteren.

'Ik heb precies hetzelfde gedaan,' zei Jane. 'Ik heb op de avond dat ik wegging een stapeltje bankbiljetten uit dezelfde koektrommel gepikt, net als George achttien jaar later.'

Rocksan legde het boek op haar borst en keek Jane aan met een wrange uitdrukking op haar gezicht.

'Zo moeder, zo zoon,' zei ze.

'Die arme rotzak,' zei Jane. 'Wat moet hij George gehaat hebben.'

Rocksan legde het boek op het nachtkastje en deed het licht uit. Na een paar minuten zei ze: 'Het was natuurlijk om razend van te worden dat zijn zoon zo op je leek. Je zou een knappe kerel zijn, Janey.'

'Maar ik ben geen kerel, dus je hoeft niet te doen of je hetero bent.'

'Hetero, betero.'

Ze bleven even stil liggen. Toen streek Rocksan in het donker Janes haar naar achteren. De tederheid van dit gebaar was hartverscheurend.

Na de korte rit van het restaurant naar huis ging Melody naar boven om even te gaan liggen en Rocksan ging met de bijen in de weer. Jane wist dat Rocksan altijd opzag tegen het begin van de winter; dan was het voor de bijen het gevaarlijkst. Rocksan hield van die bijen zoals andere mensen van hun honden en katten hielden, meer zelfs. George bleef in de keuken rondhangen.

'Jullie hebben een fijn huis,' zei hij.

'Het spookt hier,' zei Jane.

'Cool,' zei George. Hij glimlachte. Het was voor het eerst dat Jane hem had zien glimlachen sinds zijn komst. Hij was erg knap om te zien. Hij was een echte man. Een tikje onbeschoft, maar dat kon ze wel door de vingers zien. Het waren ongewone omstandigheden. Met veel stress. Er was een baby op komst, en hij maakte voor het eerst kennis met zijn lesbische moeder. Ze had met hem te doen.

'Wanneer moet de baby komen?' vroeg ze.

'Over een paar weken. Maar Melody fluistert steeds naar de baby dat hij moet opschieten. Daar betrap ik haar telkens op. Ze heeft bepaalde vermogens, Jane. Ze is een beetje vreemd. Ik wil wedden dat de baby eerder komt.'

'Er is geen ziekenhuis in dit dorp. Het dichtstbijzijnde ziekenhuis is vijftig kilometer hiervandaan.'

'Zoiets dachten we al. We moeten waarschijnlijk iets regelen. Alvast een afspraak maken of zo.'

Jane knikte. 'Laten we dat dadelijk doen als ze wakker wordt. Een plan maken.'

'Ze is keihard. Eigenlijk zou ik willen dat ze niet zo hard was. Echt waar, ze kan meer hebben dan je zou denken, en ik juist minder.'

'Wie had dat nou kunnen denken?' zei Jane.

'Is dat sarcastisch bedoeld?'

'Jawel.'

George glimlachte weer. 'Hoor eens, het spijt me dat het zo vervelend begonnen is. Door de wijn. Normaal gesproken doe ik niet...'

'Mij ook, ik ook niet,' zei Jane. Ze voelde dat ze bloosde. Ze voelde haar hart snel kloppen. Het was allemaal zo vreemd. Zo bijna onmogelijk.

'Je moet begrijpen...' zei hij.

'Ik begrijp het...'

'Hij haatte jou, en jij had me achtergelaten en...'

'Ik weet het...'

'Soms weet ik niet of ik je ooit kan vergeven.'

Jane had een theedoek in haar handen; die legde ze op het aanrecht, waar ze tegenaan leunde. Ze had een gevoel alsof haar hele lichaam aangesloten was op het elektriciteitsnet, alsof het geladen werd, zoemde, leefde op een manier die ze nooit eerder had gekend. Pijnlijk, vol betekenis. 'George,' zei ze. 'Ik kan mezelf niet eens vergeven.'

'Ik wou dat ik je kon vragen waarom je het gedaan hebt, en dan hier kon blijven om erachter te komen. Maar ik denk niet dat ik dat zou kunnen. Want het vragen is al bijna te veel, maar de redenen zijn waarschijnlijk nog erger.'

'Misschien,' zei Jane. 'Maar misschien zou je gewoon een tijd kunnen blijven, en het waarom kunnen bewaren voor later. Het zichzelf laten oplossen. Het is allemaal twintig jaar geleden. Ik weet dat het veel gevraagd is, maar misschien kun je het opbrengen een tijd te blijven en het een kans te geven.'

George haalde zijn schouders op. 'We kunnen nergens heen. Ik heb geen baan. Ik wilde eerst afstuderen. Maar toen raakte Melody zwanger. Ik weet niet wat ik moet doen.'

'George,' zei ze. 'Laat de baby hier in Angels Crest komen. En laat mij een tijd voor jullie zorgen. Tot je weer op eigen benen kunt staan.' Ze wist dat Rocksan haar zou vermoorden. Waarom deed ze dit toch altijd, vergeten het met haar partner te bespreken voor ze belangrijke levensbeslissingen nam? Het was een slechte gewoonte. Daar moest ze nodig aan werken.

'Een deel van me wil dat dolgraag. Maar het andere deel, het deel dat door jou werd achtergelaten, dat wil gewoon tegen je zeggen: rot op.'

'Ik weet het,' zei Jane. Ze voelde dat ze wilde huilen. Maar ze hield zich in, probeerde zich ervoor af te sluiten, zodat alles vanbinnen begraven leek. 'Laten we de zaak logisch bekijken. Waar gaan jullie heen?'

'Melody wil hier blijven.'

'Tja, zij is de baas. Dat weet je toch? De zwangere vrouw is altijd de baas.'

George glimlachte maar het was een treurig lachje, dat alle onuitgesproken dingen over Jane leek te bevatten: haar zwangerschap van hem, het feit dat zij toen de baas was en hem had achtergelaten. Ze had het gevoel dat alles een landmijn was, dat al haar woorden konden exploderen. Ze dacht ook dat als ze maar wat tijd met hem kreeg, hij zou leren haar te vergeven.

'Oké,' zei George. 'Maar, Jane, ik weet dat dit klinkt alsof ik een boerenkinkel uit de Midwest ben. Maar ik moet het zeggen: ik snap niets van dat homogedoe. Ik wíl gewoon niet dat mijn moeder een pot is.'

'George,' zei ze. 'Ik ben blij dat je het zo eerlijk zegt. Maar het is verkeerd dat de meeste mensen denken dat wij homoseksuelen daar zelf voor kunnen kiezen.'

'Ik ben ook een van die mensen.'

'Dat is je goed recht. Maar misschien zul je ooit inzien dat dit is wie ik ben. Heel fundamenteel. Het is iets biologisch, George. Ik zou nooit, echt nooit hebben gekozen voor een leven dat me alleen verdriet bracht. Dat zou toch van de gekke geweest zijn?'

George keek haar sceptisch aan. Hij was zo rood als een biet. Het viel Jane op hoeveel hij op haar leek, tot en met dat blozen. Nu ze hier samen waren met al die onuitgesproken dingen, voelde ze een innige liefde voor hem, een vurige liefde, een liefde waarvan ze de fijne nuances had achtergelaten en vergeten, tot dit moment.

Angie

Toen Jane en haar zus binnenkwamen, zag Angie dat ze erg van streek waren. Ze verbaasde zich voortdurend over haar zus en de moed die ze aan de dag legde. Ze beschouwde Rocksan als een superheld. Serieus ingesteld, met veel eigenaardige trekjes, maar sterk, vooral wanneer het erop aankwam de juiste beslissing te nemen, ongeacht haar eigen gevoelens.

Vaak zagen de mensen die kant van haar niet. Ze zagen een groot manwijf dat stekelig en vooringenomen kon zijn. Maar Rocksan deed altijd wat ze zei. Ze zag altijd het goede en kon dat toegeven, ondanks haar tegendraadse trots.

Toen Rocksan bij een tafeltje was gaan zitten met Jane, Janes zoon en diens zwangere vriendin, herinnerde Angie zich iets uit dat eerste jaar, toen Rocksan pas in Angels Crest was aangekomen.

Ze was toen net met dat malle bijengedoe begonnen. Angie herinnerde zich dat er gefluisterd werd over Jane en Rocksan. Het waren lesbiennes. En het waren nog rare lesbiennes ook. Ze hielden bijen, ze hadden veel geld, ze gingen niet naar de kerk en ze kochten dat stuk grond helemaal aan de rand van het dorp dat niemand wilde hebben omdat er geen water was en geen septic tank, en omdat het overwoekerd was met bramen en klimop en herten en omdat het er zelfs scheen te spoken; de oude man die dat enorme, vervallen huis had laten verkrotten, waarde er nog rond.

Op een dag, herinnerde Angie zich, was Rocksan het restaurant binnen gekomen. Ze had die stomme rubberlaarzen aan en een veel te grote tuinbroek. Er zaten gaten in haar overhemd. Ze had haar haar niet geborsteld en ze zag eruit alsof ze gehuild had. En Angie herinnerde zich dat ze zich voor haar zus schaamde. En dat ze zich ongerust maakte over haar. De mensen keken. Deze lesbische bijenhoudster was Angies zus en Angie dacht dat de mensen in het dorp haar erop zouden aankijken. Ze wist hoe erg het was dat ze dit dacht, maar ze kon er niets aan doen.

Rocksan was aan de bar komen zitten en had Angie met horten en stoten een lang, warrig verhaal verteld. Ze had een van haar koninginnen moeten doden. Angie kon de bijzonderheden nauwelijks volgen. En eerst kon ze ook niet begrijpen waarom Rocksan zo van streek was. Het waren toch maar bijen. Het ging niet eens om een hond of een kat, maar om een zootje stekende, vliegende insecten.

Maar al luisterend hoorde ze wat er achter het verhaal zat. Het humane van wat haar zus deed. Het goede dat Rocksan nastreefde. Ze zag opeens de opmerkelijke en fatsoenlijke inborst van haar zus. En ze begreep opeens dat het er niet toe deed dat het *maar bijen* waren. Dat aan Rocksans verdriet, iets diepers ten grondslag lag. Dat Rocksan haar menselijkheid als gebrekkig beschouwde, haar beslissingen en haar verlangens als onverantwoordelijk. Ze had een bijenvolk uitgeroeid en door dat te doen had ze haar eigen menszijn onder ogen moeten zien, de dwaasheid en hoogmoed die daarin besloten lagen.

Nu keek Angie naar haar zus; haar stoere buitenkant was prachtig, haar onafhankelijkheid en zelfbewuste houding wonderbaarlijk. Ze was uiteindelijk toch een vrouw die om bijen kon huilen. Ze zat daar met haar kroost: een emotionele, onvoorspelbare vriendin, een jongeman, diens tengere vriendin met een engelachtige uitstraling. Er zou een kind komen. Dat was Rocksans leven. Een vreemd en mooi leven, hoe het ook verder zou gaan.

Angie ging terug achter de bar, keek de roomkannetjes en de suikerpotten na. Ze vulde koffiekopjes en waterglazen en wierp een blik in de keuken. Daar werkten ze zo snel als ze konden. Ze waren niet aan dit soort drukte gewend. Ze voelde zowel opluchting als ergernis. Aan het eind van de maand zou ze geld overhouden. Maar tegen welke prijs? Ethans zoontje was dood en er was een menigte ramptoeristen toegestroomd. Wanneer zou dit allemaal weer uitdoven?

Rosie lag in de achterkamer te slapen in haar ledikantje. Ze had haar pinguïnpop in haar armen en iemand, misschien een van de koks, had een deken over haar heen gelegd. Angie dacht aan haar eigen dochter en vroeg zich even af waar zij gebleven was, of ze ooit nog naar huis zou komen.

Ze werkte door tot ze niet meer kon. Ze was doodmoe, maar wanneer ze aan Glick dacht, aan zijn aanraking en de tederheid in zijn ogen, werd ze ook vervuld van een gevoel van macht en zinvolheid. Ze nam Rosie op en ging terug naar huis. Ze lunchten en Angie speelde een tijdje met Rosie; ze bouwden een huis van legosteentjes. Toen ze klaar waren, leek het helemaal niet op een huis, maar Rosie scheen er trots op te zijn.

'Laten we een eindje gaan rijden,' zei Angie.

'Mag ik iets meenemen?'

'Wat had je gedacht?'

Rosie keek de kamer rond. De vissen zwommen in hun kom met water. Ze wees ernaar.

'We kunnen de vissen niet meenemen,' zei Angie.

'Maar dat wil ik.'

'Neem liever je pinguïn mee. Dan gaan we een ijsje kopen.'

Rosie pruilde even, maar de belofte dat ze zelfs in deze kou een ijsje zou krijgen, bracht haar in beweging. Angie pakte haar dik in in een warme jas en wanten, en pakte haar tas. Ze startte de auto, zette de verwarming aan en bleef een tijd met draaiende motor op de oprit staan. Er kwamen een paar auto's langs, waarschijnlijk van vreemden. Verslaggevers, schrijvers, nieuwsgierigen. De hemel boven haar was vrij van wolken, fonkelend blauw, maar de lucht was koud, vol kristallen.

Ze reed eerst naar Fosters Diepvries waar ze samen met Rosie een ijsje at. Ze zaten als enige klanten zwijgend binnen onder een primitieve verwarming die hete lucht in de ruimte blies. Toen ging ze bij het restaurant langs en nam een paar broodjes, wat muffins, een paar bagels en boter mee. Daarna ging ze naar de supermarkt om eieren, kaas, koffie en melk te halen. Toen ze klaar was, stapte ze in de auto en reed het dorp uit naar het huis van Glick. Ze wist dat Ethan daar was en dat hij waarschijnlijk honger zou hebben.

Terwijl Rosie in het kinderzitje zat te neuriën, reed ze door het dorp, langs haar restaurant, dat nu leeg was, afgezien van een paar mensen aan de bar en het stel met laptops aan de tafel bij het raam. Terwijl ze steeds verder het dorp uit reed, werd het steeds mistiger. Hoe meer bomen er stonden, hoe donkerder het werd en ze reed langzaam, door de takken van de bomen omsloten alsof het armen waren.

Ze had in geen jaren meegemaakt dat er iets van vreugde tegenover haar treurigheid stond. Ze besefte dat de scheve verhouding tussen vreugde en verdriet haar had getekend, dat ze altijd op haar hoede was door het gevoel dat haar leven sinds haar dochter was weggegaan, zo vol was van verdriet dat ze nergens anders ruimte voor had kunnen maken. Maar dat was nu allemaal veranderd. Gesust door het mysterieuze medicijn van de liefde.

Toen ze eindelijk bij het eind van Cage Road aankwam, zag ze de truck van Ethan voor het huis staan, maar niet die van Glick. Het huis – eigenlijk meer een blokhut – was gehuld in de schaduw van de bomen. Het licht kon er niet doorheen dringen. Angie vond het een geïsoleerde, treurige plek. Meer een tijdelijk onderdak dan een echt huis. Ze dacht aan Glick, die hier alleen woonde. Ze stelde zich voor hoe hij 's nachts in bed zat, met één brandend lampje naast hem, een catalogus van sportartikelen geopend op zijn schoot, en zijn eenzaamheid als een tweede persoon in de donkere kamer.

Ze zette de motor uit en zag dat Rosie op de achterbank in slaap was gevallen. Ze opende het achterportier en maakte haar kleindochter zachtjes wakker. Rosie begon te huilen omdat ze niet wist waar ze was, en Angie nam haar op en neuriede zacht in haar oor. Geleidelijk begon Rosie te begrijpen dat ze gedroomd had, dat er niets aan de hand was.

'Waar zijn we, oma?'

'Bij het huis van Glick.'

'Is dat de pappa van Nate?' vroeg ze, wijzend naar de gestalte van Ethan die in zijn eentje in de schaduwen van het gordijn voor het raam stond.

'Ja,' zei Angie.

Ze zette Rosie op de grond en ze liepen hand in hand naar de deur. In haar vrije hand droeg ze de tassen met etenswaren. Ethan deed de deur al open voordat Angie kon aankloppen.

'Weten nog meer mensen dat ik hier ben?' vroeg hij. Zijn gezicht was geplooid door zorg en uitputting. Hij dronk bier uit een blikje, en in de asbak lag een brandende sigaret.

Angie was pas één keer eerder in Glicks huis geweest, en het verbaasde haar niet dat het er netjes en opgeruimd was. De meubelen zagen er, zoals ze zich ook herinnerde, best aardig uit. Wel rook het muf in het huis, een bedompte lucht. Door de betrekkelijke verlatenheid van het huis ging ze naar Glick verlangen.

'Nee,' zei Angie. 'Volgens mij niet. Glick heeft het me in vertrouwen verteld.'

'Hij voelt zich er vast door bezwaard,' zei Ethan.

'Ik denk niet dat hij daar last van heeft.'

'Ik bedoel dat het geheim is. Dat hij mij een schuilplaats geeft.'

Angie ging met de etenswaren naar de keuken. Ze had Ethan altijd graag gemogen, ze was gesteld op zijn vriendelijke persoonlijkheid, zijn rechtvaardigheidsgevoel. Maar de echtscheiding en het gevecht om de voogdij waren hard geweest, hadden hun tol geëist. Hij was veranderd, meer naar binnen gekeerd; hij leek vaker dan vroeger kortaangebonden en ongeduldig. Maar dat hij zijn zoontje zo lang alleen in de truck had achtergelaten, paste niet bij hem. Als Angie iets over Ethan wist, was het dat hij een zorgvuldig, degelijk mens was. Iemand die er lang over deed om beslissingen te nemen, die niet zoals Cindy geneigd was spontaan uit te barsten, erg emotioneel te worden. Hadden de gebeurtenissen van het afgelopen jaar iets van die zorgvuldigheid weggesleten?

Ze herinnerde zich iets wat gebeurd was ongeveer zes maanden nadat Ethan en Cindy gescheiden waren. Het was laat in de avond en Ethan en zij waren de enige aanwezigen in het restaurant; het jachtseizoen was een paar dagen tevoren begonnen. Hij had overgewerkt in de ijzerhandel, de inventaris opgemaakt. Hoewel ze al bezig was het lege restaurant te sluiten, had ze hem toch een kop koffie ingeschonken toen hij binnenkwam.

De strijd om de voogdij was al een paar weken aan de gang en het was duidelijk dat het hard tegen hard zou gaan. Ethan had een geprimeerde indruk gemaakt, wat niet vaak voorkwam. Hij was een stabiel type. Hij liet nooit iets merken van zijn stemmingen. Hij zei dat hij op de eerste dag dat de jacht geopend was, was gaan jagen, en dat het ermee was geëindigd dat hij twee hele dagen achter hetzelfde hert aan had gezeten. Dag en nacht, met weinig slaap en nog minder eten. Op de tweede dag had hij eindelijk op het hert kunnen aanleggen toen het vlakbij stond te grazen. Het was enorm groot, en zo mooi, zei hij, dat hij er wel om kon huilen. Hij mikte en voor hij erover na kon denken schoot hij op het hert. Zelf uitgeput had hij het hert in de begroeiing zien neervallen.

'Hij had zijn voorpoten onder zich,' zei Ethan. Hij speelde met zijn koffiekopje, staarde op de bar. 'Hij sleepte zijn achterhand voort. Daar zat hij onder het bloed, en toen ik bij hem kwam, bewogen zijn oren. Hij hoorde me. Hij wist dat het afgelopen was. Ik herinner me de wolkjes damp die uit zijn neus kwamen. Het was verrekte koud.'

Angie was bezig geweest de bar af te nemen. Er was niemand meer. Ze wilde naar huis. Ze was doodmoe. Ze wilde niets horen over dat hert. Maar hij ging door met praten, alsof hij het nodig had.

'Het hert draaide zijn kop niet naar me toe, daar was ik blij om. Het waren een paar wilde dagen geweest. Ik ging naar hem toe, ik mikte op de longen en ik schoot. Hij probeerde nog een minuut lang overeind te komen, hij krabde met zijn voorpoten in de grond. Zijn adem kwam uit zijn neus, twee strepen van damp, en dat ging steeds moeizamer. Vlak voor hij doodging, sidderde hij, en toen was het gebeurd. Hij was dood.'

Angie kon een hele tijd niet naar Ethan kijken. Ze herinnerde zich dat toen ze uiteindelijk de moed had om naar hem op te kijken, ze zag dat hij huilde. Toen wist ze dat een jager alleen kon doen wat hij deed, als hij zijn prooi zowel liefhad als hem wilde doden, in gelijke mate. Ze zag dat er bij Ethan te veel liefde was, en niet genoeg moordlust. Toen dacht ze dat het beter zou zijn als hij nooit meer ging jagen, maar die gedachte hield ze voor zich.

'Ik heb wat eten voor je meegebracht,' zei Angie nu in het huis van Glick. De herinnering stond haar zo helder voor de geest dat ze het moeilijk vond hem aan te kijken.

Ethan boog zijn hoofd. 'Bedankt. Ik kan het je later terugbetalen.'

'Dat hoeft niet. Ik wist dat je honger zou hebben en dat het moeilijk voor je zou zijn om naar het dorp te gaan. Die journalisten zitten overal.'

'Ze hebben me afgeschilderd als een stomme boerenkinkel, een slechte vader,' zei Ethan.

'Je moet je over hen geen zorgen maken. Ze komen van buiten. Wij kennen je.'

'Ja. Probeer dat maar eens tegen Cindy te zeggen.'

Angie bestudeerde haar handen. Ze begreep dat Ethan niet te troosten zou zijn. Hij zat te diep in de put.

'Waar is Glick?'

'Hij is met Cindy naar de Calvariekerk gegaan om een dominee te zoeken. Ik heb hem gevraagd me daarmee te helpen. De rouwdienst is morgen. Cindy kent die lui. Ze is gesteld op die blinde.'

Angie was ook op hem gesteld. Hij kwam elke dag in het restaurant lunchen; dan bestelde hij een tosti en een slaatje. Hij woonde alleen. Hij glimlachte veel en zei weinig. Als je hem zocht, kon je hem bijna altijd in het archief vinden. Daar zat hij in zijn eentje met zijn gezicht gewend naar de oude foto's die er hingen. Niemand scheen hem ooit te zoeken. Maar iedereen kende hem, iedereen voelde zijn aanwezigheid.

Ze keek even naar Rosie die stil op de bank zat en met haar pinguïn speelde. Ze zag dat Rosie de ernst van de situatie aanvoelde en scheen te begrijpen dat ze haar niet mocht storen, dat ze niet lastig mocht zijn. Ze wist ook dat Rosie de laatste tijd naar de gesprekken van volwassenen luisterde, dat ze dan stil en aandachtig werd; dat ze niets zou durven doen waarmee ze deze hobby, haar deelname aan de sensationele wereld van de volwassenen, in gevaar bracht.

'Ik had nog een reden om langs te komen,' zei Angie. 'Na de dienst zou ik iedereen graag iets te eten aanbieden in het restaurant. Misschien kan Trevor iets van drank meebrengen, wijn of zo.'

'Dat is heel aardig van je, Angie, maar ik kan het niet accepteren.'

'Waarom niet?' Angie voelde een steek van ergernis. Maar Ethan was jong. Zijn ouders waren allebei dood. Hij had genoeg van de dood meegemaakt. Ze zag dat zijn trots zich voor hem uitstrekte als een lange, smalle weg. Hij zei niets en ging naast Rosie op de bank zitten. Ze hield hem haar pinguïn voor.

'Je mag met hem spelen als je wilt,' zei ze.

Ethan nam de pinguïn aan en zette hem op zijn schoot. Hij keek uitdrukkingsloos naar de snuit van het speelgoedbeest.

'Hoor eens,' zei Angie. 'Je kunt het best accepteren. Als je je trots maar even opzij zet. Het enige waarover jij je druk moet maken, is sterk te blijven.'

Hij knikte. Rosie zei: 'Je mag mijn pinguïn ook lenen.'

Hij gaf het beest aan haar terug. 'Nee, dank je, meisje,' zei hij. 'Maar het is lief aangeboden.'

Rosie nam het speelgoedbeest terug en Angie zag dat ze opgelucht was dat Ethan het niet wilde houden.

'Ze gaan me arresteren,' zei hij.

'Dat weet je niet.'

'Het werd gezegd op de radio.'

'Dan gebeurt er nog niets.'

'Ze gaan mij ten voorbeeld stellen. Een achterlijke kinkel, een vader uit de bergen vermoordt zijn eigen zoontje.'

Angie ging naast Ethan op de bank zitten. Ze sloeg haar armen om hem heen. 'Je mag niet over de toekomst gaan denken, alvast bedenken wat je gaat doen terwijl je niet weet wat er komt.'

Hij knikte. 'Ik heb mijn zoontje gedood, Angie. Ik ben niet bang om daarvoor te boeten.'

Angie knikte. 'Laten we nou maar eerst zorgen dat we deze dag doorkomen en de rouwdienst morgen. Laten we het stap voor stap doen.'

Ethan knikte weer.

'Probeer alsjeblieft wat te eten,' zei Angie. Ze maakte een gebaar naar de keuken waar ze de etenswaren had neergezet, en Ethan keek ook in die richting maar leek niets te zien. Hij stak zijn hand uit en haalde een sigaret uit het pakje dat naast de asbak lag. Daar stond ook een fles whisky. Angie kreeg het gevoel dat hij erop wachtte dat ze weg zou gaan, zodat hij een slok uit die fles kon nemen en de sigaret kon opsteken.

Ze nam Rosie bij de hand en ging het huis van Glick uit. Toen ze de auto naderden, zei Rosie: 'Oma, je knijpt in mijn hand.'

Laat op die avond, nadat Rosie was gaan slapen, kwam Glick aan de deur. Angie deed voor hem open en de hond zat trouw naast hem op de stoep. Toen Angie de deur verder opende om Glick binnen te laten, liep de hond meteen via de keuken naar de achterveranda.

'Braaf beest,' zei Glick.

Angie liep naar de koelkast en haalde er een fles wijn uit. Ze hield hem vragend omhoog om te zien of Glick wilde en hij zei dat hij liever een biertje had, als ze dat in huis had. Ze zei dat ze geen bier had, maar dat er cognac in de provisiekast stond. Ze vatte zijn zwijgen op als aanwijzing dat hij dat wel wilde, en nam zich meteen voor om bier voor hem te kopen.

Ze namen hun drankjes mee naar de slaapkamer, en deden stil in de gang. Het viel Angie op dat Glick rekening hield met het feit dat Rosie sliep, met haar deur op een kier. Toen hij daar langs liep, keek hij even naar binnen, daarna liep hij door naar Angies slaapkamer. Op zijn gezicht lag een uitdrukking van openheid en vertrouwen. Dit had Angie nog niet eerder gezien.

Angie deed de deur dicht en binnen een paar seconden stonden ze te kussen. Ze deed haar best Glick niet te laten zien dat ze als een blok gevallen was voor zijn aanraking, zijn smaak, de dingen die hij zei en hoe hij ze zei. Ze probeerde gewoon te blijven ademen. Ze schaamde zich voor haar hartstocht en deed een poging daar naar buiten toe niets van te laten zien. Maar haar lichaam, dat niets wist van gevoelens en houdingen, kon niet liegen. Toen Glick onder haar slipje voelde, keek hij in haar ogen en glimlachte.

'Ik ben dus niet de enige,' zei hij.

Ze voelde dat ze bloosde – omdat haar lichaam haar zo verraadde – en draaide haar gezicht weg.

Later lagen ze stil in bed en zeiden lange tijd niets. Toen keek Glick haar aan en zei: 'Cindy wil die blinde predikant bij de uitvaartdienst.'

'Ja?'

'Hij zei dat hij het zou doen. Naar die plek in het bos lopen, als wij hem hielpen.'

'Hij is aardig. Hij zal wel niet veel zeggen, denk ik.'

'Beter dan die andere.'

Angie knikte. Ze wist wie hij bedoelde, al ging ze zelf niet naar de kerk. Ze kende broeder Powell – die had graag vier klontjes in zijn koffie en extra veel room – en ze was altijd huiverig voor zijn joviale houding en geforceerde oprechtheid.

Buiten kon Angie de wind door de bomen horen huilen. Ze dacht dat dit betekende dat er weer een sneeuwstorm aankwam. In een flits dacht ze aan de winter van 1889, toen het dorp was ingesneeuwd en al die mensen – behalve de baby's – waren gestorven. Toen raakte Glick zacht haar arm aan. Hij verhief zich op zijn elleboog en keek in haar ogen.

'Ik wil je alles vertellen,' zei hij.

Ze streek het haar uit zijn gezicht. Zijn ogen waren zo helder, zo blauw, dat ze toen ze erin keek het gevoel kreeg dat ze peilloos waren. Ze zag zijn pupillen steeds veranderen; ze werden haast onmerkbaar groter en kleiner, kleiner en weer groter, en weer kleiner.

'Ik heb het gevoel dat ik het al weet. Op een of andere manier,' zei ze.

'Wat ik probeer te zeggen is, geloof ik, dat ik een plek zoek om alle bijzonderheden kwijt te kunnen. Een plek buiten mijn eigen hoofd.'

Om een of andere reden kon ze niet bedenken wat ze nu moest zeggen. Ze had het gevoel dat ook zij te veel woorden had, te veel te zeggen had. Ze leunde naar achteren en nam een slokje van haar wijn. 'Ik ben vandaag in je huis geweest. Ik heb Ethan wat te eten gebracht en heb tegen hem gezegd dat we na de rouwdienst het restaurant kunnen gebruiken om de gasten te eten te geven.'

'Hij zei dat je geweest was.'

'Ik had een gevoel alsof ik je huis voor het eerst zag. Ik zag jou erin, hoe je leefde, al die jaren. En ik voelde iets vanbinnen. Ik wilde je daaruit weghalen.'

'Ik hou van dat huis,' zei Glick.

'Begrijp me niet verkeerd. Het heeft een zekere schoonheid. Maar het is veel te eenzaam.'

'Vind je?' zei Glick.

'Je kunt er de treurigheid voelen.'

Glick zei heel lang niets. Angie kreeg het gevoel dat ze misschien een gevoelige plek had geraakt. Misschien had ze iets over hem aangenomen wat niet klopte, en ze was bang dat ze hem misschien beledigd had. Maar Glick draaide zich naar haar toe en zei: 'Ik heb alleen die leegte gekend. Dat is alles sinds ze me arresteerden en in de gevangenis gooiden, al die jaren geleden. Ik kan niet bevestigen of ontkennen of het treurig was in dat huis. Ik ben er zo aan gewend om op een bepaalde manier te leven dat ik zelfs hier, waar het warm is, merk dat ik het mis.'

Ze knikte. 'Het lijkt misschien van niet, maar ik begrijp het. Ik weet wat je bedoelt.'

'Misschien verkoop ik het nog wel eens,' zei hij.

Angie hoorde de toekomst in zijn woorden. Ze voelde dat het verlangen en de begeerte en de manier waarop ze alles angstvallig binnen had gehouden sinds het vertrek van haar dochter, vrijkwamen. Het was alsof er een vuist vanbinnen werd geopend. Alsof alles open ging.

Cindy

Het was benauwd in Cindy's flat, het rook er sterk naar sigaretten. Ze zaten tv te kijken. Op het scherm zagen ze een paar zatlappen uit het café tegen verslaggevers praten. Toen stond Trevor op en keek Cindy aan.

'Ik moet hier een eind aan maken.'

Ze knikte. Maar eigenlijk maakte het haar niet meer uit. Het was allemaal beroerd en het werd alleen maar erger. Niets scheen haar echt te kunnen raken. Misschien was de alcohol eindelijk gaan werken. De mensen zouden over haar, Ethan en Nate kletsen en ze zouden allerlei vermoedens uiten en haar nawijzen. Zo was het nu eenmaal. Dit was nu haar leven.

'Ga je nog naar de kerk om die predikant te zoeken?' vroeg Trevor.

Ze knikte. Ze rookte. Ze dronk. Ze herinnerde zich de keer dat Ethan had gezegd dat ze langzaam zelfmoord pleegde.

'Wil je dat ik je erheen breng? Ik zou je daar af kunnen zetten en je later weer komen halen. Of iemand sturen om je te halen.'

'Nee,' zei ze. 'Ik wil eerst in bad. En je zult je handen vol hebben aan al die sukkels die met de media praten.'

Ze wilde niet tegen hem zeggen dat ze met Glick had afgesproken. Ze wist dat hij, ook al was haar zoontje dood, jaloers zou zijn en erover zou willen praten. Zo was hij nu eenmaal. Maar ze vergaf het hem ook. Hij hield van haar. En hij was nu de enige. Hij had heel haar leven van haar gehouden. Ze zag de waardigheid in hem, de onwrikbare toewijding. Daar was ze in elk geval dankbaar om.

'Ho eventjes, Cindy. Die sukkels zijn jouw vrienden.'

'Dacht je dat? Waarom zijn ze dan niet hier om me te troosten? Waarom praten ze hun mond voorbij tegen die troep wolven?'

'Je moet redelijk zijn,' zei Trevor.

'O ja?'

Trevor trok zijn jas aan. Hij kwam naar haar toe en kuste haar op de wang.

'Ik kom later terug. Doe niet open.'

Ze knikte. Toen hij weg was, stond ze op, en nadat de duizeligheid over was, ging ze naar de badkamer en draaide de kraan van de badkuip open. Ze maakte het water zo heet als ze nog kon verdragen en ze zonk neer in de stoom alsof ze op een wolk werd opgetild en weggedragen. Ze sloot haar ogen en neuriede een wijsje dat ze vroeger voor Nate neuriede. Ze was zo dronken dat ze bijna uitgleed en viel toen ze uit het bad stapte. Het warme water had haar suf gemaakt; de alcohol reisde daardoor sneller door haar lichaam.

Ze kleedde zich warm aan en haalde haar parka en een muts uit de gangkast. Toen ze buiten kwam, was ze even verbijsterd over hoe koud het was. Ze besefte dat de verwarming in haar flat te hoog stond en ze dacht dat de koude lucht zou helpen het trage, suffige gevoel in haar hoofd te verjagen. Ze liep de trap af naar haar parkeerplek en zag twee verslaggevers uit een geparkeerde auto komen. Toen ze bij haar waren, zei een van hen – een dertiger die zich niet op de kou had gekleed –: 'Hebt u er bezwaar tegen dat ik u een paar vragen stel?'

'Ja, daar heb ik bezwaar tegen,' zei ze.

'Hebt u uw zoontje nog gezien toen ze hem uit het bos hadden gehaald?'

'Waarom gaan jullie niet allemaal terug naar jullie holen?'

'Wist u dat ze van plan zijn uw man te arresteren?' Dit werd gezegd door de vrouwelijke verslaggever met haar hooggehakte zwarte laarsjes, haar met bont gevoerde parka.

'Dame,' zei Cindy. 'Mijn zoontje is net overleden. Een beetje respect alstublieft.'

'Wanneer wordt de uitvaartdienst gehouden?' vroeg de man.

Inmiddels was Cindy bij haar auto aangeland. Ze stapte in en reed weg. Ze zag dat ze de man net had gemist, dat hij achteruit had moeten springen omdat ze hem bijna had overreden. Ze stak haar hand uit naar het handschoenenvak en haalde er een pakje sigaretten uit. Haar handen beefden, haar hart bonsde in haar borst. In het handschoenenvak zag ze de glanzende dop van haar zakflacon. Ze stak haar sigaret op en keek, terwijl ze het stuurwiel met één hand vasthield, of er nog wat in de flacon zat, maar hij was leeg.

Toen ze bij de Calvariekerk aankwam, was Glick er al. Hij zat in zijn truck te wachten en de ruiten waren beslagen. Ze stapte uit de auto, rende naar hem toe en tikte op het glas.

'Ik heb het gevoel dat ik gek begin te worden,' zei ze. Ze beefde zo dat ze bijna niet kon blijven staan. Ze had het gevoel dat haar knieën het zouden begeven.

'Dat valt wel mee,' zei Glick.

Ze liepen samen de kerk in. Op het asfalt buiten het kerkraam kon ze de kinderen zien in blauw-wit uniform met een jas erover; ze speelden met een bal.

'Nate zat hier op school. Hij was net begonnen op de kleuterschool,' zei ze.

'Dat weet ik,' zei Glick. Hij legde zijn hand in de holte van haar rug en leidde haar door de kerk. Er waren nergens afbeeldingen van Jezus te zien, alleen een protserig gouden kruis boven de preekstoel waar broeder Powell zijn preken hield. Eigenlijk leek het meer op de gymzaal van een middelbare school dan op een kerk. Ze liepen door naar achteren, waar een lange gang was met een reeks deuren.

'Ik zou weer naar de kerk moeten gaan,' zei Cindy. Dat zei ze altijd wanneer ze in een kerk was. Maar wanneer ze er wegging, vergat ze het altijd weer.

Ze liepen door de gang en Cindy zei: 'Ik wil die blinde man. Broeder Johns, zo heet hij geloof ik. Die oude kerel.'

Glick knikte. 'Dan kunnen we misschien beter naar het archief gaan.'

Juist toen ze hiermee wilde instemmen, kwam broeder Powell aanlopen. Hij pakte Cindy's hand en keek haar langdurig in de ogen. Ze voelde zich niet op haar gemak. Ze zag de onoprechtheid in de manier waarop hij haar hand vasthield, in haar ogen keek. Toen er tranen in zijn ogen kwamen, wilde ze hem een klap in zijn gezicht geven. Ze voelde zich ordinair en haatdragend. Nates dood had een monster van haar gemaakt.

'Ik weet dat het op dit moment niet zo voelt, maar de Heer loopt naast je,' zei hij.

De Heer kan doodvallen, dacht ze. Ik heb er geen behoefte aan dat de Heer naast me loopt. Ik wil mijn zoontje terug. Toch boog ze haar hoofd, waarop ze zich afvroeg waarom ze zo onderdanig deed tegen de predikant, terwijl ze toch wist dat hij zo vervuld was van de Heer dat zijn hoofd kon barsten. Ze vroeg zich af of broeder Powell kon ruiken dat haar adem naar drank rook. Hij leek zo uitgekookt. Alsof hij alles wist. Ze herinnerde zich dat hij altijd ergens op de loer lag wanneer ze Nate naar school bracht. Dat ze hem altijd had ontlopen. Ze herinnerde zich dat hij tegen haar had gezegd dat God niet van zondaars hield. Ze dacht even dat hij in haar ziel kon kijken, en daar alle zondigheid kon vinden.

'We wilden broeder Johns spreken,' zei Glick.

'Ik denk dat ik jullie vast kan helpen met wat jullie willen,' zei broeder Powell. Zijn stem klonk suikerzoet, allervriendelijkst, maar Cindy hoorde ook iets van irritatie. Ze begreep dat hij wist waarom ze hier waren en wat ze wilden. Ze wist dat hij alles zou doen wat hij kon om niet aan hun wensen tegemoet te komen, dat hij wilde voorgaan in de dienst. De dood van haar zoontje had een soort beroemdheid meegebracht, hoe gruwelijk dat ook was. Ze begreep dat hij daar deel aan wilde hebben.

'Nee,' zei Glick. 'Wij wilden broeder Johns graag spreken.'

'Nou, die is er nu niet,' zei broeder Powell, en nu was de irritatie duidelijk te horen. Maar toen veranderde zijn toon weer en hij sprak zacht, en overtuigend vriendelijk. Hij zei: 'Alsjeblieft. Kom binnen in mijn kamer. Ik wil jullie helpen.'

Cindy wilde hem al volgen toen Glick zei: 'Nee, dank u. We willen broeder Johns spreken.'

Toen pakte hij Cindy beet, draaide haar om en liep met haar de kamer uit, ze liepen de hele kerk door, en toen ze buiten kwamen, had Cindy een gevoel alsof ze lange tijd onder water haar adem had ingehouden, en nu weer zuurstof kreeg. Ze was opgelucht dat ze niet meer genoodzaakt was om vanwege haar zoontje aardig te doen tegen broeder Powell. Nu Nate hier niet meer op de kleuterschool zat, besefte ze, hoefde ze niet meer broeder Powells kont te likken, hoefde ze niet meer de andere kant op te lopen wanneer ze hem zag.

'Kom mee,' zei Glick.

Hij hielp haar instappen in zijn truck, reed naar het dorp en parkeerde zijn truck voor het gemeentearchief. Cindy volgde hem naar binnen. Het was er benauwd en erg warm en ze ritste haar jas los terwijl Glick naar de ruimte liep waar al die foto's van de eerste bewoners van het dorp aan de muur hingen. Daar zat de oude, blinde predikant op een van de houten banken. Hij leunde op zijn stok alsof hij ergens naar luisterde. De uitdrukking op zijn gezicht was verzaligd. Cindy vroeg zich af of hij soms engelen hoorde zingen.

'Broeder,' zei Glick. Hij schraapte zijn keel. Cindy voelde het ook, er was iets heiligs in de aanwezigheid van deze man. Ze had behoefte aan een borrel. Ze besefte dat ze altijd wanneer ze te veel aan God dacht, wilde drinken. Haar handen beefden en ze hunkerde naar het leven dat ze hiervoor had, want ze zag in dat het een veel beter leven was dan ze vroeger had gedacht.

'Broeder Johns?' zei Glick.

'Ja,' zei hij. Hij draaide zich in Glicks richting. 'Wie is dat?'

'Dit is Glick. En de moeder van Nate. Cindy.'

De oude man knikte. Hij uitte geen gemeenplaatsen. Hij condoleerde haar niet.

'Wat kan ik voor jullie doen?' zei hij.

'Broeder Johns,' zei Cindy. 'We vroegen ons af of u morgen bij de rouwdienst voor Nate een paar woorden zou kunnen zeggen. Het is in het bos. Op de plek waar hij gevonden is. Het is wel een eind lopen.'

De predikant zei een hele tijd niets. Het leek alsof hij naar de foto's aan de muur keek. Maar je kon zien dat hij blind was, zijn pupillen waren glazig en ondoorschijnend. Ze waren een lichte tint blauw. Cindy keek naar de foto's en ze zag de mensen in hun negentiende-eeuwse kleding, de hopen sneeuw overal, de foto van de baby's die de sneeuwstorm van 1889 hadden overleefd, en ook die waarop ze jaren later als volwassenen hadden geposeerd. Ze zag de zwart-witfoto van Angels Crest. Ze onderdrukte een snik.

'Gelooft u dat verhaal dat de engelen lang geleden die kinderen hebben gered?' hoorde Cindy zichzelf aan hem vragen.

De oude man glimlachte. 'Ik vind het prettig het te geloven. Het geeft me een kalm gevoel, te denken dat er engelen zijn die ons beschermen.'

Cindy ging naast de oude man op de bank zitten en voelde alles weer dichtgaan en donkerder worden. Ze vroeg zich af waarom die engelen haar zoontje niet hadden gered. Alsof hij dit aanvoelde, stak broeder Johns zijn hand uit en vond haar hand. Zijn hand was warm en ze voelde zich erdoor getroost.

'Ik kan bij de rouwdienst zijn als jullie dat willen. Ik ben geen opvallende figuur, als jullie daarnaar op zoek zijn,' zei hij. 'En ik ben een oude man. Ik zal van jullie hulp afhankelijk zijn om er te komen.'

Glick zei: 'Natuurlijk. Daar zal ik voor zorgen.'

De predikant leek nog steeds ergens naar te luisteren. Of naar iets wat Cindy en Glick niet konden horen.

'Ik weet niet waarom God doet wat Hij doet,' zei de predikant. 'Dat is het raadsel van mijn geloof. God lief te hebben, ondanks het verdriet en het lijden op aarde.'

'Ik vind het moeilijk,' zei Cindy. 'Te geloven dat er engelen rondvliegen.'

'Dat begrijp ik,' zei de predikant. 'Laat niets je nu van streek maken. Laat niets je bang maken.'

'Ik ben erg bang,' zei Cindy. Ze voelde de woorden naar buiten komen, de scherpe klank ervan, hoeveel pijn het deed ze uit te spreken.

'Alles verandert, alleen God is onveranderlijk,' zei de predikant.

'Ik wou dat ik gelovig was, broeder,' zei Cindy.

Hij knikte. Hij had nog steeds haar hand vast. Ze voelde hoe droog en warm zijn hand was. Ze wilde dat ze bij hem kon blijven en naar de foto's staren. Haar verdere leven niets meer zeggen. Alleen in een ruimte leven die gevuld was met de verhalen van andere mensen.

'Dank u,' zei Glick. 'We moeten gaan.'

Cindy stond op. De wereld leek nauwer te worden, verder weg. Ze wendde zich naar Glick die ook opstond, en keerde de predikant haar rug toe. Er was te veel niet uitgesproken. Te veel wat ze niet kon begrijpen.

'Zet me maar af bij het café,' zei ze tegen Glick terwijl ze het archief uit liepen. 'En zeg tegen Ethan dat ik gedaan heb wat hij wilde dat ik deed.'

Rechter Jack Rosenthal

Hij werd wakker. Hij schrok ervan dat hij was ingedommeld. Het was donker en hij keek op de klok. Halfzeven al. Hij ging zitten en keek naar de omtrekken van de dingen – de bank waarop hij sliep, de gordijnen, dichtgetrokken tegen de koude nacht, verder weg de tafel in de eetkamer met de twee kandelaars in het midden. Hij had het koud en greep naar de plaid die aan de andere kant van de bank lag. Hij trok hem over zich heen en bleef stil liggen; hij hoorde de klok tikken en verder niets.

Hij kreeg een beeld van zijn eigen lichaam alsof hij van bovenaf op zichzelf neerkeek. Hij zag hoe mager hij was geworden, de verzakte huid hier en daar. Hij herinnerde zich de tijd dat hij sterk was, dat zijn gewrichten niet pijnlijk waren. Hij kreeg een idee van zijn botten, hoe breekbaar ze leken. Hij dacht dat hij in tweeën zou breken, als hij hard genoeg viel.

Na een poos stond hij op en ging naar de keuken om iets te eten te maken. Het verbaasde hem hoe lusteloos en sloom hij zich voelde. Hij wist dat dit een teken van depressie was.

Hij ging naar de kast en haalde er een blik soep uit. Hij vond de blikopener in een lade, opende het blik en goot de soep met wat water in een pan. Hij zette de vlam laag. Hij ging wat brood uit de kast halen, roosterde een boterham en at die op voordat de soep was opgewarmd. Toen de soep klaar was, goot hij hem in een beker en dronk er kleine slokjes van in de donkere keuken.

Hij keek naar buiten en zag niets dan het zwart van de vroege winter. Wat leek het kaal en leeg. Hij dacht weer aan verhuizen naar de woestijn. Hij vroeg zich af of het warme klimaat hem gelukkiger zou maken. Hij herinnerde zich dat hij de woestijn een keer in bloei had gezien. Eerst was hij teleurgesteld geweest omdat hij op de een of andere manier meer had verwacht. Maar de schoonheid van de woestijn, had hij geleerd, was juist in de kleinste details te vinden. Tijdens een lange wandeling in Joshua Tree had hij een keer op de woestijngrond een kleine zeeschelp gevonden. Die had hij opgeraapt en in zijn zak gestopt.

Nu stond hij op en liep naar zijn slaapkamer. Naast zijn bed stond een glazen pot vol knopen, munten en reepjes papier met gunstige voorspellingen uit Chinese gelukskoekjes en met telefoonnummers van mensen die hij zich niet meer herinnerde. Tegen het glas gedrukt met de afbeelding naar voren zat een foto op portefeuilleformaat van Marty, die genomen was toen hij net van school af was, voor de drugs hem in hun macht hadden gekregen.

Jack opende de pot en grabbelde erin tot hij de schelp uit de woestijn had gevonden. Hij herinnerde zich dat hij in de jaren sinds hij de schelp had gevonden, er van tijd tot tijd in de pot naar had gezocht, en dat hij elke keer wanneer hij hem gevonden had, een diep geluksgevoel had ervaren, een gevoel van opluchting. Hij had nooit begrepen waarom de schelp hem zoveel goed deed, maar nu gaf het vasthouden van de schelp, die miljoenen jaren had overleefd, die uit een tijd stamde waarin alle woestijnen onder water stonden, hem een gevoel van kalmte. Hij zag hierin het voortbestaan van het leven, de vergevingsgezindheid van een God waardoor het leven kon doorgaan, zelfs nadat je gestorven en weg was.

Nu hield hij de zeeschelp vast en dacht aan zijn zonen, niet zoals ze nu waren, maar zoals ze waren toen ze klein waren. Hij herinnerde zich dat hij, voordat ze geboren waren, kinderen had gewild omdat hij dacht dat daardoor zijn angst voor de dood zou worden verdreven. Omdat zij na zijn dood zouden voortleven, zou zijn eigen dood minder beangstigend lijken, geloofde hij.

Maar hij herinnerde zich dat hij nadat ze geboren waren nog meer angst had voor de dood. Stel je voor dat hij doodging en hen zonder vader achterliet? Of nog erger, dat een van hen doodging? Dit maakte hem bang en hij bad vurig: *God, alstublieft, laat ons niet doodgaan.* Hij herinnerde zich dat hij na de geboorte van zijn eerste zoon had gedacht dat het ouderschap de zwaarste baan ter wereld was, niet al-

leen omdat het lichamelijk belastend was, maar omdat je kwetsbaarheden er door werden benadrukt. Hij dacht aan Ethan Denton,
die ergens in Angels Crest probeerde te begrijpen hoe dit was gebeurd. Probeerde te begrijpen dat zijn zoontje dood was. Telkens
dacht hij: Marty is tenminste niet dood. Maar toch kon hij het niet
opbrengen hem te vergeven.

Hij wist dat mens-zijn betekende dat je over een smalle brug liep,
dat een geestelijk gerijpt persoon dat kon doen zonder bang te zijn.
Maar de waarheid was dat de wereld vol verdriet was. Hoe kon je het
lijden rijmen met een rechtvaardige God? Het leek plotseling on-
doenlijk. Als een kloof die zich voor hem opende, die steeds breder
werd in het donker.

Glick

Die morgen, voor de rouwdienst, werd Glick wakker en daar stond Rosie naast hem naar hem te kijken.

'Oma,' zei ze terwijl ze nog steeds naar Glick keek. 'Waarom ligt hij bij jou in bed?'

Angie ging rechtop zitten terwijl ze de dekens over haar naakte lichaam trok.

'Verdomme,' zei ze.

'Je vloekte,' zei Rosie.

'Rosie, ga naar de keuken en wacht daar op me.'

'Was hij verdwaald?' vroeg ze.

Glick was sprakeloos. Hij bleef Rosie aanstaren. Hij keek even naar Angie die zich in haar nachthemd wurmde, dat de vorige avond op de vloer was gevallen. Haar gezicht stond zenuwachtig en bezorgd. Hij had wel willen verdwijnen. Wat moest het moeilijk zijn om een kind te zijn, dacht hij. Om dit kind te zijn.

'Nee, liefje,' zei Angie. 'Hij is niet verdwaald.' Ze scheen te weten dat Rosie niet naar de keuken zou gaan. Glick in het bed van oma, dat was veel te spannend om bij weg te gaan. Daarom gooide Angie het over een andere boeg. Ze stak haar armen uit over het bed en wenkte haar kleindochter. 'Kom eens hier,' zei ze. Haar stem was kalm geworden en haar gezicht was effen. Glick was verbaasd. Wat een verbluffend talent voor geduld en verandering. Hij was betoverd door haar. Maar toen bedacht hij dat hij naakt was onder dit laken. Wat zou Rosie van zijn naaktheid hebben gedacht als ze het had gezien?

Rosie liep naar Angies kant van het bed. Angie streek Rosies haar van haar voorhoofd naar achteren en fluisterde iets in haar oor. Opeens leek Rosie buitengewoon ernstig, alsof Angie haar een belangrijke opdracht had gegeven. Ze knikte en liep met stramme benen de kamer uit, terwijl ze een lappen pinguïn achter zich aan sleepte.

'Verdorie,' zei Glick.

'Het geeft niet.'

'Het is een klotegevoel.'

Angie knikte. 'Ze zou er toch wel achter zijn gekomen.'

'Het is te vroeg.'

Angie sloeg haar ogen neer naar de dekens.

'Ik bedoelde niet omdat ik bedenkingen heb over jou en mij. Ik bedoelde dat het te vroeg is voor haar,' zei Glick. 'En ik ben naakt onder deze dekens.'

Angie glimlachte. Hij zag dat ze opgelucht was. 'Hoor eens,' zei ze. 'Ik heb er een gewoonte van gemaakt me niet te laten kisten, alleen omdat iets rottig voelt.'

'Wat ga je dan tegen haar zeggen?'

Angie stapte uit het bed en trok haar ochtendjas aan. 'Dat weet ik nog niet. Ik moet haar in elk geval vertellen dat we vandaag naar een rouwdienst gaan. Ik ben er nog niet uit wat het moeilijkste zal zijn, dat of ons.'

'Misschien kan ik beter weggaan,' zei Glick.

'Misschien,' zei ze, terwijl ze hem scherp aankeek, 'kun je beter blijven en een kop koffie drinken. Stiekem weggaan, dat kent ze. Haar moeder heeft hetzelfde geflikt.'

Glick knikte. Het was voor het eerst in alle jaren dat hij Angie kende, dat ze iets over haar dochter zei. Hij wist dat hij moest doen wat ze vroeg.

'Angie,' zei hij.

Ze keek hem aan en meteen zag hij in haar ogen alle tederheid die hij maar kon wensen. Er was vrijheid in de genade die hij daar zag, vrijheid in die kalmte. Hij voelde al zijn angstige gevoelens wegdrijven.

'Ik moet je zeggen...'

Ze kuste hem op de lippen. 'Bewaar dat maar voor later,' fluisterde ze. 'Bewaar het tot vanavond.'

Hij knikte. 'Dan sta ik dadelijk op.'

Hij bleef nog even in bed liggen. Het zou moeilijk worden met dat kleine meisje. Hij dacht aan Nate, die zo hard en snel door het bos had gerend dat de voetjes van zijn hansop waren weggesleten. Plotseling herinnerde hij zich het geweer dat hij elk jaar gebruikte om herten te doden. Hij dacht aan zijn katten die rustig op de ladekast zaten te kijken, die de eenzame bewegingen van zijn laatste tien jaar hadden gezien. Hij zag een ingewikkeld en onbegrijpelijk web van alle dingen in zijn leven, het raadsel dat hij van een hond hield terwijl hij een hert doodschoot, dat hij naar liefde hunkerde en die toch bij elke gelegenheid afwees, dat hij zich overgaf en tegelijkertijd afstand hield. Hoe kon een man leven met zulke tegenstrijdigheden zonder krankzinnig te worden? Hoe had hij dat al die jaren gedaan? En hoe, vroeg hij zich af, legde je het aan om een nieuw leven tot stand te brengen, een leven dat tegelijkertijd rechtlijnig was en buigzaam als een rietstengel?

Hij stond op en liep naar het raam. Door de warmte in het huis waren de ramen in de hoeken beslagen. Buiten begon het net te gloren. Hij zag aan de hoek van de zon, de vorm van de wind, aan de hoge, witte wolken dat het zou gaan sneeuwen. De wereld was stil en in zichzelf gekeerd. Hij voelde een steek in zijn hart. Hij wist dat hij veel te lang was doorgegaan met vragen waarom.

In de keuken zaten Rosie en Angie zacht met elkaar te praten, dicht naar elkaar toe gebogen, als een klein vrouwenteam. Ze hieven allebei hun hoofd op toen Glick binnenkwam. Rosie keek streng en bestraffend maar Angie glimlachte warm.

'Rosie zegt dat ze jou niet aardig vindt,' zei Angie.

Rosie vouwde uitdagend haar armen over elkaar.

'Tja,' zei Glick. 'Misschien vindt ze de hond wel aardig.'

Rosie keek argwanend naar Angie, alsof Angie iets voor haar verzwegen had en eigenlijk bij het team van de vijand hoorde. Maar het was duidelijk dat Angie de hond helemaal was vergeten; die zat ongetwijfeld geduldig te wachten bij de achterdeur, als een oude boeddha.

'Hij zit op de veranda,' zei Angie.

Rosie keek naar Glick. 'Toe maar,' zei Glick. 'Hij zal je niet bijten.'

Langzaam stond Rosie op en sleepte haar pinguïn bij zijn nek naar de achterveranda. Ze keek één keer om, want ze wilde duidelijk maken dat ze geen geduld had voor een list. Angie lachte zacht.

'Heeft ze echt gezegd dat ze me niet aardig vond?'

Angie knikte.

'Jezus. Hoe zorg je ervoor dat een kind je aardig vindt?'

'Je zorgt dat je er bent voor ze,' zei ze zacht. 'Elke minuut van elke dag, zelfs wanneer je in bed wilt blijven liggen met de dekens over je hoofd.'

Glick knikte. Hij begreep wat hem gezegd werd. Hij zag de heldere, scherpe blik waarmee Angie hem aankeek. Hij wist dat als ze ertoe gedwongen werd, ze een keus zou maken en dat het meisje het dan zou winnen. Hij besefte dat hem gevraagd werd zelf een keus te maken. Ze hoorden Rosie een gilletje geven van pret.

'Die hond heeft mijn gezicht gelikt,' riep Rosie vrolijk.

'O, god,' zei Angie. 'Zeg alsjeblieft dat hij niet verhaart.'

'Dat kan ik helaas niet zeggen,' zei Glick. 'Maar ik kan met een stofzuiger omgaan.'

Ze ontbeten wat later. De hond kreeg het voorrecht naast Glick te zitten. Rosie probeerde hem geroosterd brood te voeren, maar Glick zei dat een hond gemakkelijk verwend kon worden en dat het beter was te zorgen dat hij altijd een beetje honger had. Ze knikte ernstig, en toen het tijd was om te gaan, knoopte Angie Glicks kraag dicht en zei: 'Ze vindt het fijn dat je tegen haar praat alsof ze een volwassene is.'

'Is ze dat dan niet?'

'Soms lijkt het er wel op, hè?'

Ze bleven even samen staan voor Angie de deur opende. De zon scheen met zijn gele winterlicht schel in de hal.

'Wauw,' zei Angie. 'Wat een prachtige dag.'

'Het gaat sneeuwen,' zei Glick.

'Daar geloof ik niets van.

Hij knikte. Hij wist dat hij gelijk had. Hij had altijd gelijk wat het weer betrof. Dat hoefde hij aan niemand meer te bewijzen.

'Moet ik je komen halen voor de rouwdienst?' zei Glick.

'Dan weet iedereen het meteen.'

'Ze moeten het toch een keer te weten komen.'

'Maar het is Nates rouwdienst.'

'Goed dan. Dan laten we het deze keer maar zo.'

'Bovendien,' zei Angie, 'moet ik zorgen dat alles klaar is in het restaurant. Ik zie je wel daarboven.'

Glick kuste haar. Hij had het gevoel dat hij nooit genoeg van haar zou krijgen. Hij wist dat hij, net als de hond, altijd een beetje honger zou hebben als hij bij haar in de buurt was. Dat het zo beter zou zijn.

Hij stapte in zijn truck, en nadat hij de motor warm had laten draaien, reed hij weg naar zijn huis aan Cage Road. De wegen waren nagenoeg verlaten, maar hij begon de auto's van de journalisten al te herkennen. Ze waren nieuwer dan de auto's van bijna iedereen in het dorp. Het waren glanzende, grote voertuigen met vierwielaandrijving die meer kostten dan een jaarsalaris van de meeste mensen hier.

Toen hij langs Angie's reed, keek hij naar binnen en zag de treurigheid van de lege banken en tafeltjes. Angie's ging later open dan anders. Hij vroeg zich af of dat ooit eerder was gebeurd. Toen besefte hij dat ze de zaak waarschijnlijk niet zou openen nu ze in de rouw was. Hij zag de sheriff aan komen lopen en de deur proberen. Via zijn achteruitkijkspiegel zag hij de sheriff naar binnen kijken in het restaurant.

Toen hij thuiskwam, lag Ethan op de bank, alsof hij er nooit af was gekomen. Hij leek enorm groot in deze kamer, alsof zijn verdriet hem had opgevuld, hem groter had gemaakt dan hij in werkelijkheid was. Tegelijkertijd leek iets vanbinnen bij hem kleiner, leeggelopen. Leeggezogen door de wetenschap dat hij zich elke seconde van elke dag zo beroerd moest voelen.

'Heb je wat geslapen?' vroeg Glick.

Ethan schudde zijn hoofd. 'Met wie ben jij in de koffer gedoken?' vroeg hij.

'Ik logeer bij Angie.'

Ethan trok zijn wenkbrauwen op maar zei niets. Na lang zwijgen zei hij: 'Ik hoorde op de radio dat ze me vandaag willen arresteren.'

Nu was het Glicks beurt om niets te zeggen. Hij ging naar de keuken. De katten kwamen naar hem toe en gaven kopjes tegen zijn benen, spinnend en miauwend.

'Hebben de katten eten gehad?'

'Nee,' zei Ethan.

Glick gaf ze eten en ging naar de badkamer om te douchen en zich te scheren. Hij trok een schone spijkerbroek aan en een schoon overhemd. De wolken begonnen zich al samen te pakken aan de hemel. Het was de dag dat de hertenjacht begon. Hij herinnerde zich zijn voorgevoel dat hij nooit meer op herten zou jagen. Hij vroeg zich af of Ethan wist welke dag het was. Alsof hij zijn gedachten had gelezen zei Ethan: 'Weet je nog, vroeger zouden we al uren buiten zijn geweest, hadden we misschien allebei al een hert geschoten.'

'Het lijkt ontzettend lang geleden,' zei Glick.

'Ja,' zei Ethan. Zijn stem klonk weemoedig. Hij had een brok in zijn keel. Glick ging naast Ethan op de bank zitten. Door het raam zag hij de hond in de sneeuw graven. Hij besefte dat er nooit maar één antwoord was. Dat het leven nooit eenduidige oplossingen bood.

'Ik heb overal spijt van. Ik weet dat dit vermoedelijk het laatste is waar je mee zit, maar ik wil dat je het weet. Het spijt me wat ik met Cindy heb gedaan.'

Eerst keek Ethan hem met een nietszeggende, lichtelijk verwarde blik aan. Toen knikte hij.

'Dat is allang verleden tijd,' zei Ethan. 'Cindy dronk te veel. Ze sloeg ons zoontje te vaak. Ik moest er een eind aan maken. Dit was één manier om dat te doen.'

'Toch heb ik er spijt van. Ik geloofde eigenlijk dat ik me nergens voor hoefde te verantwoorden nadat ze me hadden opgesloten voor iets wat ik niet had gedaan.'

'Ik kan best begrijpen dat je er zo over dacht.'

'Ik weet dat het een kleinigheid lijkt, vergeleken met wat er nu gebeurt. Maar ik wilde dat je het wist.'

Ethan legde zijn hand op Glicks schouder. 'Het is wel goed, kerel.'

Glick stond op. Hij voelde zich niet op zijn gemak hierover. Het leek plotseling verkeerd. Hoewel hij niet op troost uit was geweest, scheen Ethan toch te denken dat het hem daarom te doen was geweest. Hij wilde Ethan zeggen dat hij geen vergeving nodig had. Hij had de kwestie alleen recht willen zetten. Waarom, zo vroeg hij zich af, was het leven zo lastig?

'Je moet ook even douchen, Ethan. We moeten vroeg vertrekken. Ik moet die oude, blinde predikant ophalen.'

'Waarom wilde ze die man hebben?'

'Dat weet ik eigenlijk niet,' zei Glick. 'Maar vergeleken met die andere...'

'De minste van twee...'

'Heeft hij iets...'

'Ik geloof niet in die onzin. Het is vooral voor haar. En voor de jongen. Je weet wel.'

Glick knikte. 'Er is wel ergens een schone handdoek. Laat mij hem voor je zoeken.'

Hij was blij iets te doen te hebben. Hij wist hoe Ethan alles verfoeide dat met de Kerk te maken had, met God. Met Jezus vooral. Hij wist niet waarom, behalve dat Ethan altijd iets tegen georganiseerde dingen had gehad, tegen geloofsovertuigingen en dogma's. Hij was een man van het bosleven, waar de regels onuitgesproken waren, maar wel duidelijk. Waardoor het nog onmogelijker leek dat hij zijn zoontje alleen in de truck had achtergelaten. Hij moest toch beter hebben geweten.

Terwijl Ethan douchte, liep Glick naar buiten in de weide achter zijn huis. Het was windstil en hij kon de sneeuwstorm in zijn botten voelen. De zilversparren en de Douglasdennen rondom zijn terrein waren bedekt met sneeuw; de hoogste takken zuchtten onder het extra gewicht.

Op zijn reizen door de bergen had hij zilversparren gezien die meer dan vijftien meter hoog waren. Hij herinnerde zich een voorjaar toen hij alleen met een rugzak door de wildernis was getrokken, en langs een beek wandelde die zo schoon was dat hij eruit dronk zonder het water te koken of te filteren. Op een middag kwam hij, kuierend langs een snelstromende beek, een zwarte beer tegen. Ze stonden op nog geen drie meter van elkaar af. De beer richtte zich op op zijn achterpoten en was zo geschrokken dat hij hem niet kon vinden, hem niet in het oog kon krijgen. Toen draaide de beer zich opeens om, rende het bos in en verdween. Glicks hart had zich gevuld met een vreemd zoemen van twee emoties naast elkaar, angst en vreugde. Hij had een gevoel van zinvolheid en hoop ervaren, en had even niet verder kunnen lopen. Zijn keel was dichtgeschroefd en de tranen waren hem in de ogen gesprongen, hoewel hij zich een onnozele hals voelde vanwege die emotionele beleving en de kracht ervan.

Nu voelde hij de zwaarte van Ethans verdriet en de uitwerking die Nates dood had, niet alleen op hemzelf maar op het hele dorp. Hij zag hoe afgezonderd zijn leven was geweest, hoe hij zich had opgesteld tegenover de wereld om hem heen, tegenover de mensen met wie hij elke dag had opgetrokken, alsof hij niets met hen te maken had. Hij herinnerde zich de beer die hij toevallig was tegengekomen in het bos, het ogenblik van vreugde dat hij had gevoeld. Nu herkende hij dat als verbondenheid. Hoewel hij het toen niet had begrepen, wist hij nu dat dat gevoel van verwantschap met de beer voor hem de eerste keer was dat hij het idee had bij iets groters te horen dan de gevangenis van eenzaamheid en verbittering waarin hij leefde.

Terwijl Glick stond uit te kijken over zijn land, kwam de hond vrolijk aanhollen uit het bos en remde af toen hij bij Glick in de buurt kwam. Hij kwispelde, zijn tong hing uit zijn bek. Glick herkende de blijdschap in de ogen van de hond. Alles was nieuw en anders. Niet de blijdschap van de hond – die kende Glick al sinds hij het beest had gered. Het nieuwe was de erkenning dat hij zo lang had nagelaten ditzelfde bij een ander mens te zoeken.

Toen Ethan klaar was met douchen, zei Glick dat hij zich warm moest aankleden en een paar stevige schoenen moest aantrekken. Ethan keek Glick aan en zei: 'Ja, jij dacht altijd dat je hier de enige was die het weer kon voorspellen.'

Glick glimlachte. 'Jij had het altijd mis, geloof ik.'

Ethan trok zijn jas aan, zette een muts op en trok handschoenen aan. Glick keek toe terwijl Ethan zijn sigaretten en aansteker pakte en in zijn zak liet glijden. Hij haalde een paar kwartjes te voorschijn en keek ernaar voor hij ze weer in zijn zak stopte. Toen hij in de truck klom, zei hij de hond gedag met een droevig soort ernst.

'Ze gaan me arresteren bij de rouwdienst.'

'Ze gaan je helemaal niet arresteren, Ethan. Je hebt niets gedaan wat niet mag. Je hebt alleen een fout gemaakt.'

'Ik heb het op de radio gehoord. De openbaar aanklager in de stad heeft de zaak aanhangig gemaakt. Criminele nalatigheid. Had ik nooit van gehoord.'

'Laten we maar kijken wat er gebeurt.'

'Ik verdien het. Je laat je kind op een steenkoude ochtend niet in die rottige truck zitten. Het is gewoon hartstikke stom. Waar was ik met mijn gedachten?'

Glick kon niets bedenken om te zeggen, omdat alles wat in zijn hoofd opkwam alleen maar zout in de wond zou strooien. Hij dacht dat Ethan jong was en te veel aan zijn hoofd had. De ijzerhandel, de echtscheiding, het gevecht om de voogdij, een jong zoontje. Hij dacht dat Ethan soms vergat dat hij een vader was, ook al was hij best een goede pappa. Maar hij dacht ook dat Ethan onschuldig was. Glick dacht dat Ethan niet méér straf hoefde te krijgen dan de straf in zijn eigen hoofd, het feit dat hij met zichzelf verder moest leven.

Ze reden door het dorp en de lucht werd donkerder. Het was nu druk op de wegen en de mensen waren bezig met hun dagelijkse beslommeringen. Glick reed naar de Calvariekerk en de blinde predikant stond op het trottoir. Hij had een donkere, geklede jas aan en leren handschoenen. Zijn muts was met bont gevoerd en hij had een boord om en een broek van een jacquet aan. Glick zag tot zijn opluchting dat hij wel degelijke schoenen aan had.

'Moet je dat nou zien,' zei Ethan.

'Hij zal het daarboven behoorlijk koud krijgen.'

'Alleen al door naar hem te kijken krijg ik het benauwd.'

Glick wist wat Ethan bedoelde. Het kwam door het vriendelijke gebaar zich formeel te kleden. De kalmte en de manier om door zijn houding uiting te geven aan het verdriet. Het kwam door de manier waarop de oude man het allemaal heel serieus leek te nemen, alsof hij de diepte van Ethans verdriet kende.

'Daar kan ik niet tegen, Glick. Echt niet,' zei Ethan. Hij begon te huilen en Glick remde wat af terwijl Ethan zich probeerde te beheersen, wat niet lukte. 'Verdomme,' zei Ethan. 'Dit is gewoonweg te gek om los te lopen. Het bestaat niet dat dit gebeurt.'

'Rustig maar. Het zal wel gaan,' zei Glick. Hij hoorde aan zijn eigen stem hoe ongemakkelijk hij zich voelde. Hij voelde zich vreselijk onthand, lachwekkend met zijn botte, onhandige manier van doen, die hem altijd weer opbrak wanneer hij probeerde aardig te doen, iemand te troosten. Hij voelde zich een karikatuur van een man. Een stomme, blunderende idioot. Hij remde af en liet de truck stoppen. Hij stapte uit en liep naar de predikant.

"Morgen,' zei de oude man.

"Morgen,' zei Glick. Hij nam de predikant bij zijn elleboog en leidde hem naar de truck. Hij hielp hem instappen en voelde hoe tenger en mager de man was, hoe breekbaar, hoe dicht bij het einde van zijn leven.

Ethan

Gedurende de hele rit naar de bergen huilde hij met tussenpozen, en dan klopte de predikant op een vaderlijke manier zacht op zijn knie, zoals zijn eigen vader het nooit had gedaan. Toen ze in de buurt kwamen van de open plek waar het allemaal was begonnen, deed Ethan zijn ogen dicht en zag zijn leven aan zich voorbij trekken, de trage onschuld van zijn kindertijd, de dood van zijn moeder, de diepte van het verdriet van zijn vader, de ontmoeting met Cindy, het verliefd worden op haar, en het einde van de verliefdheid, de geboorte van zijn zoon. Verreweg het meest wonderbaarlijke moment in zijn leven.

Hij dacht aan Nate, hoe hij zijn zoon had willen leren jagen. Hij dacht aan zijn liefde voor het bos, aan de manier waarop de jacht en het bos samen iets volmaakts voor hem vormden. Hij dacht aan alle avonturen die hij voor zijn zoon had gepland, waar nu niets van restte. Door Nates dood was dat allemaal gedoofd.

Nu, op de morgen van de rouwdienst voor zijn zoontje, wist hij dat hij nooit meer op jacht zou gaan, dat hij nooit meer troost zou kunnen vinden in het bos. Het verlies van zijn zoontje was tevens het verlies van alles wat hij liefhad. Het bos zou nooit meer iets heiligs vertegenwoordigen. Hij kon niet meer naar de verlatenheid van het bos kijken zonder aan de dood van zijn zoontje te denken.

Glick parkeerde de truck bij de open plek. Er was niemand en er zou voorlopig ook niemand komen. Het deed Ethan denken aan die eerste dag nadat Nate vermist was, hoe hij alleen in het bos aan het zoeken was en er toen plotseling overal mensen waren. Nu vulde de hemel zich met onheilspellende wolken en hij zag dat Glick gelijk had, het zou gauw gaan sneeuwen. Hij maakte zich even bezorgd over de mensen die de dienst kwamen bijwonen, hoe het hun zou vergaan tijdens de zware wandeling naar de plek waar hij het kruis in de grond had gehamerd.

'Jij hebt het ook nooit mis, Glick,' zei hij. 'Het gaat sneeuwen.'

Glick knikte. Ethan wendde zich tot de predikant. 'Voelt u zich goed? Kunt u dat eind lopen? De weg erheen kan wel een uur kosten, en hetzelfde terug. Misschien iets korter terug.'

'Gaan we eerst omhoog?' zei de predikant.

Ethan knikte. 'Op deze plek begon het oude pad naar Angels Crest. Het was van hieruit zeker een dag klimmen naar de top, en dan nog wel zonder bagage.'

'Hmm,' zei de predikant. 'Ooit heb ik deze bossen gekend als mijn broekzak.'

'Ze hebben een nieuwe parkeerplaats aangelegd, nog een paar honderd meter hogerop, en vandaaruit een breed wandelpad. Op een goede dag doe je er misschien nog maar een paar uur over. Dat is toch zo?' vroeg Ethan aan Glick.

Glick knikte. Ethan putte troost uit het feit dat niemand aanstalten maakte om uit de auto te stappen. Door hun beleefdheid was er nog even uitstel voor wat ze hier kwamen doen. Glick zei: 'Het is lang zo mooi niet. En in de zomer is het er veel te vol.

'Hmm,' zei de predikant. 'Ik ben natuurlijk in geen jaren hierboven geweest.'

'Bent u in dit dorp opgegroeid?' zei Ethan.

De oude man wendde zich naar hem toe en Ethan zag de vreemde, transparant blauwige kleur van zijn ogen. Ze waren mooi, zo vaag en leeg. 'Ja. Zeker. Ik heb hier mijn hele leven gewoond,' zei hij. 'Ik ben hier geboren.'

'O ja?' zei Glick. 'Waar?'

'In dat oude huis buiten het dorp. Met die weide.'

'Aan Cage Road?' zei Glick.

'Precies,' zei de man.

'Dat is mijn huis,' zei Glick.

'Wel heb ik ooit,' zei de man. Toen knikte hij een paar keer met zijn hoofd. Hij klopte op Ethans knie. Hij zei: 'Mijn betovergrootvader is geboren in die vreselijke winter van 1889 waarin bijna iedereen is gestorven. Toen heette het daar nog niet Cage Road. Het had er helemaal geen naam. En het oorspronkelijke huis is in 1925 afgebrand.'

'Was uw betovergrootvader...?' zei Ethan. Maar hij kon niet verder spreken. Hij wilde het niet weten. Hij herinnerde zich de dorpslegende, hoe de engelen het leven van de kinderen hadden gered. Op een vreemde manier had hij dat altijd geloofd. Het hoorde net zo goed bij het dorp als Angie's en het gemeentearchief. Net zo goed als de bergen zelf. Maar nu moest hij er echt over gaan nadenken. Als daarboven engelen waren, waarom hadden ze zijn zoontje dan niet gered?

'Hij was een van de vijf kinderen die dat jaar bleven leven,' zei de oude man, in antwoord op Ethans onuitgesproken vraag. 'Ik ga altijd naar het archief omdat ik me nog de tijd herinner dat ik die foto daar aan de muur kon zien. Voordat ik blind werd.'

Glick en Ethan wisselden een blik. Ethan vroeg zich af of Glick kon zien hoe erg hij het te kwaad had. Glick zei: 'Ik kan gewoon niet geloven dat u in mijn huis geboren bent.'

De oude man knikte. 'Het was altijd een afgelegen plek. Ik voelde me daar altijd erg eenzaam. Ik wilde er zo gauw mogelijk weg. Toen ik naar het dorp verhuisd was, voelde ik me eindelijk vrij.'

Ethan was de laatste die uit de truck stapte. Hij zag hoe de sneeuw het hier had veranderd, de plek weer nieuw had gemaakt en de sporen van de zoektocht had weggevaagd. Hij zag hoe maagdelijk en overweldigend het was en gleed even weg in het verleden. Hij zag hoe rijk zijn leven was geweest, de weidse, open schoonheid ervan, de ontberingen, de eenvoud zelfs, terwijl het destijds zo ingewikkeld en moeilijk had geleken. Door de schoonheid van de wereld voelde hij zich heel even een man die bevrijd was van alles wat hem ooit gekwetst of gewond had. Het land, overdekt door sneeuw en de pracht van de winter, strekte zich voor hem uit, wonderbaarlijk en weergaloos in zijn weidsheid en schoonheid. Hij zag zichzelf boven dit alles zweven met zijn zoon in zijn armen, en steeds verder wegvliegen terwijl de besneeuwde wereld onder hem uit het gezicht verdween.

Rocksan

Rocksan werd wakker van de felle gloed van de winterzon die door de opening in de gordijnen naar binnen knalde. Een lange streep licht over het bed, over hun lichamen. Jane lag wakker naast haar en toen Rocksan bewoog, sloeg Jane haar armen om haar heen. Jane woog nog geen vijftig kilo, hoewel haar emoties haar een stuk gewichtiger deden lijken.

'Vandaag is de rouwdienst,' zei Jane, met een stem die nog slaperig klonk.

Rocksan knikte. Ze had, zoals dat in een dorp gaat, al gehoord dat de rouwdienst deze morgen zou plaatsvinden. Mensen die de wandeling van ruim anderhalve kilometer wilden maken naar de plek waar Nate was gestorven, om daar te kunnen rouwen, waren welkom. Rocksan had het idee dat alleen mensen in een dorp zoals Angels Crest een rouwdienst in de sneeuw normaal zouden vinden, of zelfs de gewoonste zaak van de wereld.

Ze dacht aan de kinderen – nou ja, het waren eigenlijk geen kinderen – die in de logeerkamer aan het andere eind van de gang sliepen. Ze dacht aan Melody en aan haar reusachtige buik. Ze dacht aan Janes zoon. Zijn norse optreden. Zijn boosheid. Maar ook die treurige, kruiperige behoefte aan iets. Die kon ze goed begrijpen. Ze wilde tegen hem zeggen dat het niet de moeite waard was om je daar een leven lang aan vast te klampen. Maar ze had haar eigen boosheid nog niet eens losgelaten, dus wat had het voor zin? Ze had geen idee hoe je ervan af kwam. Ze was nu eenmaal geen type voor therapie. Of voor yoga. Of voor zen. Ze kon zich niet voorstellen dat ze in kleermakerszit ging zitten kreunen om rust te vinden.

'Ik neem aan dat de kinderen hier zullen blijven terwijl wij naar de rouwdienst gaan,' zei Jane.

'Ik hoop maar dat Melody niet uit elkaar knalt. Ze zouden niet naar het ziekenhuis kunnen komen.'

Jane knikte. 'Dat is inderdaad een beetje zorgelijk. Ik denk eigenlijk dat we een soort plan moeten maken.'

Rocksan dacht aan een krijsende baby in dat kamertje. Was ze niet uit San Francisco weggegaan om af te zijn van de stress, de complicaties, behoeften aan van alles, die anderen altijd hadden? Ging dit niet tegen al haar zorgvuldig gemaakte plannen in? Rustig gaan leven. De bossen. De schone lucht. Geen rotzooi uit het verleden. Waarom kon ze er niet van af komen? Ze was naar dit dorp in deze uithoek gekomen en toch was het leven erin geslaagd haar te volgen.

'En waar denk je dat ze heen gaan nadat de baby geboren is?' vroeg Rocksan. Ze kreeg al hartkloppingen als ze erover begon. Ze begon haar kloten kwijt te raken, nu ze ouder werd. Ze veranderde langzamerhand in een oud besje.

Jane ging vlug uit bed en begon naar de badkamer te lopen. Achteloos, veel te achteloos zei ze: 'Ik dacht dat ze misschien hier zouden blijven.'

Toen ging ze de badkamer in en deed de deur achter zich dicht.

Rocksan schoot het bed uit. Ze voelde gewoon dat haar ogen uitpuilden. Ze volgde Jane in de badkamer. Jane stond bij de wastafel, die ze met beide handen omklemde. Rocksan voelde haar boosheid over haar hele lichaam omhoog kruipen, aan de binnenkant. Het kokende bloed. Dat kende ze zo goed. Ze vond het afschuwelijk, walgelijk. Ze had er zo genoeg van altijd maar kwaad te zijn. Nu dacht ze aan haar zus, hoe Angie iets uit de diepte leek te putten, een geheimzinnige hulpbron die ervoor zorgde dat ze niet kwaad werd, die haar ervoor behoedde de wereld te haten. Rocksan keek naar haar spiegelbeeld en het boze, arrogante gezicht van haar vader staarde haar aan. Op dat moment zag ze dat ze hem was geworden. Op een of andere manier had ze zijn geest uit de doden opgeroepen en tot de hare gemaakt.

'Het is waarschijnlijk beter als je de volgende vraag beantwoordt met een leugen,' zei ze tegen Jane. Haar stem klonk zo afgemeten dat ze er zelf bang van werd.

Jane knikte. Ze was bleek geworden.

'Heb je hun al gezegd dat ze mogen blijven zonder het eerst met mij te bespreken?'

Jane keek naar haar handen, die de wastafel omklemden. Rocksan keek ook en zag dat haar knokkels wit waren geworden, en haar vingertoppen bloedrood. Jane keek niet meer op naar Rocksan. Rocksan draaide zich om en ging de badkamer uit. Ze liep door tot bij de deur van hun slaapkamer. Ze dacht aan haar vader, aan hoe hij was weggegaan, zonder verklaring. Zij wilde hetzelfde doen. Ze wilde alle touwen losmaken die haar aan de aarde bonden, aan dit leven met haar geschifte geliefde en haar kwade zoon en zijn zwangere vriendinnetje. Maar ze haatte haar vader zo erg dat ze zijn vervloekte, dode geest niet de voldoening wilde geven dat hij het gewonnen had, dat hij haar hele leven beheerste. Daarom draaide ze zich om en zei: 'Ze mogen een maand blijven. Langer niet.'

Later zaten ze beneden aan de koffie, toen Jane geschrokken opkeek en haar mond opendeed alsof ze iets wilde zeggen. Maar toen wijdde ze zich weer aan haar koffie en zei helemaal niets. Rocksan dronk haar koffie op en wilde al van tafel opstaan toen Jane zei: 'Gisteravond lagen George en Melody in het donker op de bank. Toen hoorde ik Melody zeggen: "Je moet leven alsof je morgen doodgaat."'

'Met dat fluisterstemmetje?'

Jane knikte.

'Zijn we bang voor haar?

Jane glimlachte. 'Dat geloof ik niet.'

'Ze heeft iets van een vlinder of zo.'

'Vloeipapier.'

'Ja. Precies,' zei Rocksan. 'Iets lichts en doorschijnends dat op de lucht drijft.'

'Vleugels,' zei Jane zacht.

Op dat moment kwam George met grote sprongen de trap af. Rocksan vond dat hij iets weghad van een jonge hond. Hij had een wild soort energie, ongetemd en schijnbaar roekeloos.

'Melody zegt dat ze te moe is om ook maar iets te doen,' zei George. 'Volgens mij zit het eraan te komen. Ik weet niet hoe iemand nog dikker zou kunnen worden dan zij. Ze is broodmager wanneer ze niet zwanger is.'

'Heeft ze ook weeën of iets dergelijks?' vroeg Jane.

George schudde zijn hoofd. 'Nee. Ze is alleen moe. Ze zegt dat ze zich net een gestrande walvis voelt.'

'Waarom de zwangerschap zo'n verdomde martelgang moet zijn, wil er bij mij niet in,' zei Rocksan. 'En toch doen vrouwen het telkens weer. Voor mij is het een raadsel.'

George schonk een kop koffie voor zichzelf in en ging zitten. Zijn haar was niet geborsteld en het hing langs zijn gezicht. Rocksan had lang haar bij mannen nooit leuk gevonden. Maar bij George leek het goed te passen. Vreemd en niet modieus. Het scheen hem een dapper gevoel te geven. Hij vond het kennelijk prettig er met zijn handen aan te zitten. Nu streek hij het naar achteren, hij pakte een elastiekje dat om zijn pols zat en maakte een paardenstaart.

'Melody zegt dat het net is alsof haar lichaam in beslag is genomen door een buitenaards schepsel. Ze zegt dat ze kan voelen dat alles wordt opgebruikt, alles wat ze eet, de slaap die ze slaapt. Ze zegt dat het net is alsof het uit haar weg wordt gepompt,' zei George. Hij leek tegelijkertijd tevreden en bezorgd. Hij leek gefascineerd door het mysterie van conceptie en zwangerschap, maar er ook niets van te snappen. Net als alle mannen en sommige lesbiennes, dacht Rocksan.

Rocksan stond op. Ze was nog steeds kwaad om vanmorgen, nog kwaad omdat Jane voor de zoveelste keer had nagelaten met haar te overleggen over beslissingen die van grote invloed waren op haar leven. Ze wilde dat ze niet hoefde rondlopen met het woord 'nee' op het puntje van haar tong. Ze wilde dat ze meer op haar zus leek, die zich gewoon naar de stroom voegde.

'Ik ga buiten naar de kasten kijken,' zei Rocksan.

Jane knikte. George pakte zijn paardenstaart en zat er een minuutlang over te aaien. Rocksan leek hem in verwarring te brengen. Ze nam aan dat hij nog nooit zo'n grote, dikke pot van dichtbij had gezien.

Ze ging naar de bijkeuken en trok haar jack aan, haar handschoenen en een muts. Buiten had de lucht een soort glans alsof de kou vorm had aangenomen en een sluier over de aarde had gelegd. De bomen stonden roerloos, de dennentakken droegen een lading sneeuw. De rode bast van de manzanita glinsterde in de zon.

Rocksan liep naar de bijenkasten met haar handen diep in de zakken van haar parka. Wanneer ze uitademde, kwam de damp in grote wolken naar buiten. De wereld was stil en leek te wachten, zich in te houden, zich schrap te zetten tegen de winter.

Rocksan kon nauwelijks geloven dat het echt gelukt was het werk af te krijgen, de kasten af te sluiten voor de winter. Ze dacht aan de lange maanden die zouden komen waarin de kasten in slaaptoestand waren, waarin niets gebeurde, en hoe ze naar de lente zou verlangen wanneer ze weer met de kasten aan de slag kon gaan, zwakke volken samenvoegen, de koningin zoeken en de bedekking van de raten afhalen. Ze was vooral blij met de meimaand; dan schenen de bijen weer op gang te komen en begonnen ze weer te doen waarvoor ze blijkbaar gemaakt waren.

Nu stond ze over de kasten gebogen met haar muts en jack, en dacht aan de barre winter die voor hen lag. Ze vond het heerlijk dat alles zo stil was in de winter, de trage, hijgende adem van de aarde als een overwinterende beer in een grot.

Opeens hoorde ze iets en toen ze zich omdraaide, zag ze Melody die op haar toe kwam waggelen, met de lange donsjas van Jane om zich heen, die te klein was om haar enorme buik te bedekken. Rocksan voelde iets van opluchting. Ze besefte dat ze het meisje wel mocht, maar wist eigenlijk niet waarom.

'Hallo,' riep ze. Ze geneerde zich voor haar robuuste groet. Ze dacht dat dit overmatig enthousiast klonk. Ze wilde dat ze gewoon aardig was, in plaats van er zo haar best voor te moeten doen.

'Hoi,' zei Melody. 'God, wat is het koud.'

'George zegt dat je je niet lekker voelt. Mag je wel uit bed dan?'

'Malle George,' zei Melody. Rocksan begon te lachen. Wie zei er nou nog 'malle'?

'Hij zegt dat je moe bent.'

'Ten eerste moet hij maar eens proberen twintig kilo extra mee te zeulen. Maar ten tweede wil George gewoon denken dat zwanger zijn betekent dat je ziek bent. Hij heeft geen idee hoe levend ik me voel.'

'Ja. Volgens mij is de domheid van mannen al heel lang bekend.'

Melody glimlachte niet. In plaats daarvan keek ze naar de kasten en zei: 'Dus dit zijn de bijen?'

'Ja,' zei Rocksan. Ze hoorde de rustige, trotse klank in haar stem. Ze nam zich voor die de volgende keer een beetje te temperen. Maar het gebeurde zo zelden dat iemand iets over de kasten vroeg. Zowat iedereen dacht dat ze geschift was omdat ze bijen hield. Ze dacht even aan die keer dat ze die schoolkinderen de stuipen op het lijf had gejaagd met haar verhaal over de lugubere paringsrituelen van bijen.

'Ik weet niet veel over bijen,' zei Melody. 'Ik ben wel vaak gestoken. Ik weet niet waarom. Bijen voelden zich tot me aangetrokken. Mijn moeder zei dat ik te zoet was om weerstand aan te bieden.'

'Weet je moeder waar je nu bent?'

Melody knikte. 'Mmm. Dat weet ze.'

'Is ze...?'

'Mijn moeder leidt een alternatief leven.'

'O?' zei Rocksan. 'Is ze lesbisch?' De woorden waren eruit voor ze zich kon inhouden. Melody glimlachte. Het was een zeer geamuseerde glimlach.

'Nee, dat zou ik niet direct zeggen. Ze is dol op mannen. Ze kan er geen genoeg van krijgen. Het is nauwelijks uit met de ene, of er zit alweer een nieuwe op haar te wachten in de coulissen. Ze zegt zelf graag dat ze serieel monogaam is. Een hartstochtelijke liefhebster van mannen.'

'Woont ze in Ohio?'

'Hemel, nee. Ze woont hier in Californië. Op dit moment woont ze met een appelboer in een geodetisch huis in Julian.'

'Kweken ze appels?'

'Ja,' zei Melody. 'Hugh – zo heet hij – en zij hebben wat geld gewonnen in de loterij en daar hebben ze een appelboomgaard van gekocht.'

'Dat klinkt net als een televisieserie.'

Melody lachte. 'Over mijn moeder zou een serie gemaakt kunnen worden, dat is wel zeker. Ze wil het kind zien als het geboren is. Maar het zal erbij blijven dat ze dat zegt. Ze zal nooit komen. In de taal van mijn voormalige christenbroeders: ze is een hoer.'

Melody sprak het woord hoer uit alsof het twee lettergrepen had. 'Ik ben niet boos op haar. Ze weet niet hoe ze de dingen anders moet doen. Dat iemand familie van je is, betekent nog niet dat je van diegene moet houden.'

De laatste woorden werden met een landelijk accent uitgesproken. Daar moest Rocksan om lachen.

Melody keerde zich naar de kasten.

'Ik heb gehoord dat bijen gek worden van rook,' zei ze.

Rocksan kon niet geloven dat iemand een gesprek met haar begon over haar bijen. Het duizelde haar even. Niemand behalve Jane praatte ooit over de bijen.

'Eigenlijk,' zei Rocksan, met een stem die ze probeerde nonchalant te laten klinken, 'is rook de grote gelijkmaker.'

Melody begon te lachen. 'Ja. Daar weten George en ik alles van.'

Rocksan keek Melody aan. Had ze het nu over hasj? Dat leek erg onwaarschijnlijk. Maar ach, waarom ook niet? Melody, en George trouwens ook, waren verrassend, mensen die niet gemakkelijk in een hokje konden worden geplaatst.

'Kun je een van die kasten openmaken?' vroeg Melody. Haar gezicht vertrok even en ze hield haar buik vast. Rocksan vroeg zich af wat er voor bliepjes en impulsen omgingen in het mysterieuze universum van de zwangere baarmoeder.

'Nee. Dat zou geen goed idee zijn,' zei ze. 'Bijen raken van streek als de kasten geopend worden wanneer het buiten koud is. Ze zouden ons waarschijnlijk aanvallen en flink steken.'

'O. Nee, dat lijkt me niet zo geslaagd.'

'Maar als ze dat deden, zou je iets in brand kunnen steken, een bemost stuk hout. De rook zou hen naar de veiligheid van hun kast jagen.'

Melody leek plotseling nadenkend gestemd. Ze keek omhoog naar de lucht, waar zich hoge onweerswolken begonnen te vormen.

'Er lag binnen een boek op de salontafel waar ik even in heb gelezen. Het is grappig wat jullie hier in Californië zoal lezen.'

'Wat was het? Dat boek?'

'Zen en de vier elementen.'

'Dat is van Jane,' zei Rocksan. 'Ik ben geen zen-type.'

'Ik wist niet eens dat er vier elementen waren,' zei Melody. 'Je zou toch denken dat er honderden elementen zijn. Maar in dit boek stond dat vuur een van de vier elementen is. Dus ik dacht dat vuur, omdat het er al is sinds de holbewoners, de bijen doet denken aan iets heel ouds. Het zou kunnen dat ze er bang voor zijn,' zei ze. En bijna alsof het haar nu pas inviel, zei ze: 'Maar het kan ook zijn dat ze ergens anders op reageren. Op iets wat wij nooit zouden weten.

Iets wat in de loop van miljoenen jaren is weggezakt. Een of andere oeroude lokroep.'

Rocksan voelde zich stil worden toen ze dit hoorde. Het verbaasde haar dat Melody dit zei, dat Melody meer in de bijen zag dan stekende insecten. Ook zij had zich afgevraagd waarom rook zo goed werkte om de bijen te kalmeren. Op het punt van de bijen had alles een diepere betekenis. En nu reageerde dit zwangere meisje, honderden kilometers van huis, dat scheen te geloven dat je je leven moest leven alsof je elk moment dood zou gaan, op dezelfde manier, en zei ze hetzelfde soort dingen over de bijen die Rocksan zou kunnen zeggen. Wat vreemd dat twee mensen die zo verschillend waren, die zo verschilden van karakter, ongeveer langs dezelfde lijnen dachten. Rocksan hield van het vreemde van de wereld, de vreemde kleine overeenkomsten en verschillen, de wonderlijke verrassingen van zielsverwantschap.

'Wij zijn het contact met de krachten in de natuur kwijtgeraakt,' zei Rocksan zacht, bijna verlegen. 'Maar ik denk dat de bijen dat nog hebben.'

Melody glimlachte. Haar gezicht vertrok weer even en ze kreunde tevreden. Ze zei: 'Ik denk dat de baby gauw komt.'

'Voel je je wel goed dan? Ik weet niet veel van dat babygedoe af.'

Melody zwaaide met haar hand door de lucht. 'Nu ik zwanger ben, dringt het voor het eerst tot me door dat iedereen een moeder heeft. Daar had ik nooit zo bij stilgestaan. We zijn allemaal foetussen geweest die door onze moeders zijn rondgedragen.'

Rocksan dacht aan haar moeder, hoe hard ze altijd werkte, zonder ooit aan zichzelf te denken. Dat ze haar bijna nooit had zien lachen. Dat ze nooit hertrouwd was. Hoe stoïcijns ze het weggaan van haar man had opgenomen, om razend van te worden.

'Mijn moeder is eigenlijk zo'n beetje dood voor mij,' zei Melody. 'Ik zit er niet mee wat er tussen Jane en jou is. Dat jullie lesbisch zijn. Dat stoort me niet. Iedereen moet zelf weten wat hij doet. Ik wilde alleen hierheen komen omdat ik iemands moeder in de buurt wilde hebben. Het valt niet mee als je zwanger bent en het in je eentje moet doen.'

Om de een of andere reden was Rocksan geroerd. Ze wist eigenlijk niet waarom. Dat was het vreemde met Melody. Rocksan bedacht dat je soms gewoon mensen tegenkwam van wie je meteen kon houden. Zomaar. Je zou hun alles vergeven omdat iets wat levend in hen aanwezig was iets in jou aansprak wat je kwijt was geraakt.

'Ik ben niet echt een moederlijk type. Maar geloof het of niet, Jane is dat wel.'

'Ik heb tegen George gezegd dat hij haar moet vergeven, anders wordt hij een gerimpelde, oude rotzak met een dichtgeknepen mondje.'

Rocksan knikte. Ze zag Melody's gezicht vertrekken, ze zag haar weer haar buik vasthouden.

'Deze baby kan er elke dag uit komen vallen. Volgens mij steekt haar koppie al naar buiten.'

'Gatsie,' zei Rocksan. 'Wat klinkt dat gruwelijk.'

Melody lachte. 'Jemig, je bent echt geen moederlijk type, hè?'

Jane was zwijgzaam op weg naar de rouwdienst. Het leek alsof er een zware last van haar schouders was genomen. Of nog zwaarder was geworden. Het was erg moeilijk daar achter te komen. Rocksan had kennelijk iets gemist.

'Wil je erover praten?' zei Rocksan.

'Hij haat me echt. Ik geloof dat het feit dat ik lesbisch ben, voor hem de deur dichtdoet.'

'Op den duur kan iedereen aan alles wennen, Jane.'

'Jawel. Maar hij haat me ook omdat ik hem in de steek heb gelaten.'

Rocksan legde haar hand op Janes knie. 'Het gaat om twintig jaar rottigheid. Je kunt niet verwachten dat het van de ene dag op de andere over is.'

Jane knikte. Ze zag er ongelukkig uit. De wolken werden dikker. Ze dacht aan de rouwdienst, de wandeling door het bos die ze moesten maken, de sombere uren die voor hen lagen. Ze bedacht dat stadsmensen nooit zouden komen opdagen bij een rouwdienst waar je tegelijkertijd je spieren moest gebruiken en je verdriet moest verwerken.

'Het spijt me van daarstraks,' zei Jane.

'Dat hoeft niet,' zei Rocksan. 'Ik zal zorgen dat George ervoor betaalt. Er zijn allerlei klusjes in huis die hij kan doen.'

'Wat ben je toch een kreng, Rocksan.'

'Bedankt. Vanmorgen had ik nog het gevoel dat ik mijn kloten be-gon kwijt te raken.'

'Als je dood bent, zullen je kloten nog iemand uitkafferen. De be-grafenisondernemer. Hem rondcommanderen.'

Rocksan glimlachte. Ze vond het wel een aardig beeld. Ze reed een tijdlang door. De stilte in de auto had nu iets prettigs, ondanks de reden voor deze rit. Ze dacht aan Melody. Hoe belangstellend Melody over de bijen had gepraat, alsof ze begreep waarom Rock-san zo op hen gesteld was. Ze dacht aan Melody die een kind baar-de, en toen aan een krijsende baby. Ze had baby's nooit schattig ge-vonden. Ze leken allemaal op gerimpelde gezichtjes die in een appel waren gekerfd. Toch had ze heel even een vreemde fantasie. Ze stond bij de kasten en praatte tegen de baby, riep de schoonheid van de bijen voor haar op. Ze zag zichzelf en het kind samen de voer-potten schoonmaken, de koningin vervangen, treuren om de slach-ting onder de darren.

'Melody zal een tijd rust moeten hebben nadat de baby geboren is,' zei Rocksan. Ze staarde recht voor zich uit. Ze zag dat Jane naar haar opkeek. Ze wilde Jane niet aankijken.

'Zeg je nu dat ze langer mogen blijven?'

'Ik zeg helemaal niets, Jane, alleen dat we allemaal ooit een moe-der hebben gehad.'

Rocksan keek opzij naar Jane. Jane leek het niet te begrijpen. 'Huh?'

'Dat was gewoon een gedachte die bij me opkwam,' zei Rocksan.

Er ging een moment voorbij. Toen zei Rocksan, zo vriendelijk als ze kon: 'De volgende keer moet je zoiets met mij bespreken. Zo kun-nen we niet doorgaan. We moeten leren met elkaar te praten.' Jane knikte.

'Praat gewoon met me. Ik zal proberen net te doen als Gandhi of zo iemand, en niet je hoofd af te bijten voordat de woorden eruit ko-men.'

Jane leek sprakeloos. Rocksan besefte dat ze in lange tijd niet zo'n verzoenend gebaar had gemaakt. Misschien wel nooit. Jane en zij tastten naar elkaars hand. Er lag een soort ernst in dit gebaar. Iets verlegens en nieuws. Rocksans hart werd vervuld van zowel blijd-schap als droefenis.

De rest van de rit werd zwijgend afgelegd. Toen kwamen ze bij de open plek waar Ethan zijn zoontje het laatst levend had gezien. Overal stonden geparkeerde auto's, en mensen. Bij het begin van het pad zag ze de oude, blinde predikant met Cindy en Ethan praten. Ze zag Glick apart staan alsof hij ergens op wachtte, en om de een of andere reden dacht ze aan haar zus. Ze stapte uit de auto en knielde om de veters van haar wandelschoenen steviger te strikken. Het zou een lange wandeling worden.

Jane

Nadat Rocksan naar buiten was gegaan om met haar bijen te stoeien, bleef Jane alleen met George achter. Ze was erg zenuwachtig. Ze herinnerde zich de hoeveelheid sterke drank die ze twintig jaar geleden nodig had gehad om haar zoontje achter te laten. Ze had een vaag idee dat een stevige borrel nu ook goed zou werken. Maar toen zag ze zichzelf in zijn gezicht, zijn beenderstructuur, het groen van zijn ogen, de gekwetste uitdrukking daarin.

'Wat heeft ze toch met die bijen? Is dat soms een homohobby?'

'George, dat meen je toch niet serieus?'

'Nee. Ik doe alleen lullig.'

'Dat is goedkoop.'

George knikte. 'Ik ben de zoon van mijn vader.'

'Dat klinkt als een zinnetje uit een slechte film.'

'Kan zijn. Maar het is de waarheid. Dat ben ik nu eenmaal.'

'Dus jij denkt dat mensen zijn zoals ze zijn? Ze kunnen niet veranderen?'

Hij haalde zijn schouders op. Ze bleven een tijd zwijgen. Jane zag dat hij nerveus was, onzeker. Op een gegeven moment begon hij iets te zeggen, maar zag er weer vanaf. Uiteindelijk verbrak hij de stilte.

'Wanneer de bevalling begint, weten jullie toch wel wat er moet gebeuren? Bijvoorbeeld waar Melody dan naartoe moet worden gebracht. Moeten we niet voor het zover is naar die plaats waar een ziekenhuis is om daar iets te regelen?'

Jane knikte. 'Volgens mij wel. Laten we het met Melody bespreken.'

Er viel weer een moeizame stilte tussen hen. Iets vloeiends, iets wat bewoog. Een gedachteflits, duisternis. Er was een herinnering aan iets wat ze niet begreep, iets donkers en pijnlijks. Gezichten in een kamer. Sneeuw. Een plotseling fel licht. Ze dacht aan Nate, stervend in het bos. Ze dacht aan haar zoon, die leefde, die hier tegenover haar zat. Wat was het leven onverwacht en geheimzinnig.

'George,' zei ze. 'We moeten een paar dingen tussen ons tot klaarheid brengen...'

'Ik weet het,' zei hij. Het was alsof hij ook net een zintuiglijke ervaring had gehad. Er was iets belangrijks tussen hen gebeurd. 'Echt waar, ik wíl je vergeven. Maar je weet hoe dat gaat. Wat blijft er dan over? Het enige wat ik altijd heb geweten is hoe ik je moet haten.'

Jane boog haar hoofd. Ze dacht aan wat Rocksan eerder had gezegd. Dat mensen aan alles konden wennen. Ze wist dat ze weinig geduld had. Ze vergat altijd dat niets hetzelfde bleef. Ze probeerde zich dit nu voor te houden. Zich voor te houden dat dit op den duur op de een of andere manier opgelost zou worden en dat er iets anders in de plaats zou komen van dit vreselijke gevoel.

'Je moet het proberen, George.'

'Het voelt zo wanhopig,' zei hij. 'Zo geforceerd.'

'Maar alles wat nieuw is voelt zo.'

Hij haalde zijn schouders op. Zijn gezicht was rood geworden. Het hare ook. Die eigenschap hadden ze gemeen. Net als hun kleur ogen, hun beenderstructuur, hun soort haar. Ze bloosden allebei gauw. Ze huilden allebei gemakkelijk.

'Ik ben altijd bang geweest dat ik homo zou zijn,' zei hij. 'Dat ik het van jou zou erven of zo.'

'Zie je wel. Je gelooft dus toch dat je er niet voor kiest.'

Hij schudde heftig zijn hoofd. 'Begrijp je niet dat ik móést geloven dat je ervoor gekozen hebt. Dat je ervoor kiest.'

Ze knikte. 'Daarom ben ik nog geen griezel,' zei Jane.

'Volgens jou niet.'

'Doe niet zo gemeen, George,' zei ze.

Hij boog zich naar voren. Hij stak zijn hand uit. En trok hem weer terug. Ze zag spijt op zijn gezicht. Hij was haar zoon. *Haar zoon.*

'Het spijt me,' zei hij met een ongelukkig gezicht. 'Ik wil je niet kwetsen. Het spijt me echt heel erg.'

Ze knikte. 'Ik begrijp het.'

'Echt waar?'

Er viel een schaduw over de kamer. Ze keek naar buiten. De wolken stapelden zich werkelijk op. Wat was dit moeilijk. En pijnlijk. Ze wilde gewoon dat hij haar vergaf. Waarom wilde hij niet doen wat ze wilde?

'De rouwdienst is over een paar uur,' zei Jane. 'Ik moet me gaan klaarmaken.'

George keek ook naar buiten. Hij zei: 'Ik heb erg met die vader te doen. Maar het was wel zijn schuld. Ongelooflijk stom van hem. Mensen doen gewoon de hele tijd stomme dingen.'

Jane stond op. Ze wist dat hij het eigenlijk over haar had. Ze keek naar hem, hoe hij over de tafel gebogen zat, alsof de lucht uit hem was weggelopen. Ze zag dat hij geluidloos huilde, en ze wilde niets liever dan haar armen om hem heen slaan. Op dat moment, nu het door de wolken donker was geworden in de kamer, een paar uur voor de rouwdienst voor Nate, begreep ze dat ze haar verlossing nooit zou vinden door hem over te halen haar te vergeven.

'Door jou wil ik een beter mens worden,' zei ze.

Hij knikte. Hij had het niet meer. Hij bracht zijn handen naar zijn gezicht. Hij bedekte zijn ogen en ze zag hoe mooi en sterk zijn handen waren, hoezeer ze dezelfde vorm hadden als haar eigen handen.

Toen Jane en Rocksan de open plek in het bos op reden, zag Jane al die auto's en ze had een gevoel hier thuis te horen, en een gevoel van verdriet. Ze besefte dat dit haar leven was, deze plek met deze mensen die, ook al dreigde het te gaan sneeuwen, hierheen kwamen om de rouwdienst voor een hunner bij te wonen.

Ze dacht aan haar zoon – *haar zoon* – die thuis was met Melody, aan die twee die aan hun leven begonnen. Ze begreep dat dit niet het moment was om fouten te maken, dat dit voor haar ook een begin was. Ze zag het wandtapijt van haar leven voor zich uitgespreid, met alle buien en bevliegingen. Ze wist dat ze deze kans niet mocht verspelen. Hoe bleef je op koers? Met welk vermogen kon je leren de juiste keuzes te maken, het goede te doen?

Nadat Rocksan de auto had geparkeerd, kwamen er vier rangers aanrijden, elk in een eigen terreinwagen. Ze stopten bij de rand van de open plek maar lieten de motor draaien. Een van hen stapte uit zijn wagen en liep beurtelings naar elk van de drie anderen toe; daar praatte hij kort, maakte handgebaren en wees naar de rand van de open plek; vervolgens ging hij terug naar zijn wagen. Daarna zetten ze hun wagens achter elkaar, zodat er een soort barricade ontstond rondom de open plek. Bijna tegelijk, alsof het een dans was, dacht Jane, stapten ze uit hun wagen en bleven daar als schildwachten tegen hun voertuig geleund staan, elk met een officiële parkwachterspet op het hoofd en een bijpassende, door de overheid verstrekte winterparka warm om hun lichaam. Ze zag het formele van dit gebaar. Het respect. Ze begreep hoe grillig het geluk kon zijn.

Angie

Kinderen leken zo kneedbaar. Zo bereid zich aan te passen. Maar Angie wist dat dit niet waar was. Soms leek het alsof ze een nieuwe situatie in zich opnamen, vanzelfsprekend vonden, aanvaardden. Maar dan, drie weken later, kreeg je het voor je kiezen, gingen ze tegen je te keer en maakten ze duidelijk hoe je hen had verraden.

Angie had dit gezien bij haar eigen dochter. Toen Angie met die vrachtwagenchauffeur was thuisgekomen en met hem was getrouwd, had Rachel gewoon met alles meegedaan. Maar zodra Rachel had begrepen dat de man – dronken, dik, agressief – niet meer weg zou gaan, sloot ze zich af. Ze werd nooit meer de oude, zelfs niet nadat Angie hem eruit had getrapt. Rachel had genoeg verraad gehad. Ze was toen al een gesloten boek.

Nadat ze Glick een kus had gegeven ten afscheid en hem had nagekeken terwijl hij wegreed, ging ze terug naar Rosie en begon te piekeren. Het had er uiteindelijk op geleken dat Rosie het accepteerde. Ze had met de hond gespeeld. Ze had goed gereageerd op Glicks vriendelijke vermaningen dat ze het beest niet mocht voeren terwijl ze aan tafel zaten. Ze had zelfs even gelachen. Maar Angie wist wel beter. Ze wist dat het allemaal bij de minste aanleiding weer helemaal de verkeerde kant op kon gaan.

Angie keek naar haar kleindochter die op de vloer met wat speelgoed speelde. Ze ging naar haar toe. Ze zei: 'Ik ga nooit bij jou weg, Rosie.'

Rosie knikte.

'Begrijp je wat ik zeg?'

Rosie keek op naar Angie en knikte weer. Haar gezicht stond plechtig, zelfs een beetje angstig. Angie haalde diep adem. Ze dacht even aan Ethan, hoe hij zijn zoontje in de auto had achtergelaten. Ze zag in dat zij, afgezien van de omstandigheden, hetzelfde had gedaan bij haar eigen dochter. Haar dochter was niet doodgegaan. Maar Angie was haar voorgoed kwijtgeraakt.

Rosie pakte een lok haar van Angie en draaide die even om haar vingers. Toen zei ze: 'Waarom is mijn moeder niet hier? Of mijn pappa? Komen ze nog terug?'

Angie ging op de vloer zitten. 'Dat denk ik niet, schat.' Soms, dacht Angie, moest je de waarheid in één keer vertellen, alsof je een pleister van de gevoelige huid aftrok. De pijn kwam altijd, scherp maar kort.

'Waarom?'

'Hoewel je mamma heel veel van je hield...' Angie kon even niet verder. Ze dacht eraan hoe, nog voordat Rosie geboren was, dit ogenblik in haar toekomst bestond, dat ze er aan had meegewerkt dat het zou komen.

'Hoewel ze van je hield, kon ze niet voor je zorgen.'

'Is ze doodgegaan, net als Nate?'

'Nee,' zei Angie. 'Ze had alleen niet genoeg...'

'Houdt ze niet van mij?'

'Jawel. Ze houdt wel van je. Echt wel. Daarom ben je juist hier bij mij, hoe gek dat ook klinkt. Als ze je bij zich had gehouden, had ze niet voor je kunnen zorgen zoals ik dat kan.'

Rosie knikte. Ze scheen het te begrijpen. Maar Angie wist dat het fataal zou zijn om te denken dat Rosie het begreep. Dat was al eerder fataal geweest. Ze moest waakzaam blijven. Ze moest consequent blijven. Ze moest blijven bedenken dat Rosie het níét begreep, al leek ze nog zo volwassen. Het was een truc die kinderen leerden. Ze leerden wereldwijs te doen, volwassenen voor te spiegelen dat ze begrepen hoe het in de wereld toeging. En volwassenen, had Angie geleerd, wilden er zo graag vanaf zijn dat ze niet konden zien dat kinderen hen heel slim en subtiel om de tuin leidden.

'Waar is mijn pappa? Nate heeft een pappa.'

'Jouw mamma en pappa zijn gescheiden, schat. Ze wonen niet meer bij elkaar. Ik weet niet waar je vader is. Ik weet niet waar je moeder is. Ik wou dat ik het wist. Ik wou dat ik ze voor jou naar huis kon halen.'

Rosie knikte. Angie zag dat ze haar tranen probeerde in te houden. Haar lippen trilden en haar kin trok samen.

'Rosie,' zei Angie. 'Jij bent in mijn leven nummer één. Niemand zal ooit jouw plaats innemen.'

Rosie keek op naar Angie. Ze huilde. Ze zei: 'Ik weet niet hoe mijn mamma eruitziet. Waarom zijn er helemaal geen foto's van mijn mamma? Of van mijn pappa?'

Angie stond op. Ze stak Rosie haar hand toe. Rosie pakte hem aan en stond ook op. Samen liepen ze Angies kamer in. Uit de onderste la van haar ladekast haalde Angie het fotoalbum te voorschijn dat ze daar had weggestopt nadat Rachel was weggegaan. Nu besefte ze hoe verkeerd het was geweest om het verborgen te houden. Ze opende het fotoalbum en liet het aan Rosie zien.

'Ik heb geen foto's van je pappa. Hij heette Robert Preston. Maar dit is je moeder toen ze dertien was. Zie je dat jij precies dezelfde ogen hebt?'

Rosie staarde met een soort verwondering en ongeloof naar de foto. Ze knikte.

'En dit hier is de laatste foto die ik van haar genomen heb. Toen was ze net achttien.'

Het was een foto van Rachel, die in een uitdagende houding met een sigaret in haar hand voor het huis stond. Ze lachte en haar jukbeenderen waren zo geprononceerd dat haar lach – half spottend – er breekbaar uitzag. Het kon zelfs iets anders zijn, niet dat lachje, waardoor ze er zo breekbaar uitzag. Je kon de boosheid en de gekwetstheid in haar ogen zien. Je kon zien dat ze haar moeder uitdaagde.

'Rookte mijn mamma?'

Angie knikte. 'Ja.'

Rosie keek Angie aan alsof ze diep geschokt was. 'Daar kun je van doodgaan,' zei Rosie.

Angie sloeg haar armen om Rosie heen, die het fotoalbum nog stevig vasthield. 'Ik hou van je, Rozenknopje.'

Wat Angie zei, leek Rosie niet te interesseren. Ze probeerde het fotoalbum te bekijken. Maar Angie wist wel beter. Ze wist dat Rosie naar die woorden luisterde, dat ze zich eraan vastklampte alsof haar leven ervan afhing. Ze wist dat Rosies schijnbare onverschilligheid alleen maar betekende dat ze al iets had geleerd van de stomme manieren van de volwassenen.

'Je mag deze foto's houden,' zei Angie. 'Als je wilt, kunnen we er een paar van in je kamer ophangen.'

Rosie knikte plechtig. Ze maakte zich meester van het fotoalbum. Ze hield het stevig vast.

Later kleedde Angie Rosie warm aan en bracht haar naar het restaurant. Hilda stond buiten in de kou op hen te wachten.

'Wat is dit voor flauwekul?' zei Hilda.

'Het spijt me dat ik te laat ben.'

'Je behandelt me als oud vuil.'

'Sorry.'

'Ik kan niet door dat bos lopen. Dat komt jou goed uit, want dan kan ik hier blijven en zorgen dat het eten klaar is. Maar verdomme, je hebt me hier buiten in de kou laten staan. Ik wacht al...' ze keek op haar horloge. 'Een vol kwartier, verdomme.'

'Jij vloekte,' zei Rosie.

'Verdomd, je hebt gelijk,' zei Hilda.

Rosie zette grote ogen op.

'Ze is nu eenmaal een schreeuwlelijk, schat. Let maar niet op haar,' zei Angie.

'Wat doe je met dat kind? Je laat haar toch niet door dat bos lopen?'

Rosie stond naast Angie met het fotoalbum en haar pinguïn tegen zich aan gedrukt.

'Natuurlijk niet. Ik hoopte dat jij op haar zou kunnen letten?' vroeg Angie schaapachtig. Ze had er een vervelend gevoel over. Maar wat kon ze doen?

'Nee, oma.'

Hilda bukte zich. Ze keek naar Rosie, die altijd een beetje bang was geweest voor Hilda's omvang en haar diepe basstem. 'Kom je me helpen?' zei Hilda.

Rosie schudde haar hoofd. 'Nee, ik vind je eng.'

Angie en Hilda keken elkaar aan. Hilda trok haar wenkbrauwen op. 'Ze is verwend. Ze is net zo'n brombeer als jij,' zei ze.

'Ben ik een brombeer?' zei Angie.

Hilda knikte terwijl Angie de deur opende. 'Het is een verborgen eigenschap van je. Die je alleen aan je hulp laat zien.'

Angie moest glimlachen. Hilda was een raar mens.

Ze gingen naar binnen en Angie was een uur bezig de boel klaar te zetten. Ze zette borden op de bar en legde bestek neer. Ze deed koffie in de koffiepotten en zei tegen Hilda dat ze de koffie pas moest zetten wanneer de mensen begonnen binnen te komen. Ze legde theezakjes klaar en zette kopjes en glazen neer. Ze legde de servetten in een mand. Ze begon broodjes te smeren. Er kwamen een paar mensen langs; die probeerden de deur te openen en liepen weer verder toen ze merkten dat die gesloten was, of ze klopten op de ramen om binnengelaten te worden. Elke keer schreeuwde Hilda: 'We zijn gesloten. Kunnen jullie niet lezen wat er op dat verdomde bord staat?' Dan keek ze naar Angie of naar Rosie die verdiept was in het fotoalbum, en zei: 'Hebben ze dan helemaal geen eerbied, verdomme?'

Angie nam afscheid van Rosie en Hilda en ging op weg naar de berg. Ze zag dat sommige journalisten ook die kant opgingen en vond het vreselijk. Ze hoopte maar dat ze zo verzwakt waren door het stadsleven dat ze de tocht door het bos niet wilden – of konden – maken. Ze kon het zich niet voorstellen en vroeg zich af of er een manier was om hen bij de rouwdienst weg te houden. Ze wist dat de oude, blinde predikant de dienst zou leiden en daarover maakte ze zich ook zorgen. Kon hij dat hele eind lopen? En wat zou hij zeggen? Ze dacht even over hem na; dat hij er altijd was, altijd aanwezig was, maar dat je toch niets over hem te weten kwam. Ze vroeg zich af of hij te excentriek was om de juiste dingen te zeggen. Toen maakte ze zich weer zorgen omdat ze wist dat er nauwelijks iets te zeggen viel. De omstandigheden waren te ellendig.

Achter haar en voor haar kroop een file auto's tegen de berg op. Ze herkende er maar een paar van en was opgelucht toen ze eindelijk aankwam en zag dat de rangers en de sheriff een barricade hadden gevormd. Ze hielden de auto's tegen en lieten alleen mensen uit het dorp door naar de open plek. Ze zag de teleurstelling op de gezichten van de journalisten. Ze hoorde een van hen zeggen: 'Agent, dit is openbaar terrein. Wij hebben het recht er gebruik van te maken.'

Toen ze haar auto parkeerde, zag ze Glick al staan. Hij wuifde en kwam naar haar toe. Ze keek om zich heen en zag de oude predikant met Cindy en Ethan praten. Ze zag haar zus en Jane. Rocksan zat geknield haar veters te strikken. Angie stapte langzaam uit haar auto.

'Je bent er,' zei Glick nadat hij naar haar auto was toegekomen.

'Ja,' zei Angie. Ze had het gevoel dat ze in tranen kon uitbarsten. Ze was helemaal van de kaart. Ze voelde het volle gewicht van Nates dood. Ze dacht even aan haar dochter, maar meer aan haar afwezigheid. Ze dacht aan Rosie. Het beeld van Rosie met het fotoalbum in haar armen. Ze voelde dat ze diep inademde, en plotseling was Glick er om haar te ondersteunen.

'Rustig maar,' zei hij.

'Ik weet niet wat ik opeens had.'

'Het geeft niet,' zei Glick.

'Ik ben helemaal duizelig.'

'Ze gaan Ethan na de dienst arresteren.'

'Waarom in vredesnaam?'

'De sheriff zei tegen hem dat hij beschuldigd wordt van criminele nalatigheid.'

'Wat is dat in godsnaam?'

Glick haalde zijn schouders op. Hij hield Angie vast bij haar elleboog. Als het iemand opviel hoe vertrouwelijk ze met elkaar omgingen, vonden ze dat blijkbaar niet zo interessant. Heel even dacht Angie dat hun samenzijn gewoon in het weefsel van het dorpsleven kon worden opgenomen, dat niemand er zwaar aan zou tillen. Nu niet meer, nu er iets anders was dat veel belangrijker was. Ze dacht eraan hoe vreemd het was dat je gewoon je leven kon leven en vergeten hoe diepzinnig en tevens oppervlakkig het was, tot er zoiets gebeurde als dit.

'We zijn ongeveer klaar om aan de wandeling te beginnen. Broeder Johns zegt dat hij er klaar voor is,' zei Glick.

'Ik ben bang, Glick.'

'Best mogelijk dat we allemaal bang zijn,' zei Glick.

Angie liep samen met Glick en alles leek in slowmotion te gebeuren. Ze had even een besef van haar eigen sterfelijkheid, van het weemoedige einde van het leven. Ze zag hoe klein ze was in het grote geheel, hoe onbetekenend eigenlijk. Ze had het gevoel dat ze niet één individu was, maar een deel van een reusachtige, raadselachtige zee van levende wezens. Ze kreeg een beeld van een school vissen, en daarna van een vlucht vogels, van hun steeds veranderende, maar voortdurende beweging naar voren, naar opzij en naar achteren. Je kon niet één stap doen, dacht ze, zonder de rest van de mensheid bij de hand te houden. Ze reikte naar Glicks hand terwijl de tranen over haar gezicht stroomden. Glick boog zich naar haar over. Hij zei: 'Ik hou van je.'

Ze knikte, en huilde nog harder.

Ze keek op naar alle mensen van haar dorp, naar de media die opzij achter het cordon moesten blijven. Ze zag Rocksan en Jane zacht tegen elkaar praten, ze zag Rocksan Janes hand stevig vastpakken. Ze zag Cindy, Ethan en Trevor bij elkaar staan als één persoon. Ze zag de predikant in zijn eentje staan; hij leunde op zijn stok alsof hij ergens naar luisterde. Ze stelde zich Nate voor die lag te sterven in het bos. Ze zag hem voor het laatst inademen. Ze troostte zichzelf door zich voor te stellen dat zijn ziel als een stuk vloeipapier uit zijn lichaam opsteeg en zacht wegzweefde op de wind. Wegzweefde en verdween tot er alleen een herinnering voor haar geestesoog van overbleef.

Cindy

Cindy zat achter in een gouden stationcar. Haar vader reed. Haar moeder zat naast hem en streelde zijn achterhoofd. Ze zag de glinstering van de zilverkleurige nagellak, de lange vingers, de afgeronde botjes van haar knokkels. Haar moeder draaide zich in slowmotion om en zei: 'Ik hou van je.'

Cindy deed haar ogen open en nog in de ban van de droom herinnerde ze zich dat het de dag van Nates rouwdienst was. Trevor sliep naast haar. Hij lag op zijn buik en Cindy kon de tatoeage van de naakte dame zien waarmee hij na een dronken weekend met school in de stad was thuisgekomen. Ze dacht erover hem wakker te maken, maar zag daarvan af. Ze stapte geluidloos uit bed en kleedde zich aan.

Ze ging naar de woonkamer en was blij een bijna volle fles whisky op de salontafel te zien staan. Ze nam een flinke slok en pakte haar tas en haar sleutels. Ze stopte de fles in haar tas. Ze schreef Trevor een briefje waarin stond dat ze hem later bij de rouwdienst zou zien. Ze pakte haar dikke parka van de haak bij de deur en trok haar handschoenen aan en een muts. Ze opende de deur en zette zich schrap tegen de kou. Buiten zag ze nog dezelfde journalisten in de auto aan de overkant van de straat, alsof ze haar moesten bewaken. De motor van hun auto draaide en de uitlaat blies een rookpluim uit in de koude lucht. Ze liep erheen; door de slok whisky had ze moed gevat. Ze klopte op hun raam. De man draaide het raam omlaag. Hij keek haar verwachtingsvol aan.

'Als ik jou bij de dienst voor mijn zoontje zie, vermoord ik je,' zei ze.

De man glimlachte. Hij zag eruit als een snelle gozer. Een uitge-kookt type. Het dreigement scheen hem niet te raken. Ze wilde dat ze een pistool had, zodat ze hem kon laten zien hoe serieus ze het meende. Ze wilde dat ze een revolver uit haar tas kon halen en de loop tegen zijn schedel kon houden. Ze wist dat ze het gekund zou hebben. Door de dood van haar zoontje was ze veranderd. Het leek alsof er geen barrières meer waren. Niets om haar tegen te houden. Bij het eerste daglicht en met de whisky die haar keel warmde, voel-de ze zich rauw en tot alles in staat. De kou maakte haar wraakzucht compleet.

'U gaat niemand vermoorden, mevrouw Denton,' zei de man.

'Wacht maar eens af.'

Ze liep weg en stapte in haar auto terwijl ze zich afvroeg of ze de alcohol in haar adem konden ruiken. Ze reed de parkeerhaven uit. Het stel in de auto volgde haar. Ze reed langzaam door het dorp. Toen ze langs Angie's kwam, zag ze Angie en Hilda staan praten bij de deur. Angie's kleindochter had een groot boek en een speelgoed-beest in haar armen. Toen Cindy voorbijreed, ging het drietal het restaurant binnen.

Cindy reed verder. Ze wilde naar Glicks huis rijden om te zien of Ethan en hij al weg waren, maar ze was wel zo verstandig de roof-dieren niet naar hun prooi te leiden. Ze zette de radio aan, en zoals ze al wist dat zou gebeuren, ging het nieuws even later over Nates dood. Nu hoorde ze dat haar man – haar ex-man – die morgen ge-arresteerd zou worden. Onmiddellijk haalde ze de fles whisky uit haar tas en nam een lange teug, en de drank die door haar slokdarm gleed, kalmeerde haar en leidde haar gedachten af. Nu Nate weg was, had ze het gevoel dat niets haar meer aan de aarde bond. Ze zag Ethan voor zich en ze wilde bij hem zijn. Ze wilde hem steunen, zoals hij had gevraagd. Het leek vanzelfsprekend dat te doen, even simpel als ademhalen. Ze zou naast hem staan, niet uit begeerte of liefde, maar omwille van haar zoon. Ze had het idee, ook al was het warrig en door de drank ingegeven, dat Nate het zo zou willen, dat Nate haar leidde. Ze wist dat het misschien alleen door de drank kwam. Maar ze dacht dat het niet zo was.

Langzaam reed ze de berg op. Ze was bijna de enige op de weg, behalve de journalisten achter haar, en ze vroeg zich af of er wel iemand bij de rouwdienst zou verschijnen. Ze wist dat het voor de mensen een hele opgave zou zijn door de sneeuw het bos in te lopen naar de plek waar Nate was gestorven. Ze was bang dat er misschien niemand zou komen.

De journalisten die haar hadden gevolgd, bleven steeds verder achter. De wegen, die Cindy goed kende en waarover ze met gemak reed, waren beijzeld en bochtig. Een vreemde zou deze wegen griezelig vinden. Ze ging nog sneller rijden en toen ze er was, zette ze de wagen naast die van Glick. Ze stapte uit en Ethan kwam naar haar toe en omhelsde haar. Ze voelde de vertrouwde warmte van zijn omhelzing, rook zijn geur. Het verleden kwam terug. Haar hoofd tolde. Ze had even het gevoel dat ze misschien ging flauwvallen. De journalisten maakten een foto. Ze zag het flitslicht in het bos opgloeien, als een vlek in de lucht.

'Cindy,' zei Ethan. Zijn stem werd gedempt door haar jack. 'God, Cindy. Ik...'

'Al goed,' zei ze. Ze zag hun leven, hoe ze beurtelings vreugde en woede hadden gekend, ze kon haar ogen er niet voor sluiten. Ze dacht eraan dat ze haar zoontje nooit terug zou zien. Ze zag Ethan als haar laatste verbinding met Nate. Ze was kapot en verlaten. Toen ze zich van elkaar losmaakten, zei hij: 'Heb je iets kalmerends voor me?'

Ze haalde de fles uit haar tas en gaf hem die. Ze zag hem een flinke teug nemen. Hij schroefde de dop er weer op, veegde zijn mond af en gaf haar de fles terug juist toen de predikant naar hen toe kwam.

'Je moet je overgeven aan God,' zei de predikant. 'Je moet je gebreken aan hem toegeven.'

Cindy stond daar naast Ethan, afstandelijk en alleen, mijlenver verwijderd van God. Ze voelde haar verwijdering van de wereld, van de mensen die hier kwamen om bij haar te zijn en met haar te rouwen. Ze voelde dat haar alcoholisme – want dat was het – en het teken van de dood van haar zoontje dat ze droeg, haar van alle andere mensen op de wereld afzonderde, behalve van Ethan.

'Ik kan niet geloven,' zei ze tegen de predikant.

Hij nam haar hand in de zijne en hield hem vast, en ze kon de geur van zijn ouderdom ruiken, zelfs door zijn jas heen.

'Je moet geloof hebben. Alleen God zal je hiervan verlossen.'
'Alstublieft,' zei ze. 'Begint u daar nu niet over.'

De woorden kwamen hees gefluisterd naar buiten. Het was net alsof ze haar stem begon te verliezen. Ethan hield haar andere hand vast. Hij boog zich naar haar toe en zei: 'Blijf bij me in de buurt.'

Toen probeerden de journalisten hen te benaderen, juist toen de sheriff en de rangers arriveerden, en het een enorme drukte werd. Zo veel mensen. Hun gretigheid was verstikkend. Het leek erg vreemd dat deze onbekenden zo nodig iets wilden terwijl Cindy degene was die het gevoel had dat haar mond openstond, dat aan haar behoeften moest worden voldaan. Cindy keek licht ongelovig toe terwijl de sheriff de media terugdreef achter de barricade die de rangers en hij met hun wagens hadden gevormd. Toen kwam de sheriff naar hen toe en zei, met neergeslagen ogen: 'Ethan, ik heb slecht nieuws voor je.'

Cindy keek naar Ethans gezicht. Dat veranderde niet. Het leek erop dat hij al op het nieuws was voorbereid. Cindy was blij dat ze op de radio had gehoord dat ze Ethan gingen arresteren, anders had ze er misschien een drama van gemaakt. Ze had hysterisch kunnen worden.

'Dat weet ik, sheriff. Het is goed.'

'We gaan het wel rustig doen, oké? Geen handboeien. Geen heisa.'

'Wat is de aanklacht?'

'Het ziet ernaar uit dat het een misdrijf zal worden. Criminele nalatigheid.'

Ethan knikte. Cindy had nog nooit van criminele nalatigheid gehoord. Ze wendde zich naar de sheriff. Ze zei: 'Maar er is geen misdrijf gepleegd. Het was een vergissing.'

De sheriff kon haar niet aankijken. 'De aanklacht is ingediend door de openbare aanklager in de stad. Ik heb er niets over te zeggen. Er is daar een advocaat die je zaak zal behandelen. Een pro-Deoadvocaat.'

Cindy hoorde de woorden pro-Deoadvocaat. Ze dacht aan de cheque van haar uitkering die op het aanrecht lag. Ze voelde zich waardeloos en misdadig, ook al was zij niet degene die Nate in de auto had achtergelaten. Ze had het gevoel dat ze precies datgene was wat op het nieuws over hen werd gezegd; boerenkinkels, zatlappen, achterlijk volk.

De sheriff praatte en Ethan knikte en Cindy dacht over zichzelf dat ze een boerenkinkel, een achterlijke zatlap was. Ze zag dat Ethan zich goed hield. Hij bleef stoïcijns zwijgen. Zoals hij altijd had gedaan. Ze dacht aan de aard van hun langdurige relatie, dat het echt iets voor haar was om iemand te kiezen die haar nooit kon geven waar ze het meest behoefte aan had. Wat ze het meest nodig had.

'Ethan,' zei ze. 'Ethan. Laten we beginnen met de rouwdienst, dan is het maar gebeurd.'

De eindeloosheid van haar dagen strekte zich voor haar uit. Ze wilde dat ze gewoon maar dood kon gaan. Maar ze wist dat ze nooit haar eigen leven zou kunnen nemen met een pistool of een mes. Ze dacht dat ze misschien ooit in de auto zou rijden en dan gewoon over de rand van de weg zou glijden, naar beneden zweven tot ze met een klap neerkwam. Ze zou niet eens weten wat er was gebeurd. Dat zou een zegen zijn. En misschien zou niemand tegen die tijd meer weten wie ze was. Het zou niemand interesseren. Dat zou de beste manier zijn om te gaan. Als het niemand kon schelen wie je was. Een langzame zelfmoord.

Ethan draaide zich naar haar toe. Hij zei: 'Het is tijd. Kom, we gaan.'

Rechter Jack Rosenthal

Hij vertelde aan niemand dat hij had meegeholpen de jongen te zoeken. Ook vertelde hij aan niemand dat hij naar het mortuarium was gegaan, dat hij daar had rondgehangen, zich had verborgen toen de vader langsreed, dat hij had gesmeekt binnengelaten te worden. Hij begreep dit allemaal zelf niet en nu was de zaak aan hem toegewezen, zoals hij al had geweten dat zou gebeuren.

Terwijl hij in zijn kamer zat en de akte van beschuldiging doorlas, zag hij dat Tom Kraft, de aanklager, Ethan hard wilde aanpakken. Jack las het stuk drie keer over. Die morgen had hij, op weg hierheen, Kraft op de radio gehoord. Hij vond het verontrustend dat Kraft de zaak in de media wilde behandelen. Hij wilde eigenlijk niet naar het interview met Kraft luisteren, maar de nieuwsgierigheid kreeg de overhand. Het was duidelijk, had Kraft tegen de verslaggever gezegd, dat Ethan Denton een afschuwelijke misdaad had gepleegd en dat hij daarvoor gestraft diende te worden.

Jack kende Kraft goed. Het was een jonge man met grote dromen. Hij was ook onvermoeibaar, humeurig en scherp. Wanneer je Tom Kraft leerde kennen, viel je eerst zijn intelligentie op en vervolgens zijn prikkelbaarheid, die bleek uit de onopvallende, keurige manier waarop hij zich kleedde, en de pietepeuterigheid van zijn optreden. Hij was een man die altijd onder spanning leek te staan en die zijn intelligentie leek te dragen als een kruis. Hij was iemand die te veel nadacht. Tegelijkertijd maakten zijn duidelijke politieke ambities het hem onmogelijk om alleen een intellectueel te zijn. Kraft moest mensen bespelen, moest zijn conservatieve kiezers naar de mond praten. Iedereen wist dat hij van plan was zich kandidaat te stellen als lid van het wetgevende lichaam van de staat. Bij een bepaalde kliek was Kraft enorm populair. Bij anderen werd hij verguisd. Jack probeerde onpartijdig te blijven, maar dat lukte natuurlijk niet. Toen hij de aanklacht las, die met een bijna mooie nauwgezetheid was opgesteld, en waarin Krafts keurige, beheerste stem doorklonk, voelde hij dat de haartjes in zijn nek overeind gingen staan.

Vroeger had hij Kraft vaak zien joggen in het park bij hun huis wanneer hij 's avonds met Adele wandelde. Dan glimlachte Kraft zuinig, knikte met zijn hoofd en zei: "Middag, edelachtbare.' Krafts sarcastische, onderdanige houding had Jack altijd geïrriteerd. Hij voelde er een subtiel antisemitisme in. Hij kon er nooit over beginnen omdat Kraft zich nooit expliciet blootgaf. Maar Jack zag het in zijn ogen. De blik van: jullie hebben Jezus vermoord. Kraft zorgde ervoor dat niets ooit persoonlijk leek. Maar toch wist je altijd dat het wel zo bedoeld was.

Jack had gehoord dat Kraft van plan was het dossier van de voogdijzaak tussen Ethan en zijn vrouw aan te voeren in deze zaak. Hij zou het helemaal uitvlooien en op een of andere manier genoeg verhalen aan elkaar knopen om te bewijzen dat Ethan zich al eerder slecht had gedragen. Hij had op de radio gezegd dat hij zich had voorgenomen te bewijzen dat Ethan een man was wiens hele verleden van onverantwoordelijke daden was uitgelopen op de laatste daad – die tot de dood van zijn zoontje had geleid. Hij gebruikte telkens weer het woord 'misdadig', en elke keer voelde Jack vanbinnen iets broos en treurigs bewegen.

Voor Jack was de zaak nog iets meer. Hij zag er de belichaming van zonde en boete in. *Teshuva*. De terugkeer naar je ware aard, de terugkeer naar God. Wat Jack vooral aantrok en interesseerde, was de zonde, de rebellie tegen God en de daaropvolgende verwording van Ethans ware ik. Jack zag de zaak niet als een zaak waarbij de emotionele arbeid van een juridisch gevecht vereist was, het zich afzetten, het wraak willen nemen, dat vaak te verwachten was wanneer er misdaden werden berecht waarbij kinderen betrokken waren. Hij zag het als een gelegenheid voor boetedoening. Als een kans voor Ethan om zich voor God en voor de mensen die van hem hielden, te herstellen. Anders zou Ethan niet opnieuw aan zijn leven kunnen beginnen, daarvan was hij overtuigd.

Maar zoals het zich nu liet aanzien, zou deze zaak voor de rechtbank van de openbare opinie behandeld worden. Jack vond het huidige morele klimaat beangstigend. En hoewel hij het vreselijk vond om het toe te geven, hij was ook bang voor Kraft. Hij zag de bereidheid van Kraft om Ethan en zijn gezin door het slijk te halen als een verworden, maar heel reële uiting van zijn macht. Dat dit hem lukte, duidde op een wijdverbreide corruptie, en volgens Jack, het afkalven van het normale fatsoen.

Jack kende Kraft en mannen zoals Kraft, die zich lieten beïnvloeden door de retoriek van de gezinswaarden. Jack was niet dom. Hij had de radio aangezet. Hij had de verontwaardiging van de massa gehoord. De donder. Op elke ouder die zich met Ethan verwant kon voelen en met hem kon meeleven, waren er vijf die dat niet konden, die luidkeels op zijn executie aandrongen. Dit zou een nare zaak worden. Jack hoopte maar dat Ethan schuld zou bekennen, om zo een proces te vermijden. Maar in dat geval zou Jack het vonnis moeten vellen. En Jack begreep dat er geen juiste beslissing bestond. Dat elke beslissing die hij nam te persoonlijk, te pijnlijk zou zijn.

Jack stond moeizaam op uit zijn stijlvolle, leren stoel. Zijn werkvertrekken waren fraai ingericht; het geurde er naar leer en hout. Hij trok zijn toga aan over zijn gewone kleding en keek naar buiten, naar de tintelende wintermorgen en de kale bomen langs de trappen van het gerechtsgebouw.

Aan de muur naast het raam hingen zijn diploma's en de vele onderscheidingen en prijzen die hem in de loop der jaren waren toegekend. Er hingen ook foto's, van zijn gezin, van hem met de verschillende hoogwaardigheidsbekleders die hij had ontmoet, van zijn vakanties in verre, uitheemse streken. Er was één foto van zijn gezin die bijna dertig jaar geleden genomen was. Hij haalde hem van de muur en staarde naar de gezichten van zijn zonen en zijn vrouw. Hij keek aandachtig naar zijn eigen gezicht, om te zien hoe jong hij was geweest, hoe krachtig en gezond. Hij was vroeger heel sterk geweest, heel actief. Heel langzaam had de ouderdom zijn vitaliteit weggenomen. Zo langzaam zelfs dat hij het niet had gezien voordat iedereen weg was.

Hij dacht aan Marty. Hij wist dat het verkeerd was om een lievelingszoon te hebben, maar hij had zich er nooit aan kunnen onttrekken. Zijn gedachten gingen naar de Torah en hij herinnerde zich het verhaal van Abraham en Izaak. God zelf had erkend dat Izaak Abrahams lievelingszoon was. Hij had Abraham opgedragen Izaak te grijpen en hem als brandoffer aan te bieden. Jack had het altijd merkwaardig gevonden dat Abraham zijn zoon uiteindelijk toch niet had gedood. Hij had het idee dat Abraham de hele tijd had gebluft, dat hij nooit van plan was geweest zijn zoon aan God te offeren. Maar zou God dat dan niet geweten hebben? God wist immers alles?

Toch had Jack het verhaal telkens opnieuw gelezen en hij geloofde ten diepste dat niet alleen Abraham zich nooit had voorgenomen zijn zoon te doden, maar dat ook God het nooit zover zou hebben laten komen. God moest bluffen, want wie kon een god liefhebben die zo wreed was, een god die wilde dat een man zijn lievelingszoon doodde?

Jack stond op en liep naar de wc. Hij draaide de warme kraan open en bespatte zijn gezicht met heet water. Hij dacht aan Ethan, aan de fractie van een seconde waarin hij besloot achter het hert aan te gaan en zijn zoontje slapend in de auto achter te laten. Hij dacht aan zijn eigen zoon, die ergens rondzwierf in de straten van Hollywood. Hij herinnerde zich hoe hij aan zijn keukentafel had gezeten en zich had afgevraagd hoe een man zijn eigen zoon zoiets kon aandoen. Nu wist hij niet meer zo goed wat hij er precies van vond, alleen dat hij in principe vond dat Ethan voor zijn fout niet bestraft hoefde te worden. Hij hoefde niet naar de gevangenis. Er dreigde geen gevaar voor de samenleving ten gevolge van de daden van Ethan Denton. Tege lijkertijd was Jack oprecht van mening dat er iets moest worden *goedgemaakt*. Dat Ethan zich alleen van de ondergang kon redden door boete te doen.

Jack keek naar zichzelf in de spiegel. Hij schrok van de oude man die hem aankeek. Hij herinnerde zich hoe Marty op de overloop bij de trap had gestaan met de gestolen spullen, hoe hij niets had kunnen zeggen, hoe dat ogenblik erom had gevraagd dat Jack vergevensgezind en begripvol naar voren was getreden.

Plotseling kwam de gedachte bij hem op dat hij zelf ook niet zonder zonde was. Hij besefte dat hij door het meest van Marty te houden, zijn zoon ouderlijke liefde had onthouden en hem in plaats daarvan zijn ijdele en wanhopige aanbidding had gegeven. Hij zag nu in dat al zijn keuzes waren gemaakt vanuit die bezeten liefde en de angst die er de motor van was.

Hij tuurde naar zijn spiegelbeeld. Hij vroeg zich af wat Marty in die man zag. Hij vroeg zich af wat God kon zien. Hoe kon hij een oordeel vellen over een ander mens, dacht hij, als hij er niet voor zorgde dat het in zijn eigen huis in orde was?

Glick

Langzaam liep de stoet rouwenden het bos in. Glick liep voor Angie en hij was zich voortdurend bewust van haar aanwezigheid, van de zwaarte van haar verdriet achter hem. Hij wilde dat hij haar hand kon vasthouden. Telkens kwam de herinnering terug aan hoe hij Nate in het bos had gevonden. De predikant steunde zwaar op zijn arm, terwijl aan de andere kant Ethan de andere arm van de man vasthield, en zo liepen ze samen. Achter hen liep Cindy in haar eentje met gebogen hoofd en haar handen gevouwen voor zich als in gebed.

Om hem heen was de aarde een zwijgend vergezicht van sneeuw en bomen en wintervogels. Boompjes die in de afgelopen lente waren opgeschoten, staken door de opgewaaide sneeuw heen. De wind, die was bedaard nu de wolken de hemel geheel bedekten, ritselde van tijd tot tijd door de dennentoppen. Het kalme schuifelen van de rouwenden achter hem had iets vrooms, en Glick voelde zelfs te midden van dit grote verdriet zijn verbondenheid met de wereld, met de mensen in wier midden hij de afgelopen tien jaar had gewoond. Hij hield zijn blik voor zich gericht; hij vernauwde zijn geest en nam het grootste deel van het gewicht van de predikant op zich. Aan de andere kant van de predikant hielp Ethan de man ook met lopen, en struikelde af en toe onder de last.

Toen ze de plek naderden waar Glick Nate had ontdekt, herinnerde hij zich hoe hij zelf opeens had gemerkt dat hij verdwaald was in het bos, dat hij in een ravijn was komen vast te zitten met zijn hond en zijn ongelukkige gevoelens. Hij herinnerde zich dat hij bang was geweest voor de dood en hoe hij bijna ademloos op het eerste licht had gewacht. Wat was het vreemd dat hij zodra de zon was opgekomen, precies had geweten waar hij was. Hij was helemaal niet verdwaald, en toch was hij verdwaald geweest. Glick vroeg zich af hoe deze dingen in elkaar grepen, wat hij eruit diende te leren.

Hij herinnerde zich dat hij het jongetje opnam en in zijn armen hield en hij wist nu – hoewel hij het toen niet had geweten – dat op het moment dat hij de jongen had aangeraakt, zijn leven veranderd was. Nu dacht hij aan de laatste rust van het jongetje – de tranen die op zijn wangen waren bevroren, de doorgesleten voetjes van zijn hansopje, de treurige, angstige manier waarop hij zich in foetushouding had opgerold om te sterven.

Glick voelde het verdriet opstijgen tot achter in zijn keel, en hij zette zich schrap toen hem een machteloze snik ontsnapte. Ethan draaide zich opzij om naar hem te kijken en Glick zag dat ook hij huilde. Tussen hen in liep de oude predikant rustig door, met een soort onwankelbare trouw aan de sombere processie. Zijn ogen staarden blind vooruit, en zagen niets.

Ethan

Onder het lopen dacht Ethan de hele tijd aan Nate toen hij nog leefde. Hij herinnerde zich hoe Nate 's ochtends altijd zijn kamer binnen kwam en de laatste paar uren voor zonsopgang op het matrasje op de vloer ging slapen. Hoe hij naar slaap rook en naar het zoetige van vers brood. Hij herinnerde zich hoe Nate altijd door het bos holde, lachend van pret, hoeveel hij altijd te vragen had, hoe zachtaardig hij omging met de prachtige wereld om hem heen. De levende Nate vulde Ethans hart met vreugde en daar hield hij zich aan vast terwijl hij de predikant ondersteunde en verder het donkere bos in liep.

Maar naarmate de dreiging van een sneeuwbui toenam en er steeds meer onheilspellende schaduw over het bos viel, kon hij niet meer aan de levende Nate denken. Het beeld dat hij zich vormde van Nates laatste uren, zijn laatste ademtocht, de laatste ogenblikken van zijn leven, deed hem verstenen. Het was erg moeilijk om te lopen. Toen hij dacht aan zijn zoontje dat op zijn zij lag met zijn duim in zijn mond, dat huilde en zijn naam riep – hij kon Nate horen roepen – wenste hij dat de aarde zich zou openen en hem met huid en haar zou opslokken. Op een bepaalde plek, toen ze de laatste rustplaats van Nate al naderden, keek Ethan naar Glick en zag dat hij huilde. Over zijn eigen gezicht stroomden de tranen, en hij voelde de predikant zijn arm steviger beetpakken en wenste, voor de duizendste keer, dat de wrede God die het nodig had gevonden zijn zoontje weg te nemen, hem in zijn plaats had genomen.

Toen ze de laatste bocht van het pad om kwamen en bij de plek waren waar Nate was gestorven, met de lange rij rouwenden achter hem, zag Ethan het ruwe kruis dat hij in de aarde had gehamerd. Hij zag de verse sneeuw die erop was gevallen. Hij voelde dat zijn knieën het begaven en ondanks zichzelf begon hij langzaam naar de grond te zakken. Hij vond het wel ironisch dat de bejaarde predikant vergeefs probeerde hem overeind te houden, dat het niet andersom was zoals het hoorde.

Plotseling was Glick bij hem en met hulp van de predikant en van Cindy achter hem, voelde Ethan dat hij overeind werd gehesen. Hij vond de kracht in zijn benen terug en zwoer dat hij zijn verdere leven al zijn gedachten zou uitbannen. Hij ging daar nu meteen mee beginnen, en binnen een paar seconden merkte hij dat zijn denken zich vernauwde, zich sloot. Even later kon hij niet meer doen dan kijken naar de stille, besneeuwde aarde om hem heen, het met sneeuw bedekte kruis voor hem, en de donkerder wordende hemel boven hem, terwijl er een werveling van fijne sneeuwvlokjes naar de aarde begon te vallen.

Rocksan

Hoe het kwam, wist Rocksan niet, maar toen Ethan op de grond viel, kreeg zij een beeld van haar vader voor ogen, een paar weken voordat hij was weggegaan. Hij was bezig geweest een kapotte dakgoot te repareren. Ze herinnerde zich dat ze naar hem keek op het moment dat de ladder onder hem wegleed en hij op de grond was gevallen, met zijn armen en benen maaiend door de lucht. Ze kon zich herinneren hoe angstig het was om te zien dat hij zijn evenwicht verloor en op de grond neerstortte. Ze herinnerde zich hoe ze hem tot dat moment altijd als onoverwinnelijk had gezien, en ze besefte daar in het besneeuwde bos, toen Ethan in elkaar zakte, dat het feit dat haar vader haar, haar moeder en haar zusje verlaten had, onverbrekelijk verbonden was met de manier waarop hij hulpeloos van de ladder was gevallen.

Nu begonnen de eerste sneeuwvlokken door de hemel te prikken, en ze zag hoe Glick, de oude predikant en Cindy Ethan overeind sjorden. Ze dacht dat ze dit later, jaren hierna, als hét meest deerniswekkende moment van de hele dag zou beschouwen. Nu zag ze dat Ethan verloren was, dat hij een man was die net als haar vader niets meer zou kunnen betekenen voor de mensen die van hem hielden. Ze kon zijn verdere leven globaal voor zich zien, het verdriet dat hem overal zou vergezellen zolang hij leefde.

Toen voelde ze, volkomen onverwacht, tranen in haar ogen komen en ze besefte dat ze voor het eerst in tientallen jaren huilde. Ze wendde zich plotseling naar Jane, pakte haar vast en snikte in haar jas, en Jane, die eerst verrast en onthutst was, deed niets. Toen voelde ze Janes armen omhoog komen, voelde ze dat die slanke, tere armen die ze al twintig jaar had vastgehouden, bemind en gekend, stevig om haar heen werden geslagen. Ze kon geen woorden vinden omdat haar stem iets anders te doen had: huilen. Ze voelde dat haar verdriet uit haar wegtrok en zich verspreidde in de stille lucht. Ze voelde dat het bos het meenam en het hoog in de lucht tilde, en hoe meer ze snikte, hoe meer verdriet ze prijsgaf aan het bos, tot ze Jane in haar oor hoorde fluisteren: 'Ik hou van je, het is goed, het komt wel goed met ons...'

Toen boog ze haar hoofd en sprak een gebed uit, iets wat ze niet gedaan had sinds het vertrek van haar vader. Ze fluisterde naar het bos: 'Waak over hem, alsjeblieft,' en ze wist niet wie ze bedoelde, of ze haar dode vader bedoelde, of Ethan of Nate, of dat ze eigenlijk alle verloren zielen bedoelde die verrast waren door de grillige wreedheid van de wereld en tot hun verbazing ontdekten dat ze ooit, zonder het ook maar te weten, vreugde hadden gekend.

Jane

Jane liep naast Rocksan, ongeveer in het midden van de stoet. Ze voelde zich verwarmd door de mensen om haar heen, alsof ze zich in een veilige haven bevond waarin de afgemeerde schepen zachtjes heen en weer schommelden. Het was niet te geloven hoeveel mensen er voor de rouwdienst waren op komen dagen. Ze was blij dat de media achter het cordon moesten blijven, zodat de mensen van Angels Crest in alle rust konden rouwen. Jane voelde de kracht van hun aantal, het licht van hun gezamenlijk verdriet dat stralend scheen, dat pulseerde als een levend iets.

Het verdriet dat ze voelde, riep herinneringen op aan de eerste paar maanden nadat ze haar zoontje had achtergelaten. De pijn daarvan terugstroomde door haar aderen en de herinnering was zo volledig dat ze in plaats van te rouwen om Nates dood, terug was in die tijd, en rouwde om de dood van haar oude leven, het verlies van haar zoontje. Ze besefte dat ze, omdat ze haar zoontje had verlaten, nooit echt de geboorte van haar nieuwe leven had gevierd. Dat ze dat niet had gekund.

Toen Ethan struikelde, had ze een sterk gevoel van verwantschap, voelde ze verdriet om hem. Ze was bang dat hij misschien geen manier zou kunnen vinden om terug te zwemmen naar de kust, dat de dood van Nate hem voorgoed had geïsoleerd. Hij zou zijn verdere leven alleen zijn, hoeveel mensen hem ook omringden. En juist toen ze deze gedachte had, begon Rocksan volkomen onverwacht te snikken.

Ze had nog nooit meegemaakt dat Rocksan huilde. In de twintig jaar dat ze elkaar hadden gekend, had ze haar nooit een traan zien laten, en ze dacht dat dit beslist het meest beangstigende was dat ze ooit in haar leven had gezien. Maar toen voelde ze opeens opluchting. Ze zag in de tranen van Rocksan een onverklaarbaar bewijs van de duurzaamheid van hun liefde.

Jane sloeg haar armen om Rocksans omvangrijke lichaam heen en hield haar stevig omvat, zodat de hele stoet achter haar werd opgehouden. Ze was dankbaar omdat iedereen achter haar bleef wachten tot Rocksan was uitgehuild. Toen ze verder strompelden, begreep Jane dat dit misschien de allerbelangrijkste gebeurtenis was sinds de geboorte van haar zoon, en ze zou het niet gauw vergeten.

Toen ze ten slotte de plek bereikten waar Nate was gestorven en waar een ruw kruis in de grond was geslagen, begon het te sneeuwen en Jane verbaasde zich over de gemeenschapszin van iedereen, over de solidariteit die Nates dood had teweeggebracht bij de ongelijksoortige zielen van Angels Crest.

De predikant begon te spreken; zijn stem was nauwelijks hoorbaar boven het mijmerende lied van het bos uit. 'Genadige God, weest Gij nu voor ons een sterk fort...' Jane keek naar haar buren en haar vrienden. Ze hield de hand van haar geliefde vast, en ze dacht aan de genade die de thuiskomst van haar zoon vertegenwoordigde. Ze sloot haar ogen en boog haar hoofd, omdat ze overvloeide van dankbaarheid maar haar verdriet diep was. En intussen sprak de blinde predikant... 'O, wind van God, kom, buig ons, breek ons, tot wij nederig bekennen dat wij Hem nodig hebben, en herschep ons dan in uw goedertierenheid...'

Angie

Toen het begon te sneeuwen, juist op het moment dat ze allemaal bijeen waren op de plek waar Nate gestorven was, herinnerde Angie zich hoe ze een keer, toen haar dochter pas twee of drie jaar oud was, in het bos hadden gewandeld om te gaan picknicken. Het was een dag in het voorjaar en de morgen was helder en koud geweest, geen wolkje aan de hemel. Een stralende, veelbelovende dag. Angies man leefde nog. Het leven leek helemaal goed.

Ze waren nog geen kilometer het bos in gelopen (toevallig niet ver van deze plek), toen er plotseling vanuit het noorden een loeiende sneeuwstorm opstak. Zonder waarschuwing hadden Angie en Rachel het opeens ijskoud, werden ze kletsnat en werd het zo donker dat Angie er angstig van werd. Ze herinnerde zich dat ze toen dacht dat ze haar dochter nooit mocht laten merken dat ze zo bang was, dat ze haar dochter uit deze noodsituatie – dat was het intussen geworden – moest weghalen en zorgen dat ze het weer warm kreeg. Dat ze dapper moest zijn omdat het leven zo kostbaar was en zo plotseling kon worden weggenomen. Ze herinnerde zich dat ze het handje van haar dochter pakte, de picknickmand liet staan, en het bos uit rende naar de open plek en de auto, dat ze erin zat met een hart dat bonsde van opluchting.

Terwijl de predikant aan zijn rouwgebeden begon, wist Angie net als Ethan dat ze fouten had gemaakt die haar duur te staan waren gekomen. Nates dood leek in haar ogen een waarschuwing dat je moet leven alsof alles in een oogwenk weg kan zijn. Ze zag Glick naast Ethan staan, met zijn sterke, krachtige lichaam, en ze zag Cindy aan de andere kant, als een half verwelkte bloem. Ze keek met een soort ontzag naar de predikant omdat ze eigenlijk nooit aandacht aan hem had besteed, behalve als ze hem zijn eten gaf wanneer hij zijn dagelijkse bezoek aan het restaurant bracht, en als ze een enkele keer langs hem liep wanneer hij alleen in het gemeentearchief zat.

Ze hoorde zijn stem, de kalme, eerbiedige intonatie ervan. Ze hoorde zijn woorden, de melodie van zijn gebeden. '...Hoor de droefheid van ons hart, en genees ons, reinig onze overtredingen en heel onze wonden. Geef ons een basis, laat ons hard zijn tegen onszelf, wij die hunkeren naar gemak, rust en vrede, zodat we dit verdriet kunnen verdragen.'

Angie hoorde in zijn woorden niet alleen medeleven met Ethan en het verlies van Nate, maar ook troost voor haarzelf en de problemen in haar leven. Ze zag haar leven nu zoals het was. Een geschenk, een last. Ze wilde dat Ethan, dat zij, dat iedereen zijn lessen kon leren zonder zo te hoeven lijden.

Ze sloot haar ogen en probeerde de gedachte aan de doodsangst van Nate, aan haar eigen dochter en de kostbaarheid van de jeugd van haar dochter weg te houden. Ze zag dat je om het ouderschap aan te kunnen, lef en kracht moest hebben, maar meer dan dat, je moest de moed hebben om jezelf te vergeven. Ze besefte dat ze als moeder die gefaald had, haar leven sindsdien had gebruikt om weg te vluchten voor de duisternis. Nu begon ze te begrijpen dat lijden niet zinloos was, ook al kon de zin ervan lang verborgen blijven. Ze zag dat het leven van alle mensen vol rampen en verdrietigheden is; dat het lijden verspild was aan diegene die niet kon zien dat er verlossing te vinden is in verbondenheid met anderen.

Ze hield haar ogen gesloten en duwde haar verdriet lang genoeg opzij om haar dankbaarheid te betuigen voor Rosie, van wie ze nu inzag dat ze haar gezonden was opdat ze het goede kon ontdekken dat in haar verscholen lag, opdat ze naar haar spiegelbeeld kon kijken en zeggen: ik vergeef je.

Cindy

Het was heel vreemd dat ze zich zo nuchter, zo helder kon voelen. Het was alsof Nates dood eindelijk was doorgedrongen, een plaats in haar had gevonden. Ze voelde zijn dood in elke zenuw, in elke ademtocht en in elke beweging. In al haar gebaren voelde ze hem, zonder ophouden; hij kreeg de overhand zodat zelfs de drank geen uitwerking meer had.

Ze liep achter Ethan, in verwarring door alle gevoelens die ze voor hem had. Liefde, boosheid, medelijden, haat. Ze vroeg zich af hoe ze verder zou gaan, hoe ze de rest van deze dag, de rest van haar leven door zou komen. Ze wist dat Trevor ergens achter haar liep en ook dat deed haar verdriet, dat ze in hem niet de troost kon vinden die hij haar graag wilde bieden, dat ze hem niet kon geven wat hij wilde; haar verdriet, haar rouw, haar behoefte aan redding.

Toen ze dicht bij de plek van de rouwdienst waren gekomen, zag Cindy Ethan wankelen en vallen, en alles in haar viel met hem mee. Het was alsof zij in werkelijkheid degene was die in elkaar zakte. Toen ze bukte om hem overeind te helpen, keken ze elkaar aan en ze zag in zijn ogen de behoefte aan vergiffenis, de behoefte aan liefde. Ze had een gevoel alsof ze naar haar eigen beeld keek. Het was zo pijnlijk sterk dat ze een beeld voor ogen kreeg van hen beiden, terwijl ze daar in de sneeuw lagen met hun armen om elkaar heen als één persoon, en wachtten tot de dood hen kwam halen.

Toen iedereen ten slotte rondom het kruis in de sneeuw was verzameld – wie had het daar neergezet en wanneer? – keek ze naar de zwakke predikant en zag ze voor het eerst hoe sterk en onverslaanbaar hij was, alsof niet zijn botten hem overeind hielden, maar zijn geloof. Toen ze naar hem keek, had ze de indruk dat hij licht uitstraalde, lange bakens van goudgeel licht.

Ze had nog nooit bij iemand zo'n geloof gezien, en het speet haar dat ze niet beter haar best had gedaan om God te zoeken, of een geloof, of wat het ook was dat mensen vonden. Ze zag dat het al getuigde van geloof als je dat had, en ze wist dat het waarschijnlijk voor haar te laat was om nog redding te vinden in God. Ze had geen punt om van uit te gaan, geen vertrouwen. Ze had geen geloof om haar vooruit te helpen totdat God, zoals de mensen zeiden dat Hij altijd deed, haar verloste.

De predikant begon te spreken. Zijn stem trilde een beetje, maar hij straalde ook een vreemd soort macht en kracht uit. Ze zag hoe keurig, hoe passend hij zich had gekleed, hoe koud hij het gehad moest hebben. Ze voelde zich beschaamd door zijn vastberadenheid, zijn kalme nauwgezetheid. Ze wist dat zij nooit zo zou zijn, nooit zo kon zijn, dat haar leven in het teken stond van zwakheid, gedreven door angst.

Hij scheen hardop te bidden; hij zei dingen die niets te maken hadden met de dood van haar zoon, met de pijn in haar en die vreemde, nuchtere helderheid waardoor haar verdriet in volle kracht tot haar doordrong. Ze keek om zich heen naar de andere rouwenden, hoe ze huilden of hoe dapper ze strak voor zich uit keken; ze wendden hun ogen niet af maar hun hart was open en kwetsbaar.

Toen keek de predikant onverwacht Cindy's kant op en zei: 'Ik kan niet verklaren waarom sommige mensen doodgaan en andere niet, waarom er wreedheid moet zijn in de dood, waarom God het niet nodig vindt het wrede van de dood van een kind weg te nemen. Hoewel ik predikant ben, kan ik niet de antwoorden geven die jij zoekt. Dat spijt me heel erg.

Ik kan alleen zeggen dat mijn geloof in God plaats moet bieden aan alles wat in Gods wereld bestaat, dat ik zowel zijn gaven als het verdriet met evenveel geloof moet accepteren, anders zal ik zelf sterven. Ik zie jouw lijden. Ik wil het uit je hart weghalen, maar dat kan ik niet. Ik kan je alleen zeggen dat je troost zult vinden als je je hart openstelt; als je je overgeeft, zul je een manier vinden om te vergeven en vergiffenis te krijgen. Vervloek God niet. Vervloek Ethan niet. Vervloek jezelf niet. Je moet hier je weg in vinden, maar weet dat je niet alleen bent, want in je donkerste uur zal God je vinden en als je hart open is, zul je verlossing vinden.'

Cindy sloot haar ogen en stelde zich haar zoontje voor dat door het gras holde, met het licht op zijn haar, zijn blijde lach. Ze zag hem in haar armen komen, ze zag zichzelf, hoe ze hem optilde en hem door de lucht zwaaide. Ze zag zijn lachende gezicht, zijn vreugde. Ze zag hem weer weghollen, steeds verder weg; het gras strekte zich eindeloos ver voor hem uit; zijn rug was naar haar toe gekeerd en werd steeds kleiner, en verdween ten slotte helemaal onder de stralend blauwe hemel.

Rechter Jack Rosenthal

De rechter ging zijn kamer uit om koffie te halen. Zijn secretaresse bood aan een kop voor hem te halen.

'Nee, dank je, June,' zei hij. 'Neem zelf ook maar even pauze als je wilt.'

Hij zocht buiten een koffietent op en ging in de rij staan achter verscheidene mannen en vrouwen in donkere zakenkostuums. De lucht was scherp en fris. Winters. Hij trok zijn jas stevig om zich heen en keek naar een troep kleine, zwarte vogels die precies gelijk omlaag zwenkten alsof ze één dier in de lucht waren. Jack was even geraakt door de subtiele sierlijkheid van hun vlucht en hij keek ernaar tot ze neerstreken op de telefoondraden boven hem en roerloos bleven zitten.

Hij wist dat Ethan Denton die middag zou komen voor de behandeling van de aanklacht tegen hem. Jack had zijn naam op de rol zien staan en hij kende de advocaat die hem zou verdedigen goed, een jonge, scherpe advocaat die een jaar geleden uit San Francisco hierheen was verhuisd. Jack had gehoord dat Celina Cervantes uit San Francisco was weggegaan omdat haar man hier een baan had gevonden als kinderarts. Hij wist dat het in de rechtszalen wemelde van advocaten als Cervantes, wier leven vol hoop en belofte was. Ze waren jong, knap en succesvol en bewoonden grote huizen in de nieuwbouwwijk bij de golfbaan. Ze hadden leuke auto's, mooie kinderen en genoeg geld voor particuliere scholen en vakanties in de tropen.

Hij was bang dat Cervantes het iets te gemakkelijk had in haar leven en dat ze niet hard genoeg vocht voor haar cliënten. Maar het was niet iets waar hij echt de vinger op kon leggen, omdat hij er nooit concrete bewijzen voor had gezien. Het was subtieler, iets onder de oppervlakte. De privileges van een bepaalde groep schenen jonge mensen op te leveren die minder gedreven waren, minder doorzettingsvermogen en woede hadden. Voor wie er minder op het spel stond dan voor hem toen hij begon.

De norm, dacht Jack, kwam lager te liggen, niet alleen in de juristenwereld, maar in de hele wereld. In het algemeen schenen de mensen zich iets slechter te gedragen. Jack dwong zich te denken aan de goedheid van bepaalde mensen. Hij wist dat het gevaarlijk was te generaliseren. Terwijl hij op een bankje ging zitten en in de kou teugjes van zijn koffie nam, voelde hij zich afgunstig en bang. Hij voelde zich plotseling oud en nutteloos. Hoe maakte je nog iets nieuws van je leven wanneer je het einde al naderde?

Toen hij zijn koffie op had, liep hij terug naar het gerechtsgebouw. Hij moest over een kwartier in de rechtszaal zijn. Hij haastte zich langs de drommen mensen en ging het overmatig verwarmde gebouw binnen.

Zijn kamer was op de eerste verdieping en hij ging het trappenhuis in. Hij hoorde de deur achter zich opengaan en draaide zich om. Daar was Tom Kraft, gekleed in zijn altijd even onberispelijke pak, met keurig gekamd haar. Zijn gezicht was rood en glimmend van de kou.

''Morgen, edelachtbare,' zei Kraft.

'Hallo, Tom.'

'Koud buiten.'

'Nou en of.'

Ze begonnen de trap op te lopen. Kraft blaakte van energie. De vonken leken van hem af te springen. Hij was gespannen, maar hield een glimlach op zijn gezicht. Hij had een overdreven, lichtelijk bezeten vriendelijkheid over zich waardoor hij ondoorgrondelijk leek. Jack dacht dat het een zware klus moest zijn om Tom Kraft te zijn, om zo gedreven te zijn en je toch naar buiten toe zo aardig voor te doen.

'We treffen elkaar straks in de rechtszaal,' zei Jack.

Tom keek hem een tikje ontsteld aan. Je hoorde eigenlijk niet over een zaak te praten. Maar er was iets aan Tom wat Jack ertoe bracht de formele regels te vergeten. Hij wist dat dit voortkwam uit zijn antipathie jegens de man. Hij treiterde hem hiermee. Hij wist het en kon het toch niet laten. Bovendien was het een rotstreek om Ethan te laten arresteren op de dag van de rouwdienst voor zijn zoontje. Juist om dit soort streken had hij een hekel aan Kraft.

'Ja, meneer,' zei Kraft gemoedelijk. Maar je kon de spanning, de energie erachter voelen.

'Laten we proberen er geen circus van te maken. Is dat goed, Tom?'

Tom keek Jack glimlachend aan. Het was alsof zijn glimlach van zijn gezicht op de grond kon vallen om in kleine stukjes te breken. 'Maar edelachtbare. U weet hoe ik van het voetlicht hou. Toe zeg. Laten we het leuk houden.'

Jack glimlachte. Hij hield de deur voor Tom open. Tom zei: 'Na u, edelachtbare.'

Jack geneerde zich voor zijn hijgende ademhaling. Door het beklimmen van de trap en door de sterk emotionerende ontmoeting met Tom in het nauwe, veel te warme trappenhuis klopte zijn hart onnodig snel. Toen ze bij de deur van Jacks kamer uiteen gingen, zei Tom: 'Tot straks in de rechtszaal, edelachtbare.'

Jack ging zijn kamer binnen. Hij zette de verwarming laag. Hij voelde dat hij zweette. Hij ging naar de grote kast en opende die. Hij zette het televisietoestel dat erin stond aan. Het was al afgestemd op de plaatselijke nieuwszender.

Op het tv-scherm praatte een verslaggever – dezelfde vrouw met de met bont gevoerde muts en de leren handschoenen die hij steeds had gezien – in een microfoon. Het sneeuwde hard. Terwijl Jack probeerde te horen wat ze zei, zoomde de camera in op de auto van de sheriff, die wegreed van dezelfde plek waar Jack heen was gegaan om naar de jongen te helpen zoeken. Heel even, voordat de wegrijdende auto in beeld kwam, richtte de camera zich op de mensen op de open plek en vreemd genoeg zag hij Jane, de vrouw met wie hij samen had gezocht, in een auto stappen met een grote, mannelijk uitziende vrouw.

De verslaggeefster zei: 'Zoals u ziet, neemt de sheriff van dit kleine bergdorp Ethan Denton mee. Denton is zojuist gearresteerd, toen hij uit het bos kwam met de predikant van het dorp en andere rouwenden, in verband met de dood van zijn drie jaar oude zoontje. Zijn zaak komt vanmiddag voor.'

Op dat moment kwam de camera terug bij de verslaggeefster en er liep een lange, knappe man langs met de serveerster uit het restaurant. De verslaggeefster wendde zich tot de man en zei: 'Neem me niet kwalijk, meneer, maar ik wil u graag een paar vragen stellen.'

De man keek recht in de camera. 'Geen commentaar,' zei hij.

'Bent u een vriend van Ethan?'

De man keek de verslaggeefster aan. 'Dame,' zei hij. 'Kunt u die verrekte camera voor mijn gezicht weghalen?'

Hij hoorde de serveerster – ze heette Angie – naast hem zeggen: 'Laten we gaan, Glick.'

De verslaggeefster wendde zich naar de camera. 'Kijk, zo gaat het hier, mensen. Deze gemeenschap is erg beschermend ingesteld ten opzichte van haar leden. Er zijn er niet veel die willen praten over de verschrikkelijke...'

De rechter zette de televisie uit. Hij dacht aan Tom Kraft, aan de manier waarop hij glimlachte alsof hij wilde ontploffen. Toen keek hij naar de muur en zag de foto van zijn gezin. Hij richtte zijn blik op zijn zoon. Hij vroeg zich af of hij eigenlijk veel verschilde van iemand zoals Ethan Denton.

Glick

De wandeling terug naar de plek waar de rouwenden hun auto's hadden geparkeerd, leek stukken korter dan de wandeling het bos in. Iedereen had het koud, de mensen waren nat door de sneeuw en opgelucht dat het afgelopen was. Dat zag je aan de manier waarop ze snel in hun auto stapten en wegreden, met weinig commentaar en een duidelijk doel voor ogen. Door het vooruitzicht van hete koffie en een bord warm eten kon Glick zijn eigen gedachten ergens anders op richten dan deze droevige plek, dit besneeuwde bos.

Maar als Angie er niet bij was geweest, had hij de verslaggevers die als een zwerm muskieten op hen afkwamen misschien wel aangevallen. Hij hoorde haar stem naast zich om hem te kalmeren, hem aan te sporen door te lopen. Toen hij bij zijn truck aankwam, zei ze: 'Ga met mij mee, Glick. Dan halen we je truck later wel op.'

'Maar de predikant dan,' zei hij.

'O, dat is waar ook. Die moet je natuurlijk een lift terug geven.'

Glick knikte. Hij vond het vreselijk dat hij niet met Angie mee terug naar het dorp kon rijden. Hij wilde dicht bij haar zijn, haar geur ruiken, gekalmeerd worden door haar rust en kalmte. Hij wilde haar hand vasthouden, verbonden zijn met iets wat een belofte inhield, van leven, rust en respijt.

Hij zag haar wegrijden terwijl hij langzaam de predikant hielp instappen. De oude man had wat moeite om gemakkelijk op zijn plaats te gaan zitten, en Glick controleerde of zijn jas niet naar buiten hing voordat hij het portier sloot. Hij verlangde naar een slokje warme whisky, iets om het ijs in zijn bloed te lijf te gaan. Hij dacht dat hij geen troost zou vinden voordat hij in Angies armen lag.

Maar zodra hij van de open plek wegreed en de verharde weg bereikte, werd hij zich plotseling bewust van zijn ademhaling. Hij had een gevoel alsof er een enorm gewicht van zijn schouders was genomen, alsof hij nu weer kon beginnen regelmatig te ademen.

'Het voelt net alsof ik de hele tijd mijn adem heb ingehouden,' zei Glick.

'Ik weet wat u bedoelt,' zei de predikant. 'Ik heb nooit kunnen wennen aan het spreken bij een graf. Ik was blij toen broeder Powell het van me overnam.'

Glick keek uit het raam. De bomen wervelden voorbij, een zee van groen, verlicht door de lichtende sneeuw. De sneeuw zweefde zacht naar de aarde.

'U deed het perfect,' zei Glick. Hij besloot dat hij de oude kerel aardig vond.

'Ik kan niet zeggen dat ik me ooit op mijn gemak heb gevoeld wanneer ik deed alsof ik wist hoe ik mensen een beter gevoel kon geven,' zei hij. 'Nee, dan broeder Powell. Die heeft daar een talent voor.'

De predikant zuchtte luid en draaide zijn kant op. Glick keek recht in zijn ogen. Ze waren nat en ondoorzichtig. Er was niets om je op te richten. Hoe was het om blind te zijn? Hij wilde weten wat je zág als je niet kon zien.

'Wanneer hebt u uw gezichtsvermogen verloren, broeder?' zei Glick.

De oude man schudde zijn hoofd. 'Ik ben blind geworden toen ik nog een kleine jongen was en hier woonde op Cage Road. Ze zeggen dat ik "katkrabziekte" heb gehad. Ik weet het niet. Er zijn er ook die zeggen dat mijn moeder syfilis had en dat ik de blindheid al in de baarmoeder heb doorgekregen.'

'Hoe oud was u toen?'

'O, een jaar of zes toen ik helemaal blind werd.'

'Weet u dat nog?' zei Glick. 'Weet u nog hoe het was om te zien?'

De oude man schudde zijn hoofd. Hij haalde zijn handen van zijn jas af en plaatste ze op zijn schoot, alsof hij in stilte bad. Hij leek in een droomtoestand te zijn geraakt. Zijn gezicht was ontspannen en kalm, zijn ogen waren open. Hij zat zo stil dat Glick even dacht dat hij misschien in slaap was gevallen. Glick dacht aan het feit dat de predikant dag in dag uit in het archiefbureau zat alsof hij de foto's aan de muur echt kon zien. Hij herinnerde zich wat de predikant had gezegd, dat hij de achter-achterkleinzoon was van een van de eerste kinderen in het dorp. Hij vroeg zich af wat het voor de predikant betekende, te zien dat zijn lot zo duidelijk voor hem was uitgestippeld.

Alsof de predikant zijn gedachten las, draaide hij zich naar Glick toe en zei: 'Ik voel me gemerkt. Alsof God mijn geest heeft gemerkt als Zijn eigendom. Alsof ik hier alleen ben door Gods wil. Begrijpt u dat?'

Glick zei niets. Toen leek de oude man plotseling te ontwaken uit zijn vreemde droomtoestand. Hij zei: 'U woont daar buiten aan Cage Road. Dat is heilige grond, mijn vriend. Heilig door de bitterheid en de eenzaamheid die daar heersen. U zou er goed aan doen iets anders te zoeken.'

'Hoe bedoelt u?'

'Het is daar buiten erg eenzaam. Toen ik daar als kind woonde, had ik altijd het gevoel dat ik op de rand van de aarde leefde. Mijn betovergrootvader, een van de kindertjes die het die eerste winter hier haalde, die heeft het eerste huis gebouwd. Toen brandde het af en hij is binnen omgekomen. En zijn zoon bouwde het nieuwe huis, waar u nu in woont, en hij kwam ook om, daar buiten in het bos. En het leek alsof daar nadien in elke generatie iets tragisch moest gebeuren. Mijn moeder is ook daar overleden, in datzelfde huis; ze werd krankzinnig en is ook blind geworden. Dus u ziet dat het een plek is vol verdriet.'

Glick dacht aan zijn huis, aan het stille bos eromheen. Hij besefte dat hij er tien lange jaren in zijn eentje had gewoond, dat de meeste van zijn dagen en nachten in eenzaamheid waren doorgebracht. Hij dacht eraan dat hij soms dagenlang geen levende ziel sprak, behalve de dieren – zijn hond en de twee katten. Hij herinnerde zich hoe de maan op heldere nachten in zijn slaapkamer doordrong, hij herinnerde zich de woede die hij binnen de muren van dat huis had gehouden. Hij herinnerde zich de gedachte die hem was ingevallen nadat hij Nate in het bos had gevonden. Dat hij alleen in dat huis zou sterven als hij er niets aan deed.

'Het is een verdrietige plek,' zei Glick. 'Weet u, op het laatst kreeg ik gewoon het gevoel dat ik met dat verdriet getrouwd was.'

'U moet uit dat huis weg zien te komen,' zei de predikant. 'Laat het bos het maar verteren.'

Toen ze bij Angie's aankwamen, zette Glick de motor af en hielp de predikant uitstappen. Hij zei: 'U komt zeker mee een hapje eten?'

Maar de predikant schudde alleen zijn hoofd. Hij bedankte Glick en ging op weg naar het archief. Glick zag hem naar binnen gaan en uit het gezicht verdwijnen.

Toen hij de deur van Angie's openduwde, was de eerste gedachte die in zijn hoofd opkwam, dat hij thuis was. De heerlijke geur van brood, gebakken spek en hete koffie leek door zijn kleren heen in zijn poriën te dringen. Hij wilde niets liever dan op zijn geliefde plekje neerzijgen en een bord met eieren, bruine bonen en spek bestellen.

Angie zag hem en kwam naar hem toe.

'Kom op,' zei ze. 'Iedereen zit zich te bezuipen.'

'Dat lijkt me een uitstekend idee.'

Angie knikte. 'Je mag best weten dat ik mijn hele leven nooit dronken ben geweest.'

'Dat verbaast me niets.'

'Ik ben niet van plan er nu mee te beginnen.'

'Ik vind het best.'

'En nu ik toch bezig ben schoon schip te maken, ik weet alles van jou en Cindy, ook van zopas, want ik zag dat ze met je meeging naar je huis, maar je bent mij geen verklaring schuldig en verder wil ik er geen woord aan vuil maken.'

Glick kreeg het opeens erg warm. Dit overviel hem. Hij keek naar Angie die ook rood was geworden. Hij knikte beschaamd, en ze liepen samen naar een tafeltje waar Jane en Rocksan zaten met Janes zoon en zijn zwangere vriendin. Andere mensen kwamen binnen en gingen op weg naar de drank en het eten. De ruimte was gevuld met opluchting en droefheid.

'Ik haal wat te eten voor jullie allemaal,' zei Angie.

Glick pakte haar hand. 'Ga jij hier zitten, dan haal ik eten.'

Angie glimlachte. 'Weet je hoe lang ik al in de bediening zit?'

Glick boog zich naar haar over en fluisterde in haar oor: 'Voortaan word je zelf bediend, en alles wordt anders.'

Hij gaf haar een zacht kusje op haar oor en ging haar bord vullen.

Later, toen het avond werd, ging Glick naar huis, gaf de katten eten en haalde de hond op. Vervolgens reed hij naar Angies huis en bracht de hond naar de achterveranda. Angie maakte wat te eten, een eenvoudige maaltijd van soep en aardappelpuree met een restje ham uit het restaurant; daarna bracht ze een erg humeurige Rosie naar bed. Toen Rosie en Angie door de gang liepen, hoorde Glick dat Rosie beschuldigend aan Angie vroeg: 'Blijft die man hier weer slapen?' Hij kon Angies antwoord niet horen, alleen het warme murmelen van haar stem.

Glick stond op en bracht de borden naar de gootsteen. Hij spoelde ze af en zette ze in de vaatwasser. Boven de gootsteen hing een kleine foto van Angie en Rosie die poseerden voor een soort treintje in een pretpark. Hun lach leek geforceerd en geposeerd, maar toch had het iets ondraaglijk liefs, zoals ze daar naast elkaar stonden.

Toen Angie de kamer weer binnen kwam, zag hij haar weerspiegeling in het raam boven de gootsteen. Ze liep langzaam, en voordat ze besefte dat hij naar haar keek, was de uitdrukking op haar gezicht strak en gesloten. Maar toen lachte ze naar hem in het raam, kwam naar hem toe en sloeg haar armen om zijn middel. Ze legde haar hoofd tegen zijn rug. Buiten was de nacht zwart. Glick draaide de kraan dicht en samen bleven ze zo lange tijd staan. Ten slotte maakte Angie zich van hem los en ging zitten op een van de eetkamerstoelen.

'Ik heb de hele dag moeten denken aan Nate die in het bos naar zijn vader zocht. Ik ben erg blij dat deze dag voorbij is.'

Glick ging naast haar zitten maar zei niets.

'Toen mijn dochter klein was,' zei ze, 'voordat mijn eerste man overleed, bleef ze altijd dicht bij me. Waar we ook heen gingen, ze liep nooit ver weg. Als ze een van ons niet meer zag, werd ze hysterisch. Maar toen ze ouder werd, toen haar vader gestorven en ik hertrouwd was, had ze haast om van me weg te komen. Toen raakte ik haar steeds kwijt als we ergens waren, en dan kwam ze plotseling weer tevoorschijn. Zomaar, onverwacht, alsof ze iets terug moest doen omdat ze vroeger zo bang was geweest om me kwijt te raken.' Angie keek in de verte. 'Ik denk elke dag aan haar. Ik bid elke dag dat ze thuis zal komen. Dat ze nog één keer onverwacht tevoorschijn komt.'

Glick keek naar zijn handen, die lomp en onhandig in zijn schoot rustten.

'Ik heb heel lang niet over haar gesproken,' zei Angie. 'Ik hoop dat je dat niet erg vindt.'

Glick schudde zijn hoofd. 'Ik vind het niet erg.'

Toen stond ze op en Glick zag dat het tijd was om het licht uit te doen en naar bed te gaan. Hij volgde haar naar de kamer. Ze ging de badkamer in en Glick ging ongemakkelijk op de rand van het bed zitten. Hij wist niet goed wat hij moest doen. Moest hij zijn kleren uittrekken en in bed gaan liggen? Alles leek opeens zo akelig onhandig, zo moeilijk. Hij probeerde zichzelf gerust te stellen met de gedachte dat het ooit, als hij geluk had, even vanzelfsprekend en fijn zou zijn om bij Angie in bed te liggen als in slaap dommelen onder een warme zon.

Angie kwam in badjas gehuld uit de badkamer. Ze deed de jas uit en eronder had ze haar nachtpon aan, van wit katoen met roze bloemetjes. Weer was hij diep onder de indruk van haar stralende aanwezigheid, de kalme schoonheid van haar gezicht, de manier waarop haar haar op haar rug hing, het ontbreken van glamour en glitter aan haar katoenen nachtpon. Wat was dit sexy in zijn eenvoud. Ze leek in de badkamer een soort transformatie te hebben ondergaan, alsof haar hele ziel ergens door was opgetild. Ze lachte naar hem en het lukte hem terug te lachen.

'Arme jij,' zei ze terwijl ze in bed stapte. 'Maak je niet ongerust. Binnenkort vind je het doodgewoon.'

Hij begon te lachen. 'Ik voel me net alsof ik nog op school zit.'

'Ik ook,' zei ze.

'Ik denk dat ik me even moet gaan wassen.'

Hij ging naar de badkamer, opgelucht iets gewoons te kunnen doen zoals zich wassen. Terwijl hij zijn tanden poetste en zijn handen en gezicht waste, bedacht hij dat hij sinds de dag van zijn arrestatie had verlangd naar gewoonheid in het gezelschap van een vrouw. Hij besefte dat dit hem tot nu toe nooit ten deel was gevallen, dat het ook een soort gevangenschap was geweest aan Cage Road te wonen. Dat dat huis getekend was door de bitterheid die er heerste. Hij had nooit iets afgeweten van de geschiedenis van zijn huis, had nooit de moeite genomen om het uit te zoeken. Nu leek het hem dat de predikant gelijk had, dat hij daar zo snel mogelijk weg moest gaan.

Toen hij terugkwam in de slaapkamer, lag Angie roerloos onder de dekens, met haar ogen dicht. Ze had het plafondlicht uitgedraaid en de flauwe, gele gloed van het lampje naast het bed verlichtte haar, zodat ze de kleur leek te hebben van glanzend goud. Hij knipperde een paar keer met zijn ogen maar hij bleef haar zo zien, dus hij vatte die gouden glans op als iets reëels, zoals het lampje zelf, of het bed waarop ze lag. Hij begon zich uit te kleden. Ze opende haar ogen en kwam iets omhoog om de dekens voor hem opzij te trekken. Toen Glick in bed lag, bleef hij een hele tijd naar het plafond staren. Toen keek hij naar haar en zei: 'Volgens mij is het tijd om het huis aan Cage Road te verkopen.'

Ze draaide zich naar hem toe. Ze legde haar handen op zijn lichaam en ze begonnen te vrijen, zacht en geluidloos, tot diep in de nacht.

Ethan

Hij was op de arrestatie voorbereid. In zekere zin was het haast een opluchting. De sheriff vond het niet nodig hem handboeien om te doen. Het ging allemaal heel netjes. De sheriff behandelde Ethan heel beleefd; hij zei dat ze nu maar naar de stad moesten gaan.

Cindy bood aan achter hen aan te rijden naar de stad, zodat hij na afloop terug kon naar het dorp. Ze zei dat ze toch niets anders te doen had. Ethan wilde niet tegen haar zeggen dat hij misschien niet naar huis zou gaan. Hij was te dankbaar voor het aanbod, te opgelucht. Hij zag er tegenop alleen te gaan. Ze gaf hem haar fles voor hij op de achterbank van de auto van de sheriff ging zitten, en hij nam vlug een slokje en gaf haar de fles terug.

Toen ze het bos uit reden en op de weg kwamen die naar de stad ging, voelde Ethan een tastbare opluchting omdat ze niet meer in het besneeuwde bos waren. Hij besefte dat hij nooit meer van deze bergstreek zou houden, en ook hierom rouwde hij.

'Sheriff,' zei Ethan. 'Weet u wat criminele nalatigheid is?'

'Neuh. Het is een juridische kronkel. Ik denk dat een jurist het een keer verzonnen heeft toen er niets anders paste.'

'Bedankt dat u de media op afstand hebt gehouden,' zei Ethan.

De sheriff keek Ethan aan in de achteruitkijkspiegel en knikte. Ethan zag een tandenstoker uit de mond van de sheriff hangen. Hij zag het medelijden in zijn ogen. Hij wilde niet dat die man zo met hem meevoelde. Hij keek neer op zijn handen, bestudeerde ze, draaide ze om en weer terug. Wat leek zijn lichaam broos en kwetsbaar.

Toen ze de stad naderden, was de sneeuw overgegaan in regen, en even later hield het gemiezer helemaal op. De wolken hingen zwaar in de lucht. Ze naderden de gevangenis en het gerechtsgebouw, een somber complex van moderne gebouwen, en Ethan zag overal persmensen staan. Er liepen mensen die borden droegen met de aansporing de doodstraf toe te passen, met apocalyptische bijbelcitaten, of met een steunbetuiging aan Ethan.

'Jezus christus,' zei de sheriff.

'Shit,' zei Ethan. 'Ze gaan me aan het kruis nagelen.'

Hij draaide zich om, maar ze waren Cindy al kilometers terug kwijtgeraakt. De angst sloeg Ethan om het hart.

'Goed,' zei de sheriff. 'We zullen hier samen naar de gevangenis moeten lopen. Doe nu geen domme dingen, hè. Houd uw handen in uw zakken en houd uw mond stijf dicht.'

'Godver,' zei Ethan. 'Wanneer word ik nou eens wakker?'

Ethan werd ingeschreven in de provinciale gevangenis. Er werden foto's van hem gemaakt, zijn vingerafdrukken werden afgenomen en ze stopten hem in een cel met twee andere arrestanten – een dronkaard die laveloos op de vloer lag, en een jong uitziende vent met een blauw oog en de letters NAZI op de rugzijde van elk van zijn onderste vingerkootjes getatoeëerd.

Ethan keek naar de nazi en ging zitten op een bank die in de muur gemonteerd was. De muren waren gepleisterd. Er was geen raam, en er hing een vage geur van urine en zweet. De nazi keek hem kwaad aan en Ethan voelde zich zwak en klein. Hij dacht aan de mogelijkheid dat hij in elkaar geslagen zou worden. Maar deze gedachte riep geen angst bij hem op.

Hij kreeg te horen dat er gauw een toegewezen advocaat zou komen en dan zou hij worden voorgeleid. Hij wist niet wat dit precies inhield, had wel eens een vage televisieversie ervan gezien. Hij stelde zich een schone, ruime rechtszaal voor, waar keurig geklede juristen netjes stonden opgesteld. Zijn idee hiervan was afkomstig uit de bioscoop en uit de misdaadromans die hij af en toe las. In werkelijkheid was het heel anders allemaal. Slordiger. Valser.

'Ben jij die man die zijn zoontje heeft vermoord?' vroeg de nazi.

Ethan keek hem aan maar antwoordde niet. Hij voelde zo'n enorme haat in zich opwellen dat hij niet wist wat hij moest doen, hoe hij moest reageren, hoe hij ook maar iets kon zeggen zonder die haat te laten blijken. Hij vroeg zich wel af waarom hij het nodig vond beleefd te zijn tegen een relschopper met een blauw oog en een akelige tatoeage op zijn hand.

'Ze zeiden dat je zou komen,' zei de jongen. De afkeer van Ethan leek van hem af te druipen en te stralen, en de ironie hiervan ging niet aan hem voorbij. Wat een lulletje, dacht hij. Hij kreeg een beeld voor ogen van zijn zoontje dat door het bos holde, dat het bos in rende. Hij hoorde zijn zoontje vrolijk lachen terwijl hij door het bos rende.

'Sommige lui zeggen dat je daar de doodstraf voor moet krijgen. Maar persoonlijk denk ik er anders over.'

Ethan staarde naar de grond. De dronkelap die tegen de muur lag, maakte een geluid en werd toen weer stil.

'Nou ja,' zei de jongen, 'iedereen, zelfs de stomste idioot, weet natuurlijk dat je een kind nooit uit het oog moet verliezen.'

Hierop stond Ethan op, greep hem bij zijn kraag en smakte hem tegen de muur. De jongen keek verbaasd, toen angstig. Ethan voelde dat hij nog steeds kookte van woede. Hij spuwde de woorden uit.

'Je houdt je bek of ik vermoord je, dat zweer ik.'

Ze bleven nog even in deze houding staan; Ethan had de jongen bij zijn kraag beet en drukte hem tegen de muur, en de jongen was geschrokken en verrast door de hardheid en de onverwachtheid van deze handeling. De gedachte kwam bij Ethan op dat het eigenlijk idioot was dat ze daar zo stonden. En vervolgens dacht hij dat hij zich gedroeg als een misdadiger. Je stopt een man in een kooi, dacht hij, en hij kan alles worden.

Op dat moment hoorde Ethan mensen aankomen; hun luide stemmen weergalmden door de gang. Hij liet de jongen los.

'Je houdt je bek, verdomme,' siste hij. 'Of ik maak je af.'

De nazi was uit het veld geslagen. Hij probeerde zijn waardigheid terug te krijgen. Hij spuugde op de grond en draaide zich om.

Een politieagent en een jonge vrouw verschenen bij de gevangeniscel. De agent begon de sloten van de cel te ontsluiten. Hij zei: 'Dit is Celina Cervantes. Zij is uw advocaat.'

'Dag meneer Denton,' zei de vrouw. Ze was verbijsterend mooi, met lang zwart haar en een lichtgetinte huid. Ze was gekleed in een elegant en duur uitziend pakje. De rok, zag Ethan, kwam tot over de knie. Haar hooggehakte leren schoenen waren onberispelijk. Alles aan haar fonkelde en boezemde vertrouwen in. Ze was tegelijkertijd sexy en moederlijk, een combinatie die bij Ethan vreemde gevoelens opriep. Hij zag zichzelf al zijn hoofd in haar schoot leggen en huilen terwijl ze zijn haar streelde en troostende woorden murmelde. Hij wilde uit deze gevangeniscel, deze ellendige toestand, worden weggeleid, in de armen van een vrouw zoals zij die er zo sterk uitzag, zo moederlijk, een vrouw die hem troost zou geven zonder er iets voor terug te verwachten.

'Hoe gaat het?' zei de advocaat. De agent wilde de handboeien pakken maar de advocaat keek hem verontwaardigd aan.

'Dat zal niet nodig zijn, agent,' zei ze. 'Echt niet. Hij is geen doorgewinterde misdadiger.'

De diender leek een ogenblik van zijn stuk gebracht door de aanwezigheid van de advocaat. Hij stopte de handboeien weg. Hij keek naar Ethan.

'Ik ben bevoegd ze om te doen, makker. Dus je houdt je maar koest.'

Ethan knikte. Hij besefte dat hij in een wereld was beland waar hij geen rechten had en dat hij precies zo behandeld kon worden als ze hier gepast vonden. Hij dacht aan Glick die al die jaren in de gevangenis had doorgebracht voor een misdaad die hij niet had gepleegd. Hij besefte hoe weinig tijd ervoor nodig was om gedemoraliseerd te raken, om van je waardigheid te worden beroofd. Voor het eerst dacht hij aan de mogelijkheid dat hij echt zou moeten zitten. Hij dacht niet dat hij het in zich had om een nieuwe manier te vinden om een man te zijn in een oord waar de normale regels niet meer van toepassing waren.

Hij herinnerde zich een keer, een paar jaar geleden, voordat Glick met zijn vrouw naar bed was gegaan, toen ze een mooie dag jagen hadden afgesloten met een fles whisky. Ze zaten toen bij Glicks huis en werden langzaam dronken, buiten bij de schuur. Glick had hem verteld wat er in de gevangenis was gebeurd, dat hij verkracht was en dat ze hem voor dood hadden laten liggen. Hij zei dat het voor het eerst was dat hij het aan iemand vertelde. Hij herinnerde zich dat hij Glick een paar dagen daarna weer tegenkwam, en hoe pijnlijk het was elkaar te zien. Glick sprak er nooit meer over en Ethan kon zich alleen maar afvragen hoe een man zoiets overleefde.

Terwijl hij met de advocaat door de gang liep, besefte Ethan dat het enige doel dat hiermee gediend leek te zijn, was de gedachten aan Nate uit zijn hoofd te verdrijven. In plaats van het beeld dat hem voortdurend kwelde van zijn zoontje dat door het bos rende om hem te zoeken, zag Ethan nu dat hij genoodzaakt was niet alleen verdriet te hebben om Nates laatste uren op aarde, maar ook om zijn eigen lot. Dit vond hij onuitstaanbaar. Hij had een soort houvast gevonden in de vreemde troost van zijn verdriet, in de mate waarin dit zijn hele bestaan tekende, en dat volgens hem de enige dienst was die hij zijn dode zoontje nog kon bewijzen. Deze nieuwe afleiding, die hem dwong zich zorgen te maken over zichzelf, was de laatste klap. Hij was toch volkomen onbelangrijk?

Mevrouw Cervantes – wat leek ze mooi en stralend – ging met hem in een kleine verhoorkamer zitten. Ze keek hem met een vriendelijke glimlach aan. Hij meende een mengeling van medelijden en beleefde bezorgdheid te zien. In haar ogen zag hij, net als in de ogen van iedereen die hij tegenkwam, de kleinzielige opluchting die ze voelden omdat deze tragedie hen niet had getroffen. Het was vast een fantastisch gevoel om aan het eind van een dag weg te lopen van deze ellende, van de slordige puinhoop van zijn leven.

'Het zit als volgt in mekaar,' zei ze. Ethan hoorde dat ze haar woorden, haar taalgebruik een boers accent probeerde te geven. Hij wist dat een hoogopgeleide, stadse advocaat een zin niet zo zou formuleren. Hij had genoeg boeken gelezen en genoeg tv gezien om te weten dat hoogopgeleide mensen niet zo praatten als iemand van zijn klasse. 'U wordt aangeklaagd wegens criminele nalatigheid.'

'Neem me niet kwalijk,' zei Ethan. 'Maar wat houdt dat in godsnaam in? Ik heb daar nooit van gehoord.'

Ze glimlachte geduldig. Ze was een en al geduld en begrip. Ethan begon er zenuwachtig van te worden. Hij wilde tegen haar zeggen dat ze moest ophouden te proberen hem te troosten, dat ze juist met dure advocatentermen tegen hem moest praten, hem moest behandelen alsof hij slim was en van wanten wist.

'Nalatigheid zonder meer is dat iemand nalaat redelijk te handelen, zoals de meeste mensen in een soortgelijke situatie zouden handelen. De term criminele nalatigheid impliceert dat er een zekere mate van roekeloosheid bij komt.'

'Maar ik heb het niet beraamd. Het was een ongeluk.

'Vergis je niet, Ethan, je wordt niet berecht wegens moord. De vraag of het bedoeld was of niet staat niet ter discussie.'

'Maar wat willen ze dan? Wat proberen ze te doen?

'Oké. De zaak zit zo. Luister goed. Je moet begrijpen dat de openbare aanklager – hij heet Tom Kraft – probeert carrière te maken. Dit is de beste zaak die hem in lange tijd ten deel is gevallen. Je hebt de media buiten gezien. Je weet dat de gebeurtenis die je zoontje heeft getroffen...' – hier zag Ethan dat ze haar hoofd iets boog en haar handen vouwde als in gebed – 'dat die gebeurtenis bij veel mensen een gevoelige snaar heeft geraakt. Dus je begrijpt dat het een goede kans is voor Kraft. Hij is van plan er echt uit te halen wat erin zit. Maar als je schuld bekent, komt er geen proces. Alleen als je zegt onschuldig te zijn, komt er een proces. Ik moet je waarschuwen, Ethan, dat als je het tot een proces laat komen, Kraft niet zal schromen jou, je ex-vrouw en alle bijzonderheden van je echtscheiding en de strijd om de voogdij over het kind door het slijk te halen. Hij zal erop gericht zijn een gedragspatroon aan te tonen waaruit blijkt dat je roekeloos bent. Hij zal proberen je te pakken.'

'Het was verdomme alleen een stomme fout,' zei Ethan. Het bonkte in zijn hoofd. Hij dacht aan Cindy die ergens aan de whisky zat.

Mevrouw Cervantes knikte. Ze likte langs haar lippen en ging verder. 'Nu dat gezegd is, denk ik wel dat een proces met een jury in je voordeel kan werken. Ik denk dat we de schade die Kraft kan toebrengen gedeeltelijk kunnen beperken door een beroep te doen op... empathische gevoelens bij de jury. Iedereen die kinderen heeft, weet dat je op dit moment al de ergste vorm van straf ondergaat. En dat het hun ook had kunnen overkomen. Je kunt er misschien van af komen met een uitspraak "niet schuldig". Maar ik waarschuw je, het zal er keihard aan toegaan. Het zal een hele tijd duren. En de publieke opinie lijkt op dit moment gelijkelijk verdeeld. Ik zal niet tegen je liegen, Ethan. Deze zaak zal eigenlijk in de media behandeld worden.'

Ethan keek naar mevrouw Cervantes. Hij vroeg zich af hoe haar leven eruitzag. Hij dacht dat zij iemand was die nooit in deze situatie verzeild zou raken. Hij zag haar als iemand die gezegend was. Gezegend met schoonheid, hersens en geld. Hij voelde tegelijkertijd haat en bewondering voor haar.

'Wat zou u doen?' vroeg hij.

'Ik zou het laten voorkomen. Rechter Rosenthal is een redelijk man. Ik ben een goede advocaat. We kunnen Kraft verslaan.'

Iets in haar laatste woorden trok zijn aandacht. Hij kreeg plotseling het gevoel dat hij een pion was in een spel dat veel groter was dan hij ooit had kunnen vermoeden of begrijpen. Mevrouw Cervantes praatte redelijk. Het leek redelijk wat ze zei. Maar waar ging dit in werkelijkheid over? Mocht ze die Kraft niet? Was zij ook ambitieus?

'Is mijn vrouw, mijn ex-vrouw... is zij hier ook? Mag ik even met haar praten? Onder vier ogen?'

Mevrouw Cervantes perste haar lippen op elkaar. Ze zette haar twee handen op tafel en duwde zich omhoog. 'Natuurlijk,' zei ze. Ethan vond dat het kortaf klonk. 'Ik zal haar even halen.'

Ethan bleef alleen in de kamer zitten. Er waren geen ramen. Hij was inrichtingsgroen geschilderd, de kleur van gepureerde erwten. Nu dacht hij weer aan zijn zoontje, dat ging liggen om te sterven, met zijn duim in zijn mond, tranen in zijn ogen. Hij klampte zich vast aan zijn verdriet, aan de pulserende gloed ervan.

Cindy kwam binnen en ging zitten. Ze keek Ethan aan. Haar ogen zaten bijna dicht, zo gezwollen waren haar oogleden. Haar wangen waren vlekkerig en roodachtig. Het leek of ze een beetje trilde.

'Allemachtig,' zei ze. 'Zie je nou wat we gedaan hebben.'

Ethan knikte. 'Ik heb het gedaan.'

'Maar als ik niet met...'

'Ik heb het gedaan. Het was mijn schuld. Jij hoeft je nergens schuldig over te voelen, begrijp je.'

Ze knikte. Ethan zag dat ze op haar lip beet, haar tranen inhield. Voor het eerst zag hij haar als moedig. Als beter dan hij had gedacht dat ze was.

'Die advocatenmevrouw zegt dat ik het moet laten voorkomen. Ze zegt dat ze de openbare aanklager kan kloppen. Ze zegt dat we een beroep kunnen doen op het medeleven van de jury.'

'Wat denk je er zelf van?'

'Ik ben geen misdadiger. Ik heb een fout gemaakt. Ik weet het niet.' Hij voelde zich radeloos. Zijn hart bonsde als een gek. Alles gebeurde zo snel. Hoe kon je van iemand verwachten dat hij een be-

slissing nam, wat voor beslissing dan ook, als zijn zoontje net gestorven was?

'Dus dan moet je het misschien maar, nou ja, laten voorkomen.'

'Er is alleen een maar,' zei Ethan. 'Dat is dat ze ons door de modder zullen halen, Cin. Ze zullen de zaak in de media behandelen.
Het zal groot nieuws zijn. Net zoiets als O. J. Simpson. We zullen
elke dag door een horde journalisten heen moeten lopen. Ze zullen
ons hele leven ontleden. De drank. En je weet wel, hoe we om hem
hebben gevochten.'

Cindy knikte. Ze zag er somber en angstig uit. Ze leek voor Ethans
ogen te krimpen. Hij zag hoe hij haar had kapotgemaakt.

'Wat je moet doen, moet je doen, Ethan. Ik moet je zeggen dat ik
het nu erg moeilijk vind om hier te zijn. Maar hij was onze zoon.'

Ze leek steeds kleiner te worden voor Ethans ogen. Hij zag de
schade die hij al had aangericht. Hij zag hoe zijn hoogmoed en ego-
isme zijn huwelijk hadden kapotgemaakt en de dood van zijn zoontje hadden veroorzaakt. Hij zag ook wat er nog meer door zou kunnen gebeuren. Hij stak zijn hand over de tafel naar haar uit.

'Luister,' fluisterde hij. 'Ik vind dat ik genoeg schade heb aangericht. Volgens mij heb ik alles verpest. Dus als ik er nu goed over na-
denk, vind ik dat ik het niet kan doen. Ik mag jou er niet in meeslepen.
Ik ga schuld bekennen, meisje. Het is goed. Ik ga schuld bekennen.'

Cindy knikte heftig met haar hoofd, en ze werd nog steeds voor
zijn ogen kleiner.

Ethan moest nog een paar uur in de gevangenis zitten. De nazi was
weg. De dronkaard ook. Eindelijk kwam een cipier hem halen. Op
de gang wachtten zijn advocaat en Cindy hem op.

'Klaar?' zei mevrouw Cervantes.

Ethan knikte. Samen gingen ze de gevangenis uit en liepen tussen
de menigte journalisten en toeschouwers door naar het gerechtsgebouw. Binnen werden ze opgewacht door nog meer media. Overal
waren camera's. Mevrouw Cervantes zei telkens weer: 'Geen commentaar.' Cindy hield zijn hand vast. Ethans hart klopte snel. Hij
probeerde aan zijn zoontje te denken maar hij kon zich Nates beeld
niet voor de geest halen. Hij kon Nate nergens vinden. Hij was bang
dat de media en het hele circus om hem heen hem weg zouden halen

van de gloed van zijn verdriet. Hij wilde die pijn voelen. Het was het enige wat hem nog restte.

Maar toen ze in de rechtszaal kwamen, was het plotseling stil. Het was er warm en benauwd, vochtig. De zaal rook net zoals het vroeger op regenachtige dagen op school rook. Er hing een inrichtingsgeur van papieren, verf en betonnen vloeren. De rechter zat op de rechterstoel. Aan één kant van de zaal stond een aantal mannen in donkere pakken samen te praten.

Cindy ging zitten. Er zat verder niemand in de zaal. Ethan zei: 'Waar is iedereen?'

'De rechter heeft bepaald dat de zaak achter gesloten deuren behandeld wordt,' fluisterde mevrouw Cervantes. Ze leidde hem bij de elleboog naar een tafel aan de rechterkant van de rechtszaal. Ethan durfde niet naar de aanklager te kijken. Er stonden daar drie mannen. Hij wist niet wie Tom Kraft was.

Vanaf dat moment ging alles zo snel dat toen het even later afgelopen was, Ethan het gevoel had dat hij het gemist had. De rechter keek nauwelijks op van de balie. Maar Ethan had toch het gevoel dat hij hem bekend voorkwam. Hij had het gevoel dat hij de man ergens eerder had gezien. De rechter zei: 'Bent u schuldig of onschuldig?'

Mevrouw Cervantes zei dat hij op moest staan. Ze zei ook wat hij moest zeggen.

'Schuldig, edelachtbare.'

Het gezicht van de rechter bleef onbewogen. Hij keek naar de aanklager. Ethan volgde zijn blik. Hij zag de man die vermoedelijk Tom Kraft was, moeizaam opstaan van zijn stoel. Hij zag de smalle lippen van de man, hij zag hoe strak en recht ze om zijn mond spanden.

'Ons verzoek luidt dat hij in verzekerde bewaring blijft, of anders een miljoen dollar borg betaalt, edelachtbare.'

'Dat is belachelijk,' zei mevrouw Cervantes. 'Hij heeft geen strafblad. Hij vormt duidelijk geen gevaar voor de samenleving, edelachtbare. Hij is niet vluchtgevaarlijk.'

De rechter had Ethan nog steeds niet aangekeken.

'Ik zie af van een borgsom, meneer Kraft. Hij wordt op vrije voeten gesteld onder persoonlijke borgtocht. Ik zal vandaag over een week uitspraak doen over zijn zaak.'

De rechter gaf een klap met zijn hamer. Ethan dacht dat hij Cindy achter zich zacht hoorde huilen. Hij draaide zich om en wilde weggaan. De rechter riep hem iets toe.

'Meneer Denton,' zei hij.

Voor het eerst maakten ze oogcontact, en toen wist Ethan waar hij de rechter eerder had gezien. Hij herkende hem als de vreemde die in de Mercedes was komen aanrijden op de plek van de zoektocht, en ook als de man, besefte hij nu, die hij had zien wegduiken toen ze elkaar waren gepasseerd in het mortuarium. Het kwam aan als een schok. Iets maakte hem bang. Hij wist niets van de gewoonten van rechters en advocaten. Hij wist niet wat de mensen op deze vreemde plek nastreefden, hoeveel corruptie en bedrog er in de gerechtshoven van Amerika speelden, welke nuance van vriendelijkheid en zorg waar en echt was. Maar hij voelde intuïtief aan dat hij er niets over moest zeggen. Dat hij zijn mond moest houden, argeloos moest zijn.

'Ja?' zei Ethan. Hij hoorde de weifeling in zijn stem. De angst.

'Ik condoleer u met uw verlies,' zei de rechter.

Ze bleven elkaar nog een paar seconden strak aankijken, en in die korte tijd wist Ethan zijn instinctieve gevoelens vast te houden, erop te vertrouwen als een dier. Hij mompelde iets van bedankt en wendde zich af. Hij wist niet eens met honderd procent zekerheid dat hij weg mocht, maar het leek wel zo te zijn. Hij zag Tom Kraft aan de andere kant van de rechtszaal een pijnlijk gezicht trekken. Nu wist hij in elk geval dat het feest voor Tom Kraft voorbij was.

'U bent vrij om te gaan,' zei mevrouw Cervantes. Ze zei het met een vriendelijke, gemeende glimlach. 'Komt u hier over een week terug. Dan zal de rechter het vonnis over u uitspreken. Belt u mij nog over het tijdstip. We zullen ook nog een paar details van die zitting in verband met het vonnis moeten doornemen. U wilt waarschijnlijk zelf het een of ander zeggen.'

Ze gaf Ethan haar visitekaartje. Het was bijna niet te geloven dat het voorbij was.

Rocksan

Nog voor de rouwdienst afgelopen was, zelfs nog voor de predikant het einde van zijn preek voor de dode jongen had bereikt, had ze besloten zich eens flink te bezatten. Rocksan nam nog een ander besluit. Het was minder uitgesproken dan het eerste, minder eenvoudig. Maar ze zag door de rouwdienst en door de schokkende, vreemde wending die de gebeurtenissen in haar eigen leven genomen hadden, dat er maar één keuze mogelijk was betreffende de inrichting van de korte tijd dat ze op deze aarde verkeerde. Morgen zou je dood kunnen zijn, herinnerde ze zich te hebben gedacht toen Jane en zij het bos uit liepen. Ze had de beslissing genomen blij te zijn met alles wat goed ging, haar goede leven en de fijne dingen die daarbij hoorden. Nates dood, hoe ontzaglijk treurig die ook was, had haar doen beseffen hoe goed ze het getroffen had.

Op weg naar Angie's gingen ze even thuis langs om te kijken hoe het met George en Melody was. Die wilden allebei mee naar het restaurant. Ze zeiden dat ze erover hadden gepraat. Hoewel ze Ethan niet kenden en Nate niet hadden gekend, zeiden ze dat ze het gevoel hadden dat ze hun deelneming moesten betuigen.

Tegen de tijd dat ze er aankwamen, zag Rocksan dat de menigte bij Angie's het gezamenlijk op een zuipen had gezet. Ze deed mee tot Jane er uiteindelijk op stond dat ze naar huis gingen. Ze was bang dat Melody de baby ter plekke op de vloer van het restaurant zou krijgen, midden onder het rouwdienstmaal.

Ze reden een hele tijd zwijgend huiswaarts. Toen zei Melody: 'Als het een meisje is, vind ik dat we haar Jane moeten noemen.'

Jane begon onmiddellijk te lachen. 'O, mijn god. Dat meen je toch niet?'

'Meen je het?' zei George.

'Nou ja, ik vind het gewoon een heel mooie naam.'

'Vergeet het maar,' zei George. 'Ik wil niemand beledigen, hoor Jane. Maar...'

'Dat begrijp ik best. Heus, Melody. Het is lief van je, maar ik zou het vreselijk vinden.'

Rocksan zag dat Melody op de achterbank haar schouders ophaalde en uit het raam keek. Ze scheen zich nooit erg druk te maken om wat dan ook. Rocksan had nog nooit iemand ontmoet die zo gelijkmoedig was. Zo betrouwbaar qua stemming en mentaliteit.

Toen ze eindelijk thuiskwamen, was het laat in de middag en iedereen was moe. Nadat ze even rustig met George en Melody had gepraat in de woonkamer, ging Jane boven op bed liggen. George en Melody bleven achter op de bank en even later sliepen ze allebei, George in zittende houding en Melody liggend, met haar voeten over Georges schoot.

Rocksan was te sloom en te veel beneveld door de whisky om te kunnen rusten. Maar ze was ook moe, en toch ook verdrietig. Hoewel ze het jongetje nauwelijks gekend had, was het verlies van Nate in de diepste hoeken van haar hart gaan zitten.

Ze ging naar buiten, naar de bijenkasten die geluidloos in de lome stilte stonden, als kleine huisjes in een verlaten dorp. Rocksan dacht na over Angels Crest en ze herinnerde zich de tijd dat ze hier net was aangekomen, toen ze voor het eerst het verhaal had gehoord over de kolonisten die in die verschrikkelijke winter waren omgekomen, en hoe raar ze het had gevonden. Ze herinnerde zich haar eigen hooghartige houding, haar idee dat ze een superhippe meid uit San Francisco was, een stoute lesbienne. Alles in Angels Crest had zo schilderachtig geleken, niet helemaal haar niveau. Ze kon zich de persoon die ze toen was nauwelijks herinneren. Nu zag ze dat deze wereld in werkelijkheid in veel opzichten veel minder provinciaals was dan haar leven in San Francisco was geweest.

Voor het eerst dacht ze serieus na over de mythe van Angels Crest. Wat moest het een vreselijke tijd geweest zijn, toen al die mensen waren gestorven. En wat was het vreemd dat die baby's in leven hadden kunnen blijven. Welke gril, welke voorzienigheid had hun lot bepaald, dat zo verrassend was, waaruit zo veel genade sprak? Ze begreep best waarom anderen aan engelen wilden geloven. Ze begreep ook waarom zij dat niet kon. Het was moeilijk om je lot in handen te leggen van de engelen wanneer de mensen je je hele leven hadden uitgestoten en uitgelachen.

Ze richtte haar aandacht op de kasten. Ze zagen er erg somber uit, zoals ze daar stonden, afgesloten voor de winter. Hoewel ze de koninginnen pas laat had vervangen, had Rocksan er alle vertrouwen in dat de bijen de winter zouden overleven. Maar ze had wel eens meegemaakt dat een kast was getroffen door wintersterfte. Het was nog maar een paar jaar geleden dat het te koud was geworden, en de bijen waren op een kluit blijven zitten om te voorkomen dat de koningin in het midden zou doodvriezen, maar zo waren ze langzaam doodgehongerd, en de koningin was uiteindelijk ook doodgegaan.

Ze herinnerde zich dat ze dode bijen had gevonden die met hun kop in lege cellen van een honingraat zaten, alsof ze naar een laatste druppel honing hadden gezocht voor de dood hen had overmeesterd. Er lagen honderden bijen op de bodem van de kast, en de paar bijen die nog leefden, waren sloom en gedesoriënteerd, en zaten op een kluitje bij elkaar om warm te blijven. Maar die gingen ook dood, en zonder koningin was de kast niets meer waard. Er was geen hoop op nieuw leven.

Rocksan herinnerde zich die winter, en hoe diep het verloren gaan van die kast haar had getroffen. Nu vergeleek ze dat met die eerste winter in Angels Crest toen bijna alle kolonisten waren omgekomen. Weer vroeg ze zich af welk noodlot had ingegrepen om de levens van die paar kinderen te sparen. Ze overzag het hele menselijke bestaan, door de eeuwen heen, met mensen die jong stierven en mensen die lang leefden. Ze zag haar eigen leven als een geschenk – vreemd dat ze er nooit zo aan had gedacht. Tot haar schrik voelde ze weer tranen in haar ogen komen.

Ze had geen verklaring voor deze plotselinge aanval van sentimentaliteit, voor het feit dat ze opeens zo gemakkelijk kon huilen. Kwam het door de dood van dat jongetje? Kwam het door de komst van Melody en George, het vooruitzicht van een nieuw leven dat het hunne zou binnenkomen? Wat kon er in vredesnaam in haar zijn ontkurkt, opengedraaid, losgemaakt? Ze keek in de verte naar de besneeuwde bergen en de grijzende schemering. Ze voelde een duidelijk begrip van de eb en vloed van het leven. Ze geloofde, misschien voor het eerst, dat ze ergens in het netwerk van de mensheid paste en er leek iets – een brede, lichtende stroom vergevensgezindheid – in haar vrij te komen zodat de wereld om haar heen een stoutmoedig, gonzend leven leek uit te stralen.

Jane

N a de rouwdienst voelde Jane zich uitgehold. Rocksan en zij liepen somber naar hun auto, hand in hand. Ze besefte dat dit
een van de weinige keren was dat ze in Angels Crest ooit in het
openbaar genegenheid hadden getoond, en ze merkte ook op dat het
niemand iets leek te kunnen schelen. Het was alsof de dood van
Nate, de arrestatie van zijn vader en de eensgezinde minachting die
iedereen de media toedroeg, hen tot gelijken had gemaakt in elkan-
ders ogen.

Ze gingen thuis langs om George en Melody op te halen, en toen
ze met de andere rouwenden aankwamen in het restaurant, was
Jane bang dat Rocksan dronken zou worden en haar in verlegenheid
zou brengen. Ze maakte zich altijd zorgen wanneer Rocksan dronk,
omdat ze dan nog luidruchtiger, nog irritanter ging doen. Vroeger
toen ze in San Francisco woonden, amuseerde Rocksan hun vrienden met haar oneerbiedige, dronken scheldpartijen tegen de ge-
vestigde orde. Maar dat paste ook in een plaats waar je punten verdiende met opvallen. Hier, in dit dorp waar ze nu hun thuis hadden,
zou je je meteen onmogelijk maken als je op de verdrietigste dag die
iedereen ooit had meegemaakt, opvallend ging doen.

Maar het bleek dat Rocksan haar dronkenschap beperkt hield tot
hun tafel. Melody leek met haar gedachten bij haar zwangerschap te
zijn, en George keek geïrriteerd toen Rocksan voor de tweede keer
met haar drankje morste. Maar er volgde geen scène. Jane dacht
even dat Rocksan eindelijk getemd was. Toch was ze opgelucht toen
ze weggingen. Ze begreep niets van de toenemende lawaaiigheid,
het onthutsende, luide gelach naarmate de rouwenden steeds meer

whisky en bier dronken. Ze voelde een pijn vanbinnen die alleen genezen kon worden door een goede nachtrust en wat tijd. Ze kon niet loskomen van het beeld in haar hoofd van Nate die radeloos door het bos rende, op zoek naar zijn vader. Kinderen wisten maar een paar dingen en een daarvan was dat hun ouders er altijd zouden zijn om hen te redden, ook al was dat niet altijd waar. Ze hoopte dat hij, toen hij ging liggen om te sterven, geloofde dat zijn pappa hem gauw zou komen halen.

Toen ze thuiskwamen, was het koud in huis. Jane zette de kachel aan en Melody en George pakten een deken en gingen op de bank liggen.

'Het idee alleen al dat ik die trap op moet,' zei Melody. 'Ik wou dat deze baby onderin bleef zitten. Ze zakt naar beneden en dan kruipt ze omhoog naar mijn keel.'

George keek bezorgd naar Melody. Hij zei: 'Je bent pas over een paar weken uitgerekend.'

'Ach, wat nou uitgerekend. Deze baby blijft geen twee weken meer zitten, zoveel is zeker. Van nu af aan mag ze er van mij uitkomen. Ik hou het geen seconde meer uit. Ik plas telkens in mijn broek.'

Jane herinnerde zich dat ze zwanger was van George. Ze herinnerde zich die laatste weken. Ze had zich laten wijsmaken dat de zwangerschap iets moois was, vredig en wonderbaarlijk. Niemand had iets gezegd over de aambeien, het kotsen, het voortdurende lekken van god mocht weten wat voor vocht in haar ondergoed, dag in dag uit. Ze dacht dat ze gelukkig hoorde te zijn tijdens de zwangerschap. Maar ze was opgezwollen als een walvis. Ze raakte haar evenwichtsgevoel kwijt. In de laatste maand van de zwangerschap viel ze telkens om.

'O, Melody,' zei Jane. 'Dat herinner ik me maar al te goed.'

George keek Jane aan en ze wilde hem alles vertellen. Hoe het was geweest toen hij geboren werd. Hoe mooi ze hem had gevonden, ook al was zijn komst in de wereld gepaard gegaan met koliekaanvallen.

'Jij was een prachtige baby, George. Ik moest een keizersnede ondergaan omdat je geen zin had om eruit te komen...'

'O god, zeg dat alsjeblieft niet...' zei Melody.

'En dus kwam jij volmaakt op de wereld, zonder zo'n punthoofd,' zei Jane. 'Ik mocht je even vasthouden voor ze je meenamen, en ik herinner me dat ik toen dacht dat het alles waard was geweest.'

George glimlachte zo'n beetje. Hij zei: 'Mijn vader heeft me daar nooit iets over verteld. Je moet weten dat hij een mevrouw heeft gehuurd, mevrouw Mullick, om elke dag voor me te komen zorgen. Ze is er bijna tien jaar geweest.'

Jane keek naar de vloer. 'Het spijt me zo...'

'Volgens mij komen we nooit verder als je de hele tijd blijft zeggen dat het je spijt, Jane,' zei George vermoeid.

'Aardig zijn, George,' zei Melody.

'Jemig, ik hoef niet aardig te zijn,' zei George.

Melody glimlachte flauwtjes naar Jane. 'Hij denkt dat hij ook zwanger is.' Toen wendde ze zich naar George en zei: 'Ik ben hier de enige die krengerig mag doen.'

'Sorry,' zei George. 'Het komt alleen door dat dode jongetje en de hele tijd "het spijt me zo". Ik wil gewoon dat het gemakkelijker is. Ik wil dat onze baby in een gemakkelijke situatie komt.'

Jane knikte. 'George, het leven is nu eenmaal moeilijk. Het is niet mijn bedoeling om nu opeens de moeder uit te hangen en jou raad te geven. Maar ik moet zeggen dat het leven moeilijk is, en dat jij jong bent en dat de baby goed terechtkomt. Melody en jij zullen fantastische ouders zijn.'

George knikte. 'Ik heb alleen zo'n gevoel dat dat dode jongetje een slecht voorteken is.'

'Alleen als jij het zegt,' zei Jane. Ze was zich ervan bewust dat ze Melody napraatte.

'Hij heeft soms sombere buien,' zei Melody. 'Maar ik niet. Daarom kunnen we zo goed met elkaar opschieten.'

George leunde naar achteren en Melody strekte zich uit op de bank en legde haar voeten op zijn schoot. Jane legde de deken over haar heen. Haar grote buik stak hoog boven haar tengere gestalte uit.

'Ik ben doodmoe,' zei George.

Melody sloeg haar ogen ten hemel. 'Ik ben hier degene die zwanger is, George,' zei ze. 'Dat vergeet je de hele tijd.'

Jane keek naar haar zoon. Zijn ogen waren gesloten. Hij zat tegen de rugleuning aan. Zijn gezicht zag er echt volwassen uit, de beenderen leken uit steen gehouwen, zo mooi en scherp afgetekend. Ze voelde haar hart kloppen van trots en ze was bang dat ze haar verdere leven nooit meer een kans zou krijgen die te laten blijken.

'George,' zei ze. Hij deed eerst één oog open, toen het andere. 'Je was echt een prachtige baby,' zei ze.

Jane ging naar boven om op bed te gaan liggen. Ze voelde een hevige hoofdpijn opkomen. Ze voelde zich somber, naar en eindeloos verdrietig. Ze zou willen dat Nate levend gevonden was en deed even alsof dat zo was. Ze zag de blijdschap op het gezicht van zijn vader. De opluchting. Ze voelde diep vanbinnen een golf boosheid opwellen. Waarom moest een klein jongetje sterven? Het leek helemaal verkeerd. Het wás helemaal verkeerd.

Ze ging bij het raam staan en keek naar Rocksan die naar de kasten ging. Rocksan bekeek ze allemaal, terwijl ze er kalm langs liep. Haar hele houding leek vreemd eerbiedig, vredig. Jane had Rocksan nog nooit zo rustig, zo bedaard gezien. Toen zag ze tot haar verbazing dat Rocksan begon te huilen. Ze herinnerde zich hoe Rocksan als een baby had staan huilen tijdens de rouwdienst en ze vond het wonderbaarlijk. Het was in de twintig jaar dat ze samen waren nooit voorgekomen, en nu gebeurde het twee keer op één dag.

Jane keek naar Rocksan die plechtig buiten stond bij de kasten. Ze had er alle tijd dat ze samen waren voor nodig gehad om ook de kleinste bijzonderheden over Rocksans vader te weten te komen. Nu bedacht ze dat Rocksan misschien niet om Nate had gehuild – en nu huilde – maar om haarzelf en haar eigen vreselijke verliezen.

Ze ging bij het raam vandaan en liep naar het bed. Ze ging liggen en deed haar ogen dicht. Ze besefte dat Rocksan haar waarschijnlijk tegen zichzelf had beschermd. Ze dacht aan haar zoon beneden, aan de baby die op komst was. Ze deed alsof er vele jaren voorbij waren gegaan, alsof alles vergeven was en alle wonden geheeld waren.

Angie

Die nacht, na de rouwdienst, lang nadat Glick in slaap was ge-vallen, lag Angie nog wakker en dacht aan haar dochter. Ze had zichzelf tot nu toe nooit toegestaan lang aan Rachel te denken omdat het te veel pijn deed. Het besef van haar schuld aan Rachels verdwijning had haar nooit verlaten.

Nu dacht ze terug aan de tijd dat Rachel jong was, speels en ge-lukkig. Haar gedachten gingen naar het huwelijk met de vrachtwa-genchauffeur; toen, toen pas, had Rachel zich teruggetrokken, was ze begonnen met roken en drinken. Angie besefte nu, te laat na-tuurlijk, dat het goed zou zijn gegaan als ze met z'n tweeën waren gebleven. Waarom had ze het nodig gevonden om hun leven te ver-zieken met een ongelukkig huwelijk?

Glick maakte een geluid in zijn slaap en draaide zich op zijn zij. In het donker kon ze zijn lichaam onder de dekens zien. Ze voelde een golf liefde voor hem opwellen. De jaren van alleen zijn hadden hun tol van haar geëist. De verlangens, de begeerte – zowel seksueel als emotioneel – hadden in een verre uithoek van haar geest gelegen. Nu kwamen ze opzetten wanneer ze maar naar Glick keek. Ze wen-ste dat Rachel thuis zou komen. Ze wenste dat de cirkel zich zou sluiten.

Ze wist dat de rouwdienst en Nates dood haar eigen gevoel van verlies oprakelden. Ze hield zichzelf voor dat dit op den duur over zou gaan, dat verdriet nooit zo allesoverheersend was als het eerst leek. Ze wist dat ze er verbazend bedreven in was de last van haar verdriet op haar schouders te nemen en dat deze wond, die was opengegaan zowel door de dood van Nate als door haar liefde voor

Glick, zich weer zou sluiten en zich zou terugtrekken in een klein uithoekje van haar hart.

Op het laatst voelde ze de slaap komen. Ze gaf zich eraan over; ze lag naast Glick, rook zijn geur, putte troost uit het feit dat hij er was. Je kunt je niet vasthouden aan wat je niet hebt, hield ze zichzelf voor, en eindelijk, eindelijk kwam de slaap.

De volgende morgen werd Angie wakker in een leeg bed. Even was ze bang en van streek, maar toen hoorde ze buiten stemmen. Ze keek op de wekker en zag tot haar ontsteltenis dat het al over achten was. Ze had de vorige dag besloten het restaurant die dag gesloten te houden en nu stond ze stijf en met een licht schuldgevoel op van het bed en ging naar het raam.

Een waterig zonnetje scheen op de natte aarde. Buiten waren Glick en Rosie, warm aangekleed. De damp wolkte uit hun mond terwijl ze schreeuwden en met de hond speelden, die eruitzag alsof hij zijn geluk niet op kon, zo heerlijk vond hij al die aandacht. Rosie gooide een bal naar de hond en die scheen het niet erg te vinden dat hij niet in de goede richting vloog, en ook niet ver kwam. Ze hoorde dat Glick iets tegen Rosie zei en dat Rosie iets terugzei. Glick bukte lachend, raapte de bal op en gooide hem weg voor de hond. Rosie schreeuwde vrolijk toen de hond hoog opsprong en de bal in zijn bek opving.

Angie ging terug naar het bed in de stille kamer. Ze hoorde de zwakke geluiden van hun stemmen buiten en het tikken van de klok in de hal. Ze zag de vreemde plattegrond van haar leven, de wegen die de bestemmingen met elkaar verbonden, waarbij geen route ooit leek vast te liggen, geen weg onbegaanbaar was. Ze had de indruk dat haar leven precies zo verliep als het bedoeld was, dat niets, niets ooit gebeurde zonder reden. Ze zag in dat ze zoveel had moeten verliezen om nu hier te kunnen zijn, op dit moment, als een andere vrouw, een gelukkige vrouw die kon luisteren naar de lach van de mensen van wie ze het meest hield op de wereld, hun lach die zachtjes zweefde op de koude winterlucht.

Toen ze zich eindelijk kon vermannen, trok ze wat kleren aan en ging naar de keuken om een ontbijt klaar te maken. Ze bakte eieren en wat aardappels. Ze sneed een paar bananen in plakjes en deed die in de blender met een kop yoghurt en wat sinaasappelsap. Ze haalde wat spek uit de vrieskast en bakte het knapperig, en juist toen alles lekker stond te bakken kwamen Glick en Rosie binnen. Ze hoorde Rosie de deur dichtslaan en door de gang naar haar kamer hollen terwijl Glick naar de keuken kwam.

Hij boog zich naar haar toe en kuste haar zacht, onhandig op haar wang. Zijn lippen waren koud. Hij gaf haar het gevoel dat ze een zeldzame, kostbare schat was. De eerbiedige manier waarop hij met haar omging, de manier waarop hij haar met voorzichtige maar wonderlijk zekere handen en blikken liefkoosde, gaf haar het gevoel dat ze mooi was, even onbetaalbaar als het verleden, even waardevol als de toekomst.

'Gaat het wel?' vroeg hij.

Ze knikte. 'En met jou?'

'Goed,' zei Glick.

Angie zag dat er water uit zijn neus liep. Hij was rood van de kou. Hij wreef in zijn handen en blies erop.

'Koud zeg,' zei hij. 'Jezus.'

'Het is altijd zo koud na een sneeuwstorm.'

'Het voelt net alsof de wereld kan breken, zo koud.'

Ze schonk koffie voor Glick in en ging toen weer verder met het ontbijt. Rosie kwam de kamer binnen met het fotoalbum en ging naast Glick zitten. Ze begon al neuriënd de bladzijden van het fotoalbum om te slaan. Angie zag wel dat Rosie hoopte dat Glick er vragen over zou stellen. Toen hij dat niet deed en ze het niet meer uithield, zei ze ten slotte: 'Dit is mijn mamma.'

Ze draaide het fotoalbum zo dat Glick het kon zien en hij keek aandachtig naar de bladzijde met foto's.

'Ze is mooi,' zei Glick en Angie was blij dat het gemeend klonk.

Rosie sloeg de bladzijde voor hem om. 'Dit is ze. En dit is ze, en dit ook. En dit is oma.'

Rosie wees alle foto's aan. Ze sloeg de bladzijden voor Glick om. Glick zei niet veel; hij bekeek de foto's niet als een volwassene die probeert een kind een plezier te doen, maar als iemand die geïnteresseerd was. Angie zag hoe hij de leegte opvulde die door haar dochters afwezigheid was achtergelaten, en ze voelde zoals altijd weer een pijnlijk verlangen naar haar dochter, die in veel opzichten haar verhaal afmaakte. Ten slotte had Rosie de laatste bladzijde omgeslagen, en ze sloot het boek, liet zich van de stoel af glijden en ging de kamer uit met het boek in haar hand.

'Je dochter is een mooie vrouw,' zei Glick. 'Net als haar moeder.'

Angie glimlachte. 'Zij is echt mooi. Ze heeft het beste van mij en van haar vader geërfd. Een mengsel van ons beiden. Grappig dat ze niet op één van ons tweeën lijkt, maar op ons allebei tegelijk.'

'Wat was je man voor iemand?'

'Je bedoelt haar vader?'

Glick knikte.

'Hij was een aardige man. Heel eenvoudig in veel opzichten. Ongecompliceerd. Hij was zachtaardig en vriendelijk en, nou ja, eerlijk gezegd een tikje saai. Maar dat vond ik wel prettig van hem. Ik heb gemerkt dat ik het prettig vind als iets een beetje saai is.'

Glick glimlachte en nam een slok koffie. Angie bewonderde zijn schoonheid, de manier waarop zijn ogen – zo fel blauw – diep in hun kassen lagen, de fraaie hoeken van de beenderen in zijn gezicht. Ze voelde dat ze naar hem verlangde en ze keerde het spek en besmeerde geroosterd brood met boter en wipte de aardappeltjes om, terwijl ze zich bewust was van de vreemde erotische sfeer die haar aandacht afleidde. De geur van het eten, het vettige gespetter ervan, het flauwe zonlicht, een spoor van Glicks geur dat nog aan haar huid kleefde maakte haar helemaal in de war. Ze voelde dat ze een kleur kreeg, en toen ze naar Glick keek, zag ze dat ook hij overmand werd door begeerte, dat hij had gezien dat die bij haar opkwam. Ze keken elkaar aan en lachten elkaar toe met een soort heimelijke erkenning, alsof ze wilden zeggen: *ik verlang ook naar jou.*

Glick zei: 'Ik kan nauwelijks naar je kijken.'

Ze zei: 'Toe nou, Glick. Ik voel me belachelijk.'

Hij begon te lachen. Zij ook. Toen Rosie de kamer in kwam hollen, bleef ze heel even stilstaan, alsof haar radar geactiveerd was door de energie tussen Angie en Glick. Toen ging ze zitten met haar fotoalbum en zei: 'Mogen we vandaag op de sneeuwschoenen lopen?'

Angie keek naar Glick. Hij knikte. Ze zei: 'Ja hoor.'

Toen wendde Rosie zich rechtstreeks tot Glick. 'Ik wil dat je die hond ook meeneemt,' zei ze, brutaal en op een volwassen toon.

Cindy

Toen het allemaal voorbij was en de rechter Ethan had laten gaan, voelde Cindy zich leger dan ze zich ooit had gevoeld. Terwijl ze in het donker terugreden naar Angels Crest, zag ze de gruwelijkheid van de afgelopen dagen alsof het allemaal ver onder haar lag. Ze keek naar Ethan en zei: 'Ik heb een gevoel alsof ik buiten mezelf sta en naar mijn leven kijk alsof ik er zelf niet meer aan meedoe.'

Ethan zei niets terug, en zijn zwijgzaamheid deed haar goed. Ze had zijn stille aard leren waarderen toen ze getrouwd waren, omdat het gekakel in haar eigen hoofd zo luid, zo rumoerig was. Ze dacht terug aan de laatste vreselijke momenten in de gevangenis, toen Ethan had besloten het niet tot een proces te laten komen. Ze zag dit als het enige wat hem ooit, jaren later, wanneer de bitterheid minder overheersend was, berusting kon schenken.

Ze had een vaag gevoel dat dit voor haar het moment was om iets aan haar leven te veranderen, hoe dan ook. Ze wist niet wat ze met deze gedachte bedoelde, alleen dat er iets anders moest gebeuren. Ze dacht dat ze, als ze niet íéts deed, nooit over het verlies van haar zoontje, over de vernietiging van haar leven heen zou komen.

Toen ze eindelijk terug waren in het dorp, leek het verlaten. Angie's was gesloten; achter in de zaak brandden nog een paar treurige lampjes. Het café was open en Cindy zag een paar mensen met wie ze weleens een borrel dronk buiten staan; ze rookten een sigaret in de kou. Toen ze langs de ijzerhandel reden, zag Cindy dat Ethan zijn ogen neersloeg.

Toen ze bij de open plek kwamen waar de rouwenden voor de wandeling door het bos hun auto's hadden geparkeerd en zich verzameld hadden, stond alleen Ethans auto er nog. In het maanlicht leek dit het eenzaamste tafereel dat Cindy ooit had gezien. Ze draaide zich om en zei Ethan gedag, en heel even keken ze elkaar in de ogen. In zijn blik zag ze wat ze ooit voor elkaar waren geweest, en wat ze geworden waren.

'Cindy,' zei hij.

'Zorg dat je wat slaapt, Ethan.'

Even later reed ze alleen door het bos. Haar koplampen verlichtten het baldakijn van de bomen, de koude, besneeuwde hellingen en de nauwe bochten in de weg. Door haar verdriet leek alles heel duidelijk. De details van het bos waren opmerkelijk goed te zien, scherp omlijnd alsof ze met een puntig potlood getekend waren. Ze leek elke dennennaald te zien, elke groef in de schors van de bomen, het punt waar de opgewaaide sneeuw ophield en de lucht begon.

Toen besefte ze dat ze niet dronken was en dat ze eigenlijk de hele dag niet dronken was geweest, ook al had ze af en toe een slokje genomen uit haar zakflacon. Ze verbaasde zich hier even over, over het feit dat ze zich niet beroerd voelde door het gebrek aan alcohol, dat ze niet naar drank had gesmacht, verlangd, absoluut had móeten drinken. Voor het eerst zag ze in hoe allesomvattend haar verlies was, hoe het zelfs de bezetenheid van haar verlangen naar drank had weggenomen.

Ze reed langzaam en hield het verdriet op afstand door niet aan haar zoontje of aan Ethan te denken, of aan de tragische loop die hun leven had genomen, en in plaats daarvan haar aandacht te richten op de helderheid van het bos, de scherpe omtrekken van het landschap tegen de sterrennacht. Ze dacht alleen aan het stille bos, de slapende dieren, de beren die hun hol voor de winter maakten, de knaagdieren die zich volpropten voor de barre maanden die op komst waren, de uilen met hun kraalachtige, koud lichtende ogen, op zoek naar een prooi. Ze dacht telkens weer aan al deze dingen tot ze de dennengrot van het bos uit reed en in de richting van het dorp, het huis van Jane en Rocksan passeerde, in Main Street uitkwam, langs de bank, de bibliotheek, het gemeentearchief, de ijzerhandel en Angie's tot ze uiteindelijk bij Trevors café aankwam en de auto parkeerde.

Ze stapte uit en de nacht was koud en scherp en bitter, en toen ze inademde, deed het pijn in haar longen, wat haar eraan herinnerde dat ze in geen uren had gerookt. Ze grabbelde in haar tas naar sigaretten en toen ze die had gevonden, bleef ze buiten staan en keek naar de sterren. Ze herinnerde zich dat ze als klein meisje achter in de stationcar had gezeten bij haar vader en moeder. Ze herinnerde zich dat haar moeder zei dat je in een ster veranderde wanneer je doodging. Ze keek omhoog, koos een ster uit en besloot dat dit Nate was. Ze zei: 'Mammie houdt van je, Nate. Vergeet dat niet.'

Ze was zo geneigd het café te laten voor wat het was, zo geneigd níét een borrel te gaan drinken, dat ze bijna omkeerde en weer in de auto stapte. Maar toen bedacht ze dat het al genoeg was alleen maar na te denken over niet drinken. Dat was iets wat ze – hoe lang? – in jaren niet had gedaan. Dus voorlopig was dat al genoeg. En toen ze de beslissing nam naar binnen te gaan, had ze twee gedachten tegelijkertijd. De eerste was hoe goed het zou voelen als ze wat dronk, en de tweede was dat het niet haar moeder was geweest – niet geweest kon zijn omdat zij te jong geweest zou zijn om het zich te herinneren – die haar dat over de sterren had verteld. Het was haar dronken grootmoeder die op een avond rechtop was gaan zitten en dat had uitgekraamd, vlak voordat ze stierf; ze had tegen haar gezegd dat het beste van doodgaan was dat je een ster aan de hemel werd die eeuwig zou stralen.

In het café was het donker en rokerig. Een groep mensen stond bij het dartsboard; er werd luid om iets gelachen. Het leek vreemd dat iemand kon lachen. Dat er iets bestond waar om gelachen kon worden. Moesten ze niet rouwen dan? Toen besefte ze dat ze natuurlijk niet rouwden. Zij was degene die haar kind had verloren.

Aan de bar zaten een paar mensen. Toen Trevor haar zag, kwam hij achter de tapkast vandaan en liep op haar toe. Hij hielp haar uit haar jas. Hij zei: 'Gaat het een beetje? Hoe is het gegaan? Is Ethan terug? Zit hij in de bak?'

'Trevor,' zei ze. Het was raar, maar ze fluisterde, alsof ze zo de herrie om haar heen kon doen bedaren. 'Heel even wachten, oké?'

'Sorry,' zei hij. Hij bracht haar naar een barkruk, ging achter de tapkast en schonk haar een glas whisky in. 'Ik was alleen erg ongerust, zie je. Ik moest steeds aan je denken.'

De anderen knikten haar toe. June Moon, het oud geworden bloemenmeisje van het dorp, glimlachte. 'Hoi, meid,' zei ze.

'Ethan heeft schuld bekend,' zei Cindy.

'Wat krijgen we nou?' zei Trevor.

'Hij wilde ervanaf zijn.'

'Zit hij in de gevangenis?'

'Zo werkt het niet, Trevor. Jemig. Mag ik even wat drinken. Ik ben de godganse dag in de stad geweest. Ik heb dorst, ik ben moe en ik voel me gewoon...' Ze maakte haar zin niet af. Kon hem niet afmaken.

'Sorry,' zei hij. 'Ik wilde alleen...'

Ze dronk achter elkaar haar whisky op. 'Hij moet over een week terugkomen, dan zal de rechter het vonnis uitspreken. Meer weet ik ook niet, Trevor. Echt waar. Dat is alles.'

Trevor knikte. Ze zag wel dat hij zijn best deed om niets te zeggen. Ze voelde haar hart regelmatig kloppen, fel, maar vast en krachtig. Ze dacht aan haar zoontje dat in het bos ging liggen om te sterven. Ze dacht aan haar zoontje als een ster.

'Ik moet naar huis, Trevor. Ik moet weg. Mag ik wat whisky meenemen? Er is niets in huis. En ik heb geen hap gegeten. Kan ik een broodje krijgen of zo?'

Ze wist dat de keuken achter de bar – nou ja, de ruimte die voor keuken doorging – gesloten was.

'Ik kan het zelf klaarmaken,' zei Cindy.

'Nee, nee. Ik maak een broodje voor je. Met ham? En kaas?'

Ze knikte. Trevor zei tegen de mensen aan de bar: 'Ik ben zo terug.'

Iedereen knikte. Niemand had haast. June Moon kwam naar haar toe. Ze ging naast Cindy zitten. Ze zei: 'Liefje, ik vind het heel erg voor je.'

Cindy knikte. Ze besefte dat niemand hier haar vriend was. Het was een stel zatlappen, meer niet. Ze gingen te veel op in hun behoefte aan drank om altruïstisch genoeg te zijn voor vriendschappen. Ze wist dit omdat ze zelf ook zo was. Ze zag het nu allemaal zo duidelijk. Hoe ze haar leven in dit café had doorgebracht met mensen van wie ze vroeger had gedacht dat het haar vrienden waren, maar die niet eens waren komen opdagen bij de rouwdienst, of bij haar thuis waren langsgekomen. Jane, de lesbienne, had haar niet één, maar twee bakjes stoofvlees gebracht. Ze dacht aan de bakjes die in de koelkast stonden in haar poepkleurige flat. Ze was vergeten dat er toch eten was in haar flat. Ze wilde niets anders dan wat whisky, wat eten, en dan naar bed.

Ze stond op, ging achter de tapkast en schonk nog een glas whisky voor zichzelf in. Het was niet helemaal ongehoord om zoiets te doen, maar toch zat iedereen afgunstig naar haar te kijken vanaf hun barkruk. Een vreselijke gedachte kwam bij haar op. Ze dacht dat ze misschien wel wensten dat hun een afschuwelijke ramp had getroffen, zodat ze ongestraft hetzelfde konden doen. Ze moest hier weg.

'Trev,' riep ze naar de keuken. 'Ik moet weg.'

Ze pakte een fles van de plank en liep het café uit. Het was buiten zo koud dat het voelde alsof ze een klap in haar gezicht kreeg. Trevor kwam haar achterna met een broodje in zijn handen. Het was niet verpakt en slordig gemaakt. Cindy zag dat het vlees er aan de zijkanten uit hing. Zo was het de hele avond al gegaan. Alles zo duidelijk en omlijnd. Alle dingen in haar gezichtsveld groter, helderder, alle details gemakkelijk te zien.

'Wat moet dit in...' Er kwam een wolk damp uit Trevors mond en Cindy kon de teleurgestelde woede in zijn ogen zien.

'Ik moet weg.'

'Je kunt niet zomaar een fles meenemen. Ik bedoel, het mag wel. Maar...'

'Sorry,' zei ze. Ze begon te huilen. Ze wilde alleen maar in haar poepkleurige flat zitten en langzaam stomdronken worden. Plotseling leek dat het enige waartoe ze in staat was. Met tegenzin stak ze hem de fles toe.

'Nee, het is oké. Houd hem maar,' zei hij. 'Ik ga vroeg sluiten. Dan kom ik naar je toe.'

Ze schudde haar hoofd. 'Dat hoeft niet, Trev.'

Hij hield het portier van haar auto voor haar open. Hij zei: 'Tot straks.' Hij was vergeten haar het broodje te geven.

Toen ze thuiskwam, was het te warm in de flat. Ze had de thermostaat niet laag gezet voordat ze naar de rouwdienst ging. Ze maakte zich zoals elke maand vaag bezorgd dat ze de rekening van het energiebedrijf niet zou kunnen betalen. Ze ging op de bank zitten en dronk zo uit de fles. Ze ging de keuken in, prikte met een vork in het stoofvlees en at er een paar happen van. Het smaakte lekker, dus ze schepte er wat van in een kom en zette het in de magnetron.

Toen het warm was, ging ze weer naar de woonkamer, en nam het met macaroni beplakte papieren bordje mee dat Nate voor haar had gemaakt. Ze ging op de bank zitten. Ze streek met haar vingers over de macaroni op het bordje en at van het stoofpotje, dat warm was en heerlijk smaakte, zoals iets wat een moeder zou kunnen maken voor haar gezin. Ze dronk tot ze de vertrouwde, troostende vergetelheid van de drank vond, terwijl ze met haar vingers over de macaroni op het bordje bleef gaan. Ze hoopte dat Trevor niet zou komen, maar ze wist dat hij dat wel zou doen. Ze wist dat als ze niet wegging uit Angels Crest, Trevor altijd zou blijven komen. Hij zou er altijd zijn. Wanneer ze hieraan dacht in dronken toestand, leek dat niet zo erg, maar tegelijkertijd leek het vreselijk.

Ze stond op. Ze dacht aan haar zoontje, haar jongetje wiens gezicht ze gestreeld had, maar ook geslagen, wiens gezicht haar lief en dierbaar was, haar jongetje dat in hun eerste nacht in het ziekenhuis boven op haar had gelegen, terwijl zijn kleine voetjes hem ondersteunden en zijn rimpelige lijfje dwars over haar borst lag, haar jongetje als een ster. Ze ging naar buiten, ging achter het motelachtige hekwerk voor haar flat staan en keek omhoog naar de hemel. De verlichting van het flatgebouw was te fel om sterren te kunnen zien, en daarom pakte ze haar jas, haar fles en haar sigaretten en ging naar het parkeerterrein, zo ver mogelijk van de verlichte ramen af.

Haar adem vormde dikke wolken in de koude lucht. De nacht was zwart en strak. Ze dronk en rookte en keek omhoog naar de sterren. Ze zag de sterren, koos er weer eentje uit en begon tegen Nate te praten alsof hij nog leefde. Ze zei tegen hem dat ze van hem hield, dat ze spijt had, dat ze altijd van hem zou houden, wat er ook gebeurde. Ze zei dat ze natuurlijk wilde dat hij niet was doodgegaan, maar ook dat hij niet op die manier was doodgegaan. Ze zei tegen hem dat ze hoopte dat hij niet geleden had. Ze had het gevoel dat Nate vlak bij haar was. Ze dacht er niet meer aan dat hij wild door het bos had gerend. Ze zag hem nu als een ster, die helder straalde aan de hemel, voor altijd en eeuwig.

Rechter Jack Rosenthal

Eén eigenschap waarop Jack altijd trots was geweest, was zijn vermogen zijn eigen emoties te kennen en te begrijpen. Het kabbelen van zijn vreugden en ergernissen. Hij schreef deze kennis toe aan zijn levenslange streven zich te gedragen in overeenstemming met de Torah, met het geloof. Elke onvrede kon altijd met deze truc worden opgelost – het gebed in afzondering. Op deze manier kon hij altijd het zaad vinden waar zijn onvoldaanheid uit voortkwam.

Maar toen Ethan Denton in zijn rechtszaal verscheen, voelde Jack een vreemde duizeling over zich komen, een gevoel dat de wereld in duigen viel en dat er niets was, zelfs geen God, om zich aan vast te houden. Hij herinnerde zich niet dat hij ooit zo'n hulpeloos gevoel van vallen, van instorten had gehad. Hij was een rechter, een vader, een geleerd man, een godvruchtig man. Hij was een man die gerespecteerd werd, iemand die de mensen vertrouwden en tot wie ze zich wendden. Op latere leeftijd hadden jonge mensen zich zelfs tot hem gewend als surrogaat voor hun eigen afwezige of dode vader. Jacks gevoel van verlies toen Ethan zijn rechtszaal binnensjokte, was angstwekkend. En op zijn beurt werd hij door zijn eigen angst verdoofd.

Ethan, zag hij nu, was een gebroken man. Volkomen deemoedig gemaakt door zijn verdriet. Jack dacht aan Job, maar hij zag dat Ethan geen geloof had om het onder de omstandigheden van zijn leven nu vol te houden. Hij was een man die nergens heen kon, die nergens troost kon vinden. Jack zag ook Ethans voormalige echtgenote, de vrouw met de roze geverfde streep haar aan één kant van haar hoofd. Hij vroeg zich af hoe het voor haar moest zijn om daar

te zitten, achter de vader van haar dode kind, de man die verantwoordelijk was geweest voor zijn dood.

Hij was opgelucht en helemaal niet verbaasd toen Ethan schuld
bekende. Hij zag dat een man die zo gebroken was eigenlijk niets
meer te vrezen had. Hij luisterde zwijgend naar de bekentenis en hij
zag de pijn in Ethans gezicht. Hij stelde zich voor dat hij in Ethans
schoenen stond en dacht daarbij aan zijn zoon, Marty. Hoe zou het
voelen als Marty in het bos was verdwaald en doodgegaan? Als
Marty niet eens lang genoeg had geleefd om de juwelen van zijn
moeder te stelen, of om hem te beledigen? Jack vroeg zich af of het
verdriet in verband met Marty anders zou zijn geweest als het door
de tijd verzacht was. Hij schaamde zich dat hij hierover nadacht, dat
hij bijna wenste dat zijn zoon jong en onschuldig gestorven was, in
plaats van lang genoeg te leven om hem pijn te doen.

Terwijl Ethan voor hem stond, bijna edel in zijn ellende, zag Jack
wat voor een pietluttige, laffe man hij zelf was geworden. Voor het
eerst vroeg hij zich af of het afschuiven van zijn verantwoordelijkheid voor zijn zoon naar God het begin was geweest van al zijn ob-
stinate ideeën en van het machteloze gevoel dat hij nu had.

Aan het eind van de officiële gebeurtenis keek Jack in Ethans ogen
en toen wist hij dat Ethan hem herkende. Terwijl hij de man bleef
aankijken zag hij in hoe dom hij was geweest. Dat hij hier als rechter
zat nadat hij naar de jongen had gezocht, nadat hij bij het mortuarium
was verschenen maar was weggedoken; dat vormde een belangen-
conflict dat zo groot was dat, als iemand erachter kwam, hij zijn lange
en eerbiedwaardige carrière zou afsluiten met een schandvlek. Hij
was benieuwd of Ethan iets zou zeggen, maar toen ze elkaar aanke-
ken, zag hij dat Ethan het waarschijnlijk voor zich zou houden. Ethan
was een stoïcijns mens. Jack wist intuïtief dat Ethan een man was die
niet gemakkelijk praatte. Een man voor wie woorden bijna nooit
werkten.

Na afloop reed Jack naar huis en schonk een glas whisky voor zichzelf in. Hij zag dat de kruiden van zijn vrouw als gevolg van de kou en
door verwaarlozing waren doodgegaan. Hij nam de kleine potjes met
planten van de vensterbank en bracht ze naar buiten. Daar liet hij ze
staan, omdat hij het niet kon opbrengen om ze weg te gooien. Hij had
een vage hoop dat ze net als overwinterende dieren in het voorjaar weer

tot leven zouden komen. Hij besefte dat hij niets wist over planten of tuinieren, over de dingen waarvoor zijn vrouw een diepgewortelde hartstocht had. Hierdoor was haar afwezigheid nog pijnlijker voelbaar.

Hij ging op de bank zitten, trok zijn das los, dronk met kleine teugjes van de whisky. God, wat had hij een hekel aan stropdassen, met hun saaie, conservatieve patroontjes en de manier waarop ze als een strop om zijn nek zaten. Hij vroeg zich af welke idioot de stropdas met zijn symbolische masochisme had uitgevonden. Het leek plotseling bizar, of zelfs gestoord, dat mannen rustig de hele dag rondliepen met een decoratieve strop om hun nek.

Hij voelde zich eenzaam en verbitterd. Hij schonk zich nog een borrel in en ging naar zijn slaapkamer, de kamer waar hij vroeger samen met zijn vrouw had geslapen. Hij ging op het bed liggen en staarde naar het plafond. Hij kreeg steeds beelden voor ogen van dat jochie dat door het bos rende. Hij zag beelden van Marty als jongen, die buiten onder en in de bomen speelde, lachend. Hij stelde zich Marty voor als volwassen man, een drugsverslaafde, die door het huis sloop en spullen stal om zijn drugs te betalen. Hij zag zichzelf door het bos zwerven om de zoon van een ander te zoeken, terwijl hij eigenlijk zijn eigen zoon had moeten redden.

Toen de telefoon ging, schrok Jack zo dat hij wat whisky morste op zijn overhemd en das. Hij deed de das af en gooide hem walgend door de kamer. Hij nipte van zijn whisky. Hij wilde niemand spreken. Hij was boos en verbitterd en hij wist dat hij toch een vonnis zou moeten uitspreken over een man die voorzover hij het had gezien een fout had gemaakt. Een fóut. Had hij het recht om een andere man te dwingen tot boetedoening terwijl in feite de enige misdaad die gepleegd was, bestond uit egocentrisch en roekeloos handelen? En werd Ethan, die zijn verdere leven elke dag in de spiegel naar zichzelf moest kijken, al niet genoeg gestraft doordat hij nog leefde en het dus telkens opnieuw moest doormaken?

De telefoon hield op met rinkelen en het antwoordapparaat nam op maar hij hoorde alleen stilte, het geluid van iemands ademhaling en vervolgens de klik van iemand die ophing. Jack dacht meteen aan Marty. Ethans hoorzitting was over een week. Welk vonnis moest Jack vellen over een man die zichzelf hoogstwaarschijnlijk al had veroordeeld tot een leven van spijt en verdriet?

Ethan

In de week voor de uitspraak dacht Ethan telkens weer dat hij ergens in de toekomst zou terugkijken op deze week en dat hij zich er niets van zou herinneren. Hij had een manier gevonden om zijn leven op te schorten, om het zonder al te veel moeite voorbij te laten zweven. Hij dacht niet aan de feiten die zijn verdriet veroorzaakten. Het hing over hem heen als een dunne, doffe nevel.

Hij deed niet open wanneer er iemand langskwam. Hij nam de telefoon niet op. Eén keer zag hij Cindy staan bij de grens van zijn terrein, eenzaam en treurig, maar hij ging niet naar buiten om met haar te praten.

Wel reed hij in die week voor de uitspraak elke dag naar de plek waar zijn zoon zijn laatste rustplaats had gevonden. Hij nam speelgoed, bloemen en foto's mee. Hij vulde de plek op met alles wat hij kon vinden. Op een koude, heldere nacht werd hij wakker en zag dat het kwik tot meer dan tien graden onder nul was gezakt. Hij reed de berg op met een jasje van Nate. Hij legde het warme jasje over de plek waar Nate was gestorven. Hij had het gevoel dat hij langzaam krankzinnig werd.

De media hadden zich teruggetrokken. Nu de jongen dood was en de rouwplechtigheid voorbij, wachtten ze alleen nog op de uitspraak. Het dorp had zich gesloten rondom Ethan; de mensen hadden een fort van solidariteit en stilzwijgen gebouwd. Niemand wilde meer met de verslaggevers praten, zelfs de zatlappen niet. Maar hij wist dat ze in de stad op hem wachtten. Hij wist dat ze er zouden zijn, aasgieren als ze waren; ze zouden hem achtervolgen, hem uitdagen met hun gretige vragen, hun hongerige nieuwsgierigheid.

De dag van de uitspraak brak aan. De zon straalde fel en geel en het was bijna onmogelijk om zonder zonnebril naar de sneeuw te kijken. Ethan had het gevoel dat hij in een martelkamer van licht en schoonheid was beland, omdat hij de schoonheid niet kon bevatten, en de weldadige werking van de zon niet kon voelen.

Cindy was bereid met hem mee te gaan voor het geval hij daar moest blijven. Hij moest een lift hebben en ze bood aan te rijden, wat hem wel en ook weer niet verraste. Toen ze bij hem aankwam, rook ze naar drank en parfum. Hij zag dat ze een rok droeg, met nette, zwarte schoenen en kousen. Hij had haar nog nooit in dit soort kleding gezien. Hij werd er een beetje verdrietig van, omdat de schoenen van plastic waren en de rok er goedkoop uitzag. Zelf had hij een das om die hij van Glick had geleend. Die was ouderwets, breed aan de onderkant, en hij rook naar mottenballen. Ze zagen eruit als wie ze waren en daar schaamde hij zich voor. Hij keek naar Cindy en pakte haar hand. Het was onuitstaanbaar ironisch dat ondanks alles wat ze hadden doorgemaakt, Cindy de enige mens was die hij kon verdragen.

Onderweg haalde ze haar zakflacon tevoorschijn en gaf die aan hem. Hij nam een slokje.

'Het is koud buiten,' zei hij. Het weer. Stom. Zo banaal. Zijn verdriet maakte het te moeilijk om ergens anders over te praten dan onbelangrijke dingen.

'Het is altijd beter wanneer het sneeuwt,' zei ze.

'Is het niet vreemd dat het alleen heeft gesneeuwd toen Nate zoek was, en op de dag van zijn rouwdienst? Is het niet raar dat het daarna helemaal niet meer heeft gesneeuwd?'

Cindy knikte. 'Het is alsof alle rottigheid tegelijk kwam en het erger maakt.'

'Dat heb ik nou de hele week lopen denken. Misschien, als het niet gesneeuwd had...'

'Daar moeten we niet aan beginnen, Ethan.'

Hij hoorde het onuitgesprokene in de lucht. De eigenlijke vraag, de eigenlijke beschuldiging was: misschien, als hij zijn zoontje om te beginnen niet in de auto had achtergelaten.

'Ik zweer het, Cindy. Ik weet niet waarom ik het heb gedaan.'

Ze nam nog een slokje. 'Gedane zaken nemen geen keer, Ethan. Je moet jezelf niet kwellen. Het is gebeurd.'

Hij stak zijn hand uit en ze gaf hem de whisky aan. Hij nam een lange teug. Hij was blij met de warmte die de drank gaf. Hij vroeg zich af of hij vannacht in de gevangenis zou zitten. Zou hij naar een federale strafinrichting gaan? Hoe lang zou hij achter de tralies moeten blijven? De gedachte hieraan boezemde hem geen angst in. Hij was iets verschuldigd, niet aan de wereld, maar aan zijn zoon. Wat hem vooral stoorde, was dat de maatschappij zich dit als haar probleem had toegeëigend. Hij wenste, niet voor het eerst, dat er geen wetten waren, geen mensen die hem hun ideeën over boetedoening en genoegdoening oplegden. Zijn lijden was totaal. Geen gevangenisstraf, hoe lang ook, zou daar iets aan veranderen. Hij geloofde niet dat hij de maatschappij iets moest terugbetalen. Hij wilde alleen een manier vinden om zichzelf te vergeven, om aan Nate, waar hij ook was, te laten zien dat hij spijt had.

Toen ze het gerechtsgebouw naderden, begon zijn hart in zijn borstkas te bonzen. Hij besefte dat hij bang was. Hij was bang voor de media en de starre formaliteit van de instanties die gerechtigheid uitreikten. Hij maakte zich zorgen over Cindy. Ze leek zo breekbaar, zo gebroken.

'Nou, daar gaat-ie dan,' zei Ethan. Hij keek naar Cindy en ze ademden allebei tegelijk diep in en stapten uit de auto. Onderweg naar de trappen van het gerechtsgebouw werden ze bestormd door de media. Lampen flitsten. Verslaggevers bestookten hen met vragen. Ethan wilde dat de sheriff bij hen was. Plotseling verscheen mevrouw Cervantes en rende de trap van het gerechtsgebouw af.

'Waarom heb je me niet teruggebeld?' vroeg ze. Ze leek boos te zijn. 'Ik heb je de hele week gebeld. Waar was je al die tijd?' Toen wendde ze zich naar de mediamensen en riep: 'Geen commentaar,' terwijl ze Ethan en Cindy vlug meenam, de trap op en het gebouw in.

'Heb je een verklaring voorbereid? Als je me had teruggebeld, Ethan, hadden we de gang van zaken kunnen doornemen.' Mevrouw Cervantes maakte een boze indruk. Ethan begreep niet waarom ze zich zo opwond. Dit gebeurde niet met haar. Niets leek nog ergens op te slaan nu hij hier was. Hij had het gevoel dat hij eindelijk toch krankzinnig was geworden omdat het plotseling zo lachwekkend en surrealistisch leek. Droomde hij dit? Zou hij wakker worden? Hij had een duidelijk gevoel dat hij zo dadelijk uit bed zou rollen en Nate daar op het matrasje op de vloer zou vinden waar hij graag op sliep, warm ingepakt in de slaapzak.

Ze liepen snel door de gang. Het gebouw leek verlaten. Hij had het gevoel dat zij de laatste mensen op aarde waren. Ze sloegen een hoek om en beklommen de trappen, mevrouw Cervantes met twee treden tegelijk op haar dure, zwarte pumps. Het viel Ethan op hoe slank en strak haar kuiten waren, wat een mooi figuur ze had. Hij zag haar al voor zich in de sportschool, rennend op een lopende band. Hij zag mannen naar haar loeren.

Toen ze ten slotte bij de rechtszaal van rechter Rosenthal aankwamen, liepen daar overal mensen rond. Hij besefte dat de media zich vlak voor de deuren van de rechtszaal hadden opgesteld, als een hinderlaag. Een explosie van vragen vulde de lucht. Flitslampen ploften. Cindy pakte Ethans hand en begon te huilen.

Ze wisten binnen te komen en Cindy liet zich in een stoel neervallen. Ethan en mevrouw Cervantes gingen naast haar zitten. De rechter was al aanwezig. Hij was bezig een zaak te behandelen. Er waren verschillende advocaten die het woord voerden. Een ervan zei: 'Edelachtbare, ze was de stad uit om bij de begrafenis van haar moeder te zijn. Ze is 'm niet gesmeerd. Ze was bij de begrafenis van haar moeder.'

Mevrouw Cervantes draaide zich naar Ethan toe. Ze boog zich naar hem over en deed zijn das recht. Hij vond het raar, maar er was een vreemde passiviteit over hem gekomen en hij zei er niets van. Hij stelde zich voor dat ze dit ook deed bij haar man, afwezig, dat het niet zozeer een daad uit liefde was, maar uit gewoonte.

'Rechter Rosenthal is een redelijk en fatsoenlijk man,' zei ze. 'Ik heb uit betrouwbare bron vernomen dat je de minimumstraf zult krijgen. Ontspan je maar. We komen hier wel doorheen als we niet op de zaken vooruit lopen.'

Ze keek snel opzij naar Cindy. Ze knikte haar toe en Cindy ging rechtop zitten en depte haar ogen droog. Ethan zag dat ze haar goedkope tas vastgeklemd hield in haar ene, en een verfrommelde tissue in haar andere hand. Hij stak zijn hand uit en pakte de hare, zodat ze haar tas los moest laten; die kwam in haar schoot te liggen, onopgemerkt en treurig om te zien. Ze bleef zacht, geluidloos huilen. Hij zag de laatste vijf jaren van haar leven uit haar ogen stromen. Hij boog zich naar haar toe. 'Het is goed. Het is goed.' Hij zei het wel tien keer. Ze bleef maar knikken en huilen.

'Heb je iets voorbereid om te zeggen? Ethan? Heb je je erop voorbereid iets tegen de rechter te zeggen voordat hij uitspraak doet?'

'Ik ben het vergeten...' Hij was het niet vergeten. Dat was het niet. Het kon hem alleen niet meer schelen. Niets deed er meer toe.

Plotseling stonden ze voor de rechter. Ethan vroeg zich af wat hij zou zeggen. Hij keek om naar Cindy. Ze zat nog steeds zacht te huilen. Hij keek op naar de rechter en zag dat de man er vreselijk uitzag, alsof hij de hele nacht niet geslapen had. Hij maakte een haveloze indruk. Zijn gezicht stond somber.

'Goedemorgen,' zei de rechter.

Mevrouw Cervantes glimlachte, een strak lachje. Ze knikte. Bij de andere tafel, links van hen, stond de aanklager met zijn handen op zijn rug in elkaar geklemd. Hij stond kaarsrecht, met een uitdrukkingsloos gezicht. Ethan verwachtte dat hij iets zou voelen, iets van haat, maar toen hij naar de man keek, voelde hij er niets bij. Zijn hart bonsde zwaar in zijn borst. Mevrouw Cervantes en de aanklager gingen zitten. Ethan ging ook zitten. Er ging een moment voorbij. De rechter keek in een dossier. Ethan zag dat de handen van de rechter erg trilden.

'Ga uw gang,' zei de rechter. 'Meneer Kraft.'

De aanklager stond op. 'Dank u, edelachtbare.' Hij begon te spreken, maar Ethan hoorde niets van wat hij te zeggen had. Hij besefte dat dit alles niets voor hem betekende. De aanklager praatte maar door. Hij zei telkens hoe vreselijk deze zaak voor hem was geweest, dat hij er persoonlijk onder had geleden. Ethan vond het ongeloofwaardig. Wie waren deze mensen? Hoe hadden ze zijn leven weten binnen te dringen zonder dat hij het wilde? Hij dacht even aan Glick die zo lang in de gevangenis had gezeten voor iets wat hij niet gedaan had. Hij voelde de enorme macht van de wet, als van een op hol geslagen trein. Hij zag dat die als hij eenmaal op gang was gekomen, door niets kon worden tegengehouden, dat je er niet aan kon ontkomen.

Toen nam mevrouw Cervantes het woord. Ze zei tegen de rechter dat hij mild moest zijn, dat geen enkel vonnis de afschuwelijke straf kon evenaren die Ethan nu al onderging. Ten slotte boog mevrouw Cervantes zich naar hem toe en fluisterde tegen Ethan: 'Ga je gang.'

Ethan keek haar aan. Ze fluisterde: 'Sta op. Heb je geen verklaring voorbereid?'

Ethan stond op. Het was net alsof hij zich onder water bevond, alsof alles gebeurde in een traag, troebel onderwatertempo. Alsof het een droom was. Hij bevond zich in zo'n droom waarin hij probeerde ergens voor weg te vluchten, maar zijn armen en benen niet kon bewegen. Hij schraapte zijn keel. De rechter keek Ethan aan, die het gevoel kreeg dat de rechter een antwoord van hem wilde horen, alsof Ethan de geheimen van het universum kende en niet berecht werd omdat hij zijn zoontje had gedood. De rechter leek ademloos te wachten, op het puntje van zijn stoel.

Ethan keek naar de vloer en begon te spreken. Hij zei: 'U kunt niet weten hoe ellendig ik me voel. U kunt mijn pijn niet begrijpen. Er is niets wat u, of de wet, of deze rechtbank kan doen dat me zwaarder zal straffen dan de straf die ik voel. Het maakt me eigenlijk niets meer uit. Kon ik maar van plaats ruilen met mijn zoon; alleen dan zou ik genade vinden.'

Ethan voelde dat hij begon te huilen. Het begon tot hem door te dringen dat er in dit leven werkelijk niets meer voor hem was.

'Ik zal de straf uitzitten die u me oplegt, meneer de rechter. Maar u moet weten... u moet weten dat niets mijn zoontje terug kan brengen. Niets. Het is te laat voor een redding. Te laat.'

Hij ging zitten. Hij wist eigenlijk niet wat hij zojuist had gezegd. Hij wist niet wat hij ermee bedoelde dat het te laat was voor een redding. Hij begreep niets van wat hier gebeurde, in dit gebouw, ver van de plek waar zijn zoontje was gestorven. Nu zag hij de dood van zijn zoontje in scherp contrast met dit vreemde gebeuren, deze exotische formaliteit.

Ten slotte begon de rechter te spreken. Maar weer hoorde Ethan de woorden niet. Hij merkte alleen op dat de rechter er ongelukkig en zorgelijk en bangig uitzag, alsof er iets veel groters op het spel stond. Alsof zijn hele leven hiervan afhing, van dit moment, deze plaats, deze tijd, deze mensen.

Op het eind keken ze elkaar heel even diep in de ogen en de rechter, die plotseling ziek leek te zijn, wendde zich af voordat hij Ethan veroordeelde tot therapie, dienstverlening en een minimale gevangenisstraf – dertig dagen. Hij vroeg aan Ethan wanneer hij wilde beginnen deze straf uit te zitten. Ethan keek naar mevrouw Cervantes. Ze trok haar wenkbrauwen op. Hij fluisterde in haar oor. 'Morgen,' zei hij.

Toen was het opeens voorbij. Ethan moest wat formulieren invullen en met de cipier afspreken hoe laat hij zou komen. Toen hij met Cindy naar buiten liep, stonden de media ademloos op hen te wachten, kwijlend. Een paar plaatselijke dienders vormden een soort barricade rondom Ethan, maar het kon hem niets meer schelen omdat hij wist dat niets hem ooit nog kon deren, of raken, of van streek maken. Zijn verdere leven zou gewijd zijn aan Nate. Alleen aan Nate.

Toen Cindy en hij in de auto zaten, Cindy achter het stuur, reden ze weg van het parkeerterrein. Cindy reed een hele tijd door zonder dat een van hen iets zei. Toen lag de stad achter hen en reden ze eindelijk over de landelijke wegen tussen de avocadobomen en sinaasappelplantages, de notenbomen met hun zilverkleurig blad, wuivend in het licht en de wind.

Cindy hield stil onder een bord naast de weg waarop de afslag werd aangegeven naar Angels Crest, 354 inwoners, en naar Los Angeles, bijna 650 kilometer de andere kant op. Ethan herinnerde zich plotseling hoe ze met hun kleine, pasgeboren baby'tje uit het ziekenhuis op weg naar huis waren en dat hij toen bij ditzelfde bord was gestopt. Cindy had even geprotesteerd omdat ze pijn had en naar huis wilde, maar hij haalde een stuk papier uit het handschoenenvak en schreef er het cijfer 5 op. Toen zocht hij wat isolatieband en ging naar buiten, en plakte het papier met het band over het cijfer vier op het bord, zodat er kwam te staan: ANGELS CREST 355 INWONERS.

Hij keek naar Cindy en zag dat ze aan hetzelfde dacht, hetzelfde moment herbeleefde. Opeens zaten ze te snikken; ze hielden elkaar vast en huilden. Ethan liet zijn tranen de vrije loop. Hij hield ze niet tegen, hij probeerde niet zijn verdriet te beteugelen. Het stroomde vrijelijk als een bergbeek in het voorjaar, zuiver, wit en helder. Zo hielden ze elkaar een hele tijd omvat, en voor Ethan was het alsof hij ergens zat waar alleen herinneringen bestonden, die als lichtende sluiers voorbij schoven, maar jammer genoeg volkomen ongrijpbaar bleven.

Uiteindelijk verbrak Cindy de stilte. 'Ik zit hier bij deze splitsing van de weg,' zei ze. 'En ik wil de andere kant op.'

Later viel de avond, en een felle koude leek zich over het dorp te verspreiden als een slapend, zwaar dier. Er was niemand op straat. Angie's was verlaten. De media hadden hun biezen gepakt. Duisternis. Een schitterend baldakijn van sterren. Ethan en Cindy gingen langs bij de drankwinkel en Ethan bleef in de auto zitten en hield zich zo goed als het ging schuil terwijl Cindy wat drank en wat eten haalde. Ze hadden besloten dat ze aan Walter, de eigenaar van de drankwinkel, zou vertellen wat er gebeurd was, omdat hij de grootste roddelkous van het dorp was, zodat iedereen het op deze manier te weten zou komen.

Toen ze in Ethans huis waren, haalde Ethan al het geld uit zijn zakken, ook de drie kwartjes die hij op de eerste dag van de zoektocht in Glicks truck had gevonden. Daarna ging hij bij Cindy op de bank in de woonkamer zitten, in het huis dat ze vroeger samen hadden bewoond als man en vrouw. Ze dronken tot ze het er allebei over eens waren dat ze niets meer voelden behalve de doffe pijn van hun verdriet. Er lag hier en daar nog wat speelgoed van Nate, en Cindy ging een plastic vuilniszak halen en begon er speeltjes in te gooien. Ze ging alle kamers af terwijl Ethan in de keuken zat en haar heen en weer zag lopen. Ze raapte alles op – speelgoed en rondzwervende kledingstukken – en stopte het in de zak. Toen ze hiermee klaar was, ging ze weer zitten.

'Ik zal je helpen met de rest,' zei ze. 'Een andere keer.'

'Je bent sterker dan ik ooit zou hebben gedacht,' zei Ethan.

'Gek, dat er iets heel ergs nodig is om het beste in mensen te ontdekken.'

Ethan leunde naar achteren op de bank. Hij zei: 'Laten we gaan slapen.'

Ze stonden allebei op en gingen naar de slaapkamer. Ethan deed geen licht aan. Ze gingen met hun kleren aan op bed liggen – Cindy in haar goedkope rokje en Ethan met de geleende das – en omarmden elkaar. Na een poosje pakte Ethan de opgevouwen extra deken die op het voeteneind van het bed lag, en trok die over hen heen.

'We komen hier wel doorheen,' zei Ethan.

'Vast wel,' zei Cindy.

Korte tijd later viel Ethan, met het vertrouwde, rustgevende gewicht van Cindy naast zich, in een droomloos landschap, verstard onder de lijkwade van het verdriet.

Glick

Glick vond het heel vervelend dat de enige das die hij aan Ethan kon lenen uit de mode was, met schreeuwerige, vieze kleuren – blauw en een tint oranje waar hij een beetje misselijk van werd – en te breed aan de onderkant. Het was dezelfde das die hij gedragen had toen hij zelf met de wet in aanraking was gekomen, in de tijd dat die kleuren hoogst modieus waren en dat hij jong en onschuldig genoeg was om te denken dat de handen van justitie de fout zouden herstellen en een eind zouden maken aan zijn nachtmerrie.

De wet, dacht hij vroeger, was eerlijk. Een onschuldig man zou nooit gestraft worden, omdat de wet zo'n onrechtvaardigheid niet zou dulden. Nu had hij een ander idee over eerlijk en rechtvaardig. En die das, die hij wel had gehouden, bleef achter in zijn kast hangen, als herinnering aan die tijd, toen alles verloren leek te zijn.

Hij raadde Ethan aan naar het dorp te gaan om een nieuwe das te kopen, maar die zei dat hij daar geen tijd voor had. Toen Glick zei dat hij mee zou gaan naar de stad, om hem daar te steunen, schudde Ethan heftig van nee.

'Nee, man,' zei hij. 'Cindy heeft gezegd dat ze me er met haar auto heen zal brengen.'

Glick dacht dat hij het begreep. Het verbaasde hem niet dat die twee – Cindy en Ethan – dit samen wilden doormaken. Hij herinnerde zich hoe ze van elkaar hadden gehouden, zo heerlijk vastbesloten. Hij herinnerde zich ook hoe erg ze elkaar waren gaan haten. De hartstocht tussen hen beiden – liefde, haat – dat deed er niet toe. Die zou er altijd zijn. Hij begreep dat zij beiden iets hadden wat hen verbond, het enige wat ze allebei konden liefhebben – hun zoontje.

Daarom wenste hij Ethan het beste en zei dat hij moest bellen wanneer het voorbij was. Die avond zaten Angie en hij te eten toen ze hoorden dat Ethan veroordeeld was tot slechts dertig dagen gevangenisstraf. Daar waren ze blij om. Angie zei dat ze morgen misschien bij Ethan langs konden gaan, hem wat eten brengen. Misschien, zei ze, zou hij nu blij zijn met gezelschap.

De volgende morgen, toen Angie in het restaurant aan het werk was, ruimde Glick het erf op en repareerde een paar dingen die kapot waren – de hordeur moest een nieuw scharnier hebben, de laden in de keuken liepen vast, in de kinderkamer was een boekenplank losgeraakt. Hij ging lunchen in het restaurant en Angie en hij kusten elkaar in het laantje achter de keuken, terwijl haar kleindochter sliep in haar bedje, met haar fotoalbum op de vloer naast haar alsof ze het in haar slaap had laten vallen.

Later nam hij de hond mee uit in het bos, en ze liepen kilometers in het wegstervende licht. Het was een koude, mooie dag; het was stil door de nadering van de winter, alles wachtte op de stille eenzaamheid van het seizoen, wachtte tot deze onderbreking afgelopen zou zijn, tot de lente zou weerkeren.

Onder het lopen besefte Glick dat zijn hart niet langer vol was van dat verwachtingsvolle gevoel. Hij zag de winter zoals die was, hij dacht niet aan daarna. Hij hoopte niet op iets beters, op het einde van iets, op het begin van iets. Het had jaren geduurd, maar nu voelde hij zich voor het eerst geworteld in het hier en nu.

Hij liep naar het begin van het pad naar Angels Crest. Hij herinnerde zich hoe hij Nates lichaam had gevonden en hij liep langs de plek waar de rouwdienst was gehouden. Bij het kruis lag nu een stapel speelgoed en kleren, en Glick voelde een steek in zijn hart voor Ethan. Hij zag verse voetsporen in de sneeuw die van deze plek weggingen, in de richting van Angels Crest. Hij volgde ze een tijdlang, omdat hij op de een of andere manier wist dat ze van Ethan waren. Hij dacht even dat hij zijn oude vriend moest zien te vinden, om er zeker van te zijn dat er niets met hem aan de hand was, maar hij wist dat Ethans leven voortaan getekend zou zijn door zijn verdriet en dat hij waarschijnlijk behoefte had aan de troost van de bossen, de stilte van het woud. Toen besefte hij dat Ethan waarschijnlijk al in de gevangenis zat, dat hij al aan de eerste dag van zijn straf was begonnen. Glick had een vaag schuldgevoel omdat zijn eigen leven juist in orde leek te zijn gekomen. Zomaar opeens. Hij was niet gewend aan de gedachte dat hij voortaan misschien gelukkig zou zijn.

Hij bleef even staan en keek naar de top van Angels Crest, die omhoog stak in de koude, blauwe lucht. Hij luisterde naar de wind die door de hoge sparren woei. Ergens krijste een gaai, toen was het weer stil. De hond bleef ook stilstaan en luisterde. Overal om hen heen glinsterde de sneeuw in het wegstervende daglicht. De zilverige geur van het bos vervulde hem met kalmte. Glick keek achter zich en kon door de bomen al het speelgoed zien dat opgestapeld lag bij de plek waar hij Ethans zoontje had gevonden. Weer keek hij omhoog naar de schitterende bergtop en hij zag als het ware van grote afstand de brede vlakte van zijn leven, het slingerende pad dat hem tot hier had gebracht, naar deze plek, naar dit moment in de tijd. Hij dacht aan wat hij allemaal had doorstaan, aan wat nog allemaal zou komen. Hij knielde neer en streelde de hond en zei: 'Kom, Hond, we gaan naar huis.'

Rocksan

De dag nadat het vonnis van Ethan als een lopend vuurtje door het dorp was gegaan, werd Rocksan wakker van de geluiden van Melody en George. Ze hoorde George zeggen: 'Weet je het zeker? Heel zeker?' En Melody riep: 'O god, het doet zo'n pijn.'

Ze keek naar Jane die naast haar in bed lag. Op dat moment gingen Janes ogen open en Rocksan en zij sprongen onder de dekens vandaan. Als een stel oude, bibberende tantes pakten ze elk hun ochtendjas en renden ze door de gang naar de logeerkamer.

'Jongens,' zei Jane. 'Gaat het wel goed met jullie?'

Melody deed de deur open. 'Het is zover,' zei ze. Eerst leek ze zo kalm als een zomerbriesje. Warm en soepel en rustig. Toen zag Rocksan dat ze transpireerde en dat haar handen trilden, en dat ze haar buik vasthield. 'Het doet pijn, Jane,' zei ze. 'Waarom heb je niet gezegd dat het zo'n pijn doet?'

George was bezig kleren in een koffer te gooien. Hij had een pyjamabroek aan en geen jasje.

'Hoe ver is het naar dat verdomde ziekenhuis? Halen we het nog op tijd?'

'Hou op met dat gevloek, George. Daardoor komen de weeën nog sneller,' zei Melody.

'Ik haal de auto,' zei Rocksan. Toen wendde ze zich naar Melody. 'Je bent te vroeg.'

'Mijn timing is nooit erg goed geweest,' zei Melody. Toen vertrok haar gezicht en ze greep naar haar buik en gaf een gil. 'Ik geloof dat ik maar hier in huis blijf, dan krijg ik dit kind gewoon hier op de vloer.'

'Dat had je gedacht,' zei George.

Plotseling keek Rocksan naar Jane en Jane keek naar Rocksan en zonder erbij na te denken omhelsden ze elkaar. Heel even maar. Het was de kortste omhelzing die Rocksan zich kon herinneren, en toch had ze het gevoel dat er iets hersteld was, een soort scheur, een onmogelijke scheur die nooit helemaal kon worden dichtgenaaid, maar met wat nietjes en lijm zou het misschien ook wel lukken.

'Ik hou van je, Bonenstaak,' fluisterde ze. Haar hart klopte snel omdat er een baby op komst was en ook om iets anders wat ze niet kon verwoorden.

'Ik ook van jou,' zei Jane.

'Haal die klote-auto nou, verdomme,' zei George.

Melody keek Jane verontschuldigend aan. 'Zowaar als God mijn getuige is, ik heb hem nog nooit zo erg horen vloeken.'

Snel pakten Jane en Rocksan wat spulletjes in voor de rit naar het ziekenhuis, vijftig kilometer verderop. Zo hadden ze het gepland. Ze hadden zelfs opgebeld en met een verpleegkundige daar gesproken, om te zeggen dat ze er zouden komen kijken, een gesprek zouden hebben voordat de baby kwam.

Melody wist de trap nog af te komen, maar ze kwam niet verder dan de bank, waar ze ging liggen, kennelijk met veel pijn. Rocksan kon zien dat de weeën sneller kwamen en heviger waren. Melody schreeuwde het uit en zei toen: 'Ik denk niet dat ik het haal naar het ziekenhuis.'

'O, god,' zei George. 'Wat moeten we doen?'

'Stil, George,' zei Jane. Toen richtte ze zich op en zei: 'Melody, ga maar op de vloer liggen en trek dat nachthemd omhoog.'

Melody ging liggen. Haar gezicht vertrok van pijn en ze gaf een luide gil, en ook George gaf een gil. Melody bleef krijsen en tegen iedereen roepen dat het verdomde pijn deed. George werd steeds radelozer, echt iets voor een man, dacht Rocksan. En voor sommige potten.

'In vredesnaam, George, hou je rustig,' zei Jane.

Rocksan was verbaasd. Ze had Jane nooit in zo'n leidersrol gezien. Ze was er blij om, want het zag er verdomd naar uit dat Melody haar baby hier op de vloer van de woonkamer zou krijgen. Rocksan zag Jane Melody's benen uit elkaar doen en naar haar geslachtsdelen kijken. Toen keek ze naar Rocksan en zei: 'Het hoofdje van de baby is al te zien. Bel het ziekenhuis en vraag wat ik in hemelsnaam moet doen.'

Rocksan ging snel de telefoon pakken. Intussen was George stil geworden, blijkbaar uit ontzag voor dit wonder. Of anders met stomheid geslagen door doodsangst. Rocksan zei hem wat handdoeken te halen uit de gangkast, en omdat ze dit op televisie had gezien, droeg ze hem ook op naar de keuken te gaan en wat water op te zetten.

Ze belde 911 en werd verbonden met het ziekenhuis, waar een verpleegkundige aan de telefoon kwam en haar instructies gaf, die ze op haar beurt doorgaf aan Jane. Jane bleef intussen kalm en beheerst. Ze leek verdorie wel een krijger.

'Je ziet eruit als een krijger, Jane,' zei Rocksan. 'Je ziet eruit als een lesbische krijger, godbetert.'

Jane moest even lachen, maar toen hield ze op met lachen en zei: 'Daar komt de baby.'

Intussen lag Melody te schreeuwen en te grommen. 'Verdomme,' zei ze. 'Verdomme.'

'Persen,' zei Jane. 'Persen. Harder. Nog harder.'

'Godverdomme,' zei Melody. Haar gezicht was knalrood geworden. Aderen puilden uit op haar voorhoofd en in haar hals. Intussen had George de handdoeken gehaald, en Rocksan zag even iets van bloed en viezigheid en dacht eraan dat ze het straks allemaal weer moesten schoonmaken. Ze dacht aan hun huis, dit huis waar het spookte en dat smerig en vervallen was geweest toen ze het hadden gekocht, en hoe Jane en zij het weer hadden opgeknapt, met zoveel liefde en geduld als ze konden opbrengen. Ze dacht aan haar bijen, hoe stil ze in de kou wachtten tot de winter afgelopen was, en hoe hoopvol ze in het voorjaar uit de kasten vlogen en de bloemen leven brachten. Ze dacht ook aan haar vader, die haar in de steek had gelaten toen ze nog heel jong was, en ze wenste dat hij niet gestorven was zodat zij de kans kon krijgen om hem te vergeven, net als George die nu de kans kreeg om Jane te vergeven.

Toen floepte plotseling – het had iets van die zucht vlak voor een sneeuwstorm wanneer alles uiterst stil wordt, schitterend stil – het hoofdje van de baby naar buiten, Melody begon te huilen en daar was het kindje, in de armen van Jane de krijger. Een meisje.

'Niet te geloven,' zei Rocksan, 'moet je dat nou zien!'

Jane

Ze ving de baby in haar armen op en die spuugde en begon te
huilen. Rocksan, die een verpleegster aan de telefoon had, gaf
aan haar door hoe ze de navelstreng moest doorknippen, wat heel
gemakkelijk ging, en Jane keek naar haar zoon, maar ze kon hem
niet zien omdat alles wazig en wit was geworden, alsof ze bijna
flauwviel. Maar ze viel niet flauw, absoluut niet. In plaats daarvan
keek ze naar haar kleindochter en besefte dat er nu eens helemaal
geen woorden waren om haar gevoelens te beschrijven.

George was aanmerkelijk gekalmeerd. Hij was uiteindelijk bij
Melody's hoofd gaan zitten en had dingen in haar oor gefluisterd,
en dit scheen een kalmerende uitwerking op Melody te hebben gehad, zag Jane. Ze voelde iets van trots opwellen om de manier waarop hij zich vermande, om zijn fatsoenlijke instelling, om zijn gretigheid en zijn jeugd en zijn nieuwe baby. Om het leven dat hem als
vader wachtte.

Jane pakte een van de handdoeken die George had gehaald en
veegde de baby ermee af, want die was bedekt met een vreemd, wit-
tig laagje. De baby huilde aan één stuk door en Jane pakte haar in en
dekte haar hoofdje af en gaf haar aan Melody en George. Melody
legde de baby aan haar borst en het kindje hapte in de tepel en begon
te zuigen.

Nadat ze de baby had afgegeven, voelde Jane alles vanbinnen
draaien omdat ze inzag dat ze tegelijkertijd iets had gegeven en iets
had ontvangen. Ze zag dat het allemaal door elkaar liep, geven en
ontvangen, liefhebben en verlangen en nodig hebben, hebben en geven. Ze zag dat al haar zwakheden en haar gebrek aan moed, en alle

dingen die ze het meest verachtte in zichzelf, verdwenen waren toen de baby in haar armen viel. Ze dacht dat ze misschien nooit meer zou lijden, althans niet zoals ze de afgelopen twintig jaren geleden had.

Ze stond op terwijl de tranen over haar wangen stroomden. Ze keek naar Rocksan en begon te lachen. Ze zei: 'Ik ben altijd degene geweest die huilt.'

Rocksan lachte en Jane zei dat ze dadelijk terug zou zijn. Ze liep door de achterdeur naar buiten en keek naar het land en de lucht. In de verte stonden de bijenkasten, stil, verlaten, bijna troosteloos. Binnenkort zou de ambulance er zijn om de baby, Melody en George naar het ziekenhuis te brengen. Ze dacht even aan Nate en Ethan. Maar dat hield ze niet vol, en ze keek nog eens naar de kasten en wist dat ze vol met bijen zaten, levende, zoemende bijen, die straks in het voorjaar waanzinnig ijverig aan de gang zouden gaan, en de liefde zouden bedrijven met de wilde bloemen die massaal groeiden op alle vrije ruimte van hun stuk grond. Door het raam zag ze Rocksan aan de telefoon; ze vertelde het nieuws dat de baby er was waarschijnlijk al door aan haar zus. Ze dacht aan haar zoon, aan hoeveel er nog tussen hen moest gebeuren. Ze dacht dat ze straks stoofvlees ging maken en dat ze een fles wijn zou kopen.

Angie

Op de dag nadat het vonnis over Ethan was uitgesproken, verscheen hij 's morgens vroeg in het restaurant. Hij zei dat hij zich ging melden bij het gerechtsgebouw of bij de gevangenis. Hij zei dat hij eigenlijk niet wist wat hij nu geacht werd te doen, waar hij heen moest, maar dat hij op weg was naar de stad, dan was het maar gebeurd. Hij keek telkens achterom naar zijn truck op straat, en toen Angie ook een keer keek, zag ze dat zijn oude geweer tegen het achterraam van de truck stond, en dat zijn dikke winterparka over de loop hing.

'Het is maar dertig dagen,' zei hij. Hij vroeg om een beker koffie om mee te nemen. Hij knikte naar Angie en zei haar gedag. Om de een of andere reden viel het haar op dat hij zware wandelschoenen aanhad, en dat er handschoenen uit zijn achterzak staken.

Later kwam Glick langs, en terwijl Rosie sliep, stonden ze als een stel tieners te zoenen in het laantje. Ze voelde dat ze bloosde, ze had het warm en schaamde zich een beetje. Toen ze weer aan het werk moest, zei Glick dat hij met de hond ging wandelen, en voor het donker terug zou zijn.

Nadat hij was weggegaan, liep Angie naar het bedje waar Rosie in sliep en ze zag het fotoalbum dat voor de pinguïn in de plaats was gekomen als Rosies meest geliefde bezitting. Het lag geopend op de vloer en ze zag een foto van haar dochter, die haar toelachte. Angie raapte het album op en bestudeerde de foto; ze prentte alles van het gezicht van haar dochter in haar geheugen. Ze keek naar Rosie die slapend in het bedje lag en zag voor het eerst de gelijkenis tussen Rosie en Rachel. Het waren de ogen en de mond. Ze zag Rosies handje bewegen in haar slaap, het opende en sloot zich. Haar oogleden trilden even. Angie hoopte dat de dromen van haar kleindochter prettig en rustig waren en vol met blauwe en witte kinderdingen.

Op dat moment ging de deur van het restaurant open. Het was de oude, blinde predikant die binnenkwam voor zijn middagmaal en Angie sloot het fotoalbum, nadat ze nog één laatste blik op de foto van Rachel had geworpen. Toen nam ze de vaste bestelling op van de predikant: roggebrood met kaas onder de grill, met een schaaltje salade erbij.

Cindy

Toen ze wakker werd, lag Ethan nog naast haar te slapen en was het eerste ochtendlicht nog niet doorgebroken. Op de wekker was het vijf uur. Cindy voelde de kater, het verdriet, de ondraaglijke, afstompende pijn van haar leven. Ze probeerde zichzelf voor te houden dat die pijn over een jaar, of misschien over twee jaar, minder hevig zou worden. Ze probeerde zich voor te houden dat het verdriet weliswaar nooit helemaal weg zou gaan, maar dat het op een dag zou verdorren als een oude bergdistel, en zijn prikkende stekels zou verliezen.

Ze ging stil uit bed om Ethan niet wakker te maken en liep op haar tenen naar de woonkamer. De tas met speelgoed van Nate stond tegen de bank geleund. Op het aanrecht lagen een paar briefjes van twintig dollar en nog wat ander papiergeld, en ook drie kwartjes. Ze nam aan dat Ethan het geld niet dadelijk nodig zou hebben, omdat hij de komende dertig dagen drie warme maaltijden per dag en een bed zou krijgen. Daarom pakte ze het geld. Heel gewoon. Ze stopte het in haar zak.

Ze nam niet de moeite haar schoenen aan te trekken. Ze waren goedkoop en lelijk en ze gooide ze bij de vuilnis. Toen zocht ze haar sleutels op, pakte het restje van de whisky en glipte stilletjes naar buiten in de ijzig koude morgen.

Ze reed door het stille dorp en ging naar huis, naar haar poepbruine flat in het Skyview Manors complex. Ze parkeerde haar auto, waar niet veel benzine meer in zat, en liep op kousenvoeten de koude trap naar haar flat op.

Het was er akelig warm. Weer had ze vergeten de verwarming

lager te zetten. Het deed er nu niet meer toe. Ze zocht haar ondergoed en haar beha's uit de bovenste la van haar ladenkast bij elkaar.
Ze ging naar de hangkast en pakte er een stapel kleren uit. Ze graaide wat spijkerbroeken en truitjes bijeen die her en der in haar slaapkamer op de vloer lagen, en ze nam alles mee naar de keuken.

Daarna ging ze naar de badkamer, verzamelde wat toiletspullen
en stopte ze in een make-uptasje dat onder de wastafel stond. Ze
liep via de slaapkamer naar de keuken. Op het aanrecht lag het bordje met de erop geplakte stukjes macaroni. Ze pakte het en bekeek het
langdurig. Toen legde ze het terug op het aanrecht en stopte haar
kleren in een plastic vuilniszak. Ze pakte haar sleutels en de cheque
van de sociale dienst die een paar dagen tevoren was gekomen en ze
liep rustig naar de deur met haar dikke winterjas in haar handen. Ze
had nog dat stomme, goedkope rokje aan, maar ze had geen zin om
zich te verkleden. Ze pakte haar schoenen en een paar laarsjes dat
bij de kapstok stond en ging naar buiten, waarna ze zacht de deur
achter zich dichttrok.

Ze trok vlug haar laarsjes aan en liep naar haar auto. Ze gooide
haar kleren en haar toiletspullen in de kofferruimte en keek in haar
tas of de whisky erin zat. Ze pakte de fles en nam een teug, een lange
teug, en ogenblikkelijk bedaarden haar zenuwen en kreeg ze een gevoel van helderheid en vastbeslotenheid dat alleen de whisky haar
ooit nog gaf.

Ze zette de auto in zijn achteruit en reed de parkeerplaats van
Skyview Manors uit. Vervolgens reed ze door het dorp, langs de
ijzerwinkel, langs Angie's restaurant, langs het gemeentearchief,
langs Cage Road waar Glick woonde, langs de bibliotheek en de
Calvariekerk waar haar zoontje naar school was gegaan, waar hij
net aan zijn leven was begonnen.

Ze stopte om voor tien dollar benzine te tanken en gebruikte de
kwartjes die ze bij Ethan had gevonden om kauwgum te kopen. Ze
reed het dorp uit en de weg op, naar de splitsing in de weg, waar een
ambulance haar snel passeerde op weg, leek het, naar het dorp.
Daar, bij de splitsing, reed ze de berm in en stopte nog één keer bij
het bord waar Ethan en zij hadden gehuild, en ze bleef er een minuut lang naar kijken. ANGELS CREST, stond er. 354 INWONERS. Ze
herinnerde zich Jane en Rocksan en Janes zoon en zijn zwangere

vriendin en ze vroeg zich af of, wanneer de baby geboren was, iemand eraan zou denken het bord te veranderen zoals Ethan en zij hadden gedaan toen ze met Nate uit het ziekenhuis kwamen op weg naar huis. Dan zou er weer 355 INWONERS staan.

Toen bedacht ze dat het eigenlijk niets uitmaakte, omdat het aantal inwoners door Nates dood en de geboorte van die baby gelijk was gebleven, zodat het zou lijken alsof er in Angels Crest nooit iets veranderde. Mensen gingen jong en onverwacht dood, zoals haar zoontje, en anderen leefden heel lang, zoals die oude, blinde predikant, en ze zouden altijd naar Angie's gaan voor een kop koffie en naar de ijzerwinkel voor bouten en moeren en naar het café om hun pijn te verzachten.

Ze nam nog een teug uit haar fles en ze reed weg, juist op het moment dat het zwart van de vroege morgen plaats maakte voor een flauwe, een uiterst flauwe gloed van licht.

Rechter Jack Rosenthal

Hij voelde zich moe en ziek toen hij uit het gerechtsgebouw kwam. De dag was miezerig begonnen. Een doorweekte lucht maar geen regen, alleen nattigheid. Natte lucht, nat gras, natte straten. Toen had hij strijd geleverd met de media en de onnozelheid van de verslaggevers. Hij verafschuwde de manier waarop ze vragen stelden alsof ze eigenlijk met stenen gooiden. Tegen de tijd dat hij het vonnis over Ethan had uitgesproken, gloeide hij van de koorts. Zijn maag speelde op. Hij kreeg niet eens de tijd om even na te denken nadat hij het vonnis had uitgesproken, door de gestage stroom verslaafden en kruimeldiefjes die door zijn rechtszaal trok. In zijn kamer, op het eind van de dag trok hij, koortsig en misselijk, zijn gewone kleren aan.

Op weg naar huis dacht hij, in een waas van misselijkheid en zweterigheid, na over de uitspraak die hij over Ethan had gedaan, en hoe hij daartoe was gekomen. Hij wist in de tussenliggende dagen na de voorgeleiding dat hij iets zou moeten verzinnen. Hoewel hij wel een idee had van de diepte van Ethans berouw, was hij er toch van overtuigd dat hij een billijke straf kon bepalen die in overeenstemming was met de wet. Maar uiteindelijk zag hij alleen in dat hij een slaaf was van de wet, dat hij zich zijn halve leven lang erdoor had laten knevelen. Iemand met morele moed, hield hij zichzelf voor, zou Ethan hebben laten gaan. In plaats daarvan deelde hij de laffe straf van dertig dagen uit. Hij wist dat dit een concessie was aan de maatschappij en aan zijn lang gekoesterde overtuiging dat er regels en dat er gevolgen moesten zijn.

Hij reed zijn oprit in en sjokte over het pad naar zijn huis. Binnen ging hij allereerst naar de keuken en schonk een glas water in. Zijn keel was uitgedroogd, en hij legde zijn hand, die door de koorts groot en gezwollen leek, op zijn gloeiende voorhoofd. Hij transpireerde nu hevig. Hij wilde een handdoek pakken en viel bijna om, en zocht steun tegen het aanrecht voordat hij zijn natte huid afveegde.

Hij kon de uitdrukking op Ethans gezicht niet uit zijn gedachten zetten. Hoe hij naar de grond had gestaard wanneer hij iets zei, de totale uitdrukkingsloosheid op zijn gezicht toen hij de uitspraak hoorde. De man was zo beleefd, zo stoïcijns. Jack herinnerde zich nog hoe hij nadat hij had geholpen de jongen te zoeken, Ethan had vervloekt, hoe hij in gedachten tegen hem was uitgevaren.

Nu wist hij heel duidelijk, zonneklaar, dat hij eigenlijk walgde van zichzelf en zijn stomme hooghartigheid. Hij voelde zich ellendig. Zijn lichaam speelde op door een of ander virus en zijn hart leek ver verwijderd van iedereen, vooral van God. Hij ging zitten, sloot zijn ogen en herinnerde zich hoe zijn kinderen vroeger met hun tong klakten wanneer hij weer eens over God begon te preken. Ja, nu zag hij duidelijk dat de leerstellingen van zijn geloof uitsluitend gebaseerd waren op de wankele structuur van zijn ego. Hoewel ze het niet onder woorden konden brengen, hadden zijn kinderen dit op de een of andere manier geweten. Ze waren toen snuggerder dan hij.

Hij voelde zich misselijk worden en even later moest hij naar de wc rennen om over te geven. Zijn ingewanden krampten en kolkten. Het zuur brandde achter in zijn keel. Hij bleef met zijn hoofd tegen het koele porselein van de toiletpot liggen en keerde even later nogmaals zijn maag om. Hij moest zijn buik vasthouden vanwege de kramp, en was een paar seconden later genoodzaakt zijn broek los te knopen en zich te ontlasten in een samenvloeiing van pijn en angst.

Toen hij klaar was, strompelde hij de wc uit en ging naar boven naar zijn slaapkamer. Daar ging hij liggen op het bed waarin hij vroeger samen met zijn vrouw had geslapen. Hij dacht weer aan Ethan die voor hem stond. Hij draaide elk woord dat Ethan had gezegd in zijn hoofd weer af, beleefde elk moment opnieuw. *Het is te laat voor een redding. Te laat.*

Hij ging rechtop zitten en als in een droom greep hij naar de glazen pot op zijn nachtkastje die de zeeschelp uit de woestijn bevatte en de knopen en de oude gelukskoekjes. Ook de foto van zijn zoon zat erin, en die zocht hij. Hij keer ernaar door het glas, hij liet het glas over zijn voorhoofd rollen en voelde het koele oppervlak als balsem op zijn brandende huid. Hij stak zijn hand in de pot – wat waren zijn handen oud en knobbelig, wat waren die vingers dik en droog en bejaard – en trok de foto eruit. Hij drukte de foto tegen zijn borst; hij hield hem even voor iets wat zijn bonzend hart kon doen bedaren. Wat haalde hij zich in zijn hoofd? Dit was zijn zoon. Dit was een foto. Hij tuurde ernaar en hoewel het even duurde om het goed te zien, zag hij uiteindelijk Marty's frisse gezicht, zijn lach, de kalmte van zijn jeugd.

Hij dacht aan het jongetje, Nate, dat in het bos verdwaald was. Hoe hij daar boven voor niets was gestorven, zonder iemand om hem te redden. Jack ging weer zitten, angstig, met snel kloppend hart. Welk doel was gediend met Nates dood? Hij kon niet geloven dat een rechtvaardige God zo wreed kon zijn. Hij dacht terug aan de talloze uren die hij in gebed had doorgebracht, en ook aan de jammerlijke platvloersheid van zijn gebeden, aan het feit dat hij zich uit nood en honger tot God had gewend, in plaats van Hem te prijzen en lief te hebben.

Jack wist nu wat hij altijd had geprobeerd weg te houden. Hij was een man wiens geloof zo mager, zo onecht was, dat hij God gebruikte om te rechtvaardigen dat hij een wig had gedreven tussen zichzelf en zijn weerspannige zoon, zijn grote liefde.

Hij begon te huilen en hield de foto van zijn zoon stevig vast. Het lukte hem uit bed te komen om naar de badkamer te gaan. Hij dacht dat hij zich beter zou voelen als hij maar een koel, nat lapje op zijn voorhoofd kon leggen. Maar hij kwam niet verder dan het voeteneind van het bed. Daar zakte hij op de vloer, nog met de foto van Marty in zijn hand. Hij sloot zijn ogen en zag Nate weer voor zich. Maar dat beeld verdween en nu zag hij Marty, zwervend door de straten van Hollywood, verslaafd aan drugs. Weer hoorde Jack de woorden van Ethan. *Het is te laat voor een redding. Te laat.*

Jack opende zijn ogen en Ethan stond voor hem. Jack ging recht-op zitten.

'Ethan?' zei hij. Hij stak zijn hand uit, want hij dacht dat Ethan hem overeind kon helpen. Maar Ethan bleef roerloos staan, beleefd, stoïcijns, en zei niets.

'Alsjeblieft,' zei Jack. 'Wat had ik anders kunnen doen?'

Nog steeds zei Ethan niets. Jack begon te huilen. Hij besefte dat Ethan zijn tranen laf en teleurstellend zou vinden. 'Wat zou je willen dat ik deed?'

Toen stak Ethan hem opeens zijn hand toe en Jack greep hem. Toen ze elkaar aanraakten, voelde hij iets veranderen in zijn hart. Wat dat was, leek absoluut niets te maken te hebben met God of met de wet. Het leek veel onuitsprekelijker dan zijn begrip van die twee dingen. Het was een gestaag trommelen, een gevoel van verlangen, van streven, van genade. Er speelde ook verlies en wanhoop in mee. Het huwelijk van hoop en onmogelijkheid. Het gaf hem een vreemd opgetogen en vrij gevoel. Dat was het woord dat hem inviel. *Vrij.* Hij herinnerde zich wat hij zijn zonen had geleerd over de Torah. *Wat gij niet wilt dat u geschiedt, doe dat ook een ander niet.*

Het leek zo eenvoudig. De rechter keek naar Ethan. Toen keek hij weer naar de foto van Marty en dacht: het is pas te laat voor een redding wanneer je ophoudt met ademen.

Ethan

Ethan schrok wakker. Het eerste waar hij aan dacht, was Nate. Nate die in het bos was verdwenen zonder een spoor achter te laten. Verdwenen. Weg. Nu dood. Hij keek naar zijn handen in het ochtendlicht, naar zijn armen, naar het wonder van zijn vorm en gestalte. Dit lichaam, dit pakket. *Ik*, dacht hij.

Toen hij zag dat Cindy was weggegaan zonder hem wakker te maken, voelde hij zich opgelucht. Hij wilde zelf naar de gevangenis gaan, de komende dertig dagen eenzaamheid onder ogen zien, vanaf dit moment. Maar als hij er alleen heen ging, moest hij een manier vinden om de truck te laten ophalen. Of misschien kon hij hem ergens in een garage stallen. Of hem aan iemand uitlenen. Het maakte hem eigenlijk niet uit wat ermee gebeurde.

Hij sleepte zich het bed uit en nam een douche. Hij ging naar de keuken; hij voelde zich te katerig voor koffie en zag dat zijn geld weg was, ook de drie kwartjes die hij uit Glicks truck had gepakt op de dag dat Glick was gekomen om naar Nate te helpen zoeken. Hij was blij dat ze weg waren, dat Cindy ze had. Hij wist niet precies wat ze betekenden, alleen dat ze belast waren met de last van die dag en dat hij ze niet zelf kon uitgeven, maar ze ook niet kon houden.

Hij besloot naar het restaurant te rijden; misschien zou hij dan een kop koffie aankunnen. Hij moest zich tegen tien uur bij het gerechtsgebouw melden en het was nu pas halfzeven. Hij had dus de tijd. Hij dacht dat hij misschien in het bos kon gaan wandelen. Nog een laatste keer naar de plek van het graf, want tegen de tijd dat zijn dertig dagen om waren, zou de winter helemaal hebben toegeslagen en het kruis dat hij in de grond had gehamerd, hebben begraven.

Hij reed door de stille straten. Toen hij langs zijn ijzerhandel kwam, viel er een nieuwe last op zijn schouders. Hij besefte dat hij niets geregeld had voor de betaling van de hypotheek, dat hij niemand had gevraagd zolang op de winkel te passen. Plotseling leek het allemaal veel te ingewikkeld. Het was allemaal te snel gegaan. Er waren te veel kleinigheden, er was te veel rompslomp. Zijn zoontje was dood. Hij kon zich met geen mogelijkheid nog ergens druk over maken. Hij besefte dat hij werkelijk niets had om voor te leven.

Hij ging langs bij Angie's, bestelde koffie en zei tegen Angie dat hij naar de stad zou gaan. Maar in plaats daarvan reed hij over de slingerende weg omhoog naar de plek in het bos waar nog maar kort geleden de media, de sheriff, de rangers en de mensen van het dorp bijeen waren gekomen om hem te helpen zijn zoontje te zoeken. Toen hij er aankwam, dacht hij aan al die activiteit. Het was net een machine geweest, die zich voortbewoog op zijn eigen energiebron, en die met het verstrijken van de tijd meer kracht en gewicht had gekregen. Nu was het hier verlaten. Wat afval en een honkbalpetje, dat was alles dat er nog van over was.

Ethan trok zijn parka aan en pakte zijn oude 30-30 Savage geweer met dubbelvizier, en een doos met patronen. Hij ging op weg, het bos in. Hij besloot naar de top van Angels Crest te lopen. Het was een prachtige dag en hoewel het pad waarschijnlijk ondergesneeuwd was, kon hij met zijn ogen dicht de weg vinden. Het zou een zware wandeling worden, maar Ethan voelde zich sterk en zeker. Voor het eerst sinds de dood van zijn zoontje had hij het gevoel stevig op zijn benen te staan.

De zon scheen fel, de sneeuw tintelde van de kristallen en de lucht was koud en fris. Hij hield eerst halt op de plek waar Nate gevonden was en waar ze de rouwdienst hadden gehouden, hij knielde in de sneeuw en klemde zijn handen in elkaar en fluisterde tegen zijn zoontje. Hij zei tegen Nate hoe erg het hem speet, hoeveel hij van hem hield, en dat hij gauw weer bij hem zou zijn.

Toen liep hij het bos in. Hij dacht aan niets en aan alles. Hij dacht aan Nate die in de tuin speelde, die zijn kleurboeken kleurde, die door het bos liep. Hij zag Nate telkens en telkens weer; hij lachte en wenkte hem. Hij dacht niet aan Nates laatste uren op aarde. Hij dacht niet aan de vele verschillende manieren waarop zijn zoontje geleden kon hebben. Zodra hij merkte dat het die kant op ging, hield hij op en begon hij weer opnieuw te denken aan Nate die in de tuin speelde, of kleurde, of in het bos liep.

Ethan liep uren door. Hij kreeg geen honger, hij werd niet moe. Eén keer bukte hij, schepte een handvol sneeuw in zijn gehandschoende hand en at de sneeuw heel langzaam op, genietend van de smaak. Toen hij op een bepaald moment zag dat het al over vieren in de middag was, was hij verbaasd. Hij had het gevoel dat hij hooguit een uur had gelopen. Maar nu was hij hier, al meer dan vier uur te laat voor zijn afspraak met de cipier, en hij wist dat ze waarschijnlijk al naar hem op zoek waren. Hij wist ook, op grond van de vorm van de berg en de manier waarop het licht erdoor weerkaatst werd, dat hij bijna bij de top van de bergkam was.

Gek, maar tot nu toe had hij nauwelijks gezien hoe de ondergaande zon de vorm van de bossen had veranderd. Hij was er altijd prat op gegaan dat hij zich bewust was van subtiele veranderingen in het bos, van de verschillen in geur op verschillende hoogten, van de manier waarop het wegstervende licht de bossen altijd kleiner en minder ongenaakbaar deed lijken en van de manier waarop zijn ademhaling veranderde en bij elke meter hoogtewinst oppervlakkiger en moeizamer werd. Maar hij was zich totaal niet bewust van zijn lichaam, en amper van zijn omgeving, behalve dat hij die ervoer zoals hij zijn omgeving in wezen altijd had ervaren, alsof die deel uitmaakte van hemzelf.

Toen hij de top bereikte, keek hij uit over het dal. Je kon kilometers ver kijken. De lucht was helder en de hemel was zo blauw dat Ethan vreugde in zich voelde opkomen. Hij had, dacht hij, nog nooit zoiets moois gezien. Hij ging op de grond zitten en zette zijn geweer zo neer dat het gemakkelijk zou zijn om de trekker over te halen. Hij zorgde ervoor dat hij het vastzette tegen een onwrikbaar rotsblok, om de terugslag te beperken, zodat er niets mis kon gaan.

Hij dacht aan de engelen, hoe die lang geleden die baby's hadden gered. Hij dacht er ook aan dat ze zijn eigen zoontje niet hadden gered. Hij keek uit over het bos onder hem, hij zag de stralende schoonheid ervan. Hij voelde de vriendelijke aard ervan en de manier waarop het bos hem had gewiegd en hem veiligheid had gegeven. Hij sloot zijn ogen en stelde zich voor dat Nate door het bos holde, met het licht dat tussen de bomen door op zijn haar viel, terwijl zijn lach weerkaatste tussen de oeroude rotsblokken en de muziek van zijn stem tussen de bomen danste. Hij zag Nate snel rennen; hij wenkte hem, terwijl hij steeds verder weg rende, met het gras van de weide oneindig ver voor hem uitgestrekt, terwijl zijn lach steeds zwakker klonk, zijn lichaam steeds kleiner werd, en hij uiteindelijk verdween onder de stralend blauwe hemel.

Dankwoord

Ik ben de volgende mensen oneindig veel dank verschuldigd:
voor hun visie, goede raad en vertrouwen aan Henry Dunow en
Deb Futter; voor hun hartelijkheid en professionele aanpak aan
Rolph Blythe en Anne Merrow. Voor het lezen van de roman in al
zijn stadia van ontwikkeling: aan de Grrr's, Krista Eulberg, Georgene Smith en Amy Scripps; ook aan Kayla Allen, Diane Arieff, Judith
Dancoff, Hope Edelman, Denise Hamilton en Diana Wagman. Verder dank ik Kisha Xiomara Palmer die me steeds aan het lachen
maakte. Aan de mensen die voor mij het meeste betekenen op de
wereld, Greg, Shashi en Ezra: jullie zullen me vast mijn vet geven.
En tot slot aan mijn Muze: dank aan U vanwege Uw oneindige genade.